CW00405601

GLAISE

Franck Bouysse est né en 1965 et partage sa vie entre Limoges et sa Corrèze natale. *Grossir le ciel* a rencontré un succès critique et public et a obtenu le prix Polar SNCF en 2017 ainsi que le prix Sud Ouest / Lire en poche, le prix polar Michel-Lebrun, le prix Calibre 47 et le prix Polars Pourpres. Franck Bouysse est également l'auteur de *Vagabond* et *Plateau*, aux éditions de La Manufacture de livres, Prix des lecteurs de la foire du livre de Brive.

Paru au Livre de Poche :

GROSSIR LE CIEL

PLATEAU

FRANCK BOUYSSE

Glaise

LA MANUFACTURE DE LIVRES

ISBN : 978-2-253-08646-8 – 1re publication LGF

« Elle était un bloc de glaise à sculpter,
et mes pensées secrètes étaient des doigts :
ils couraient derrière son front pensif
pour y creuser des lignes de douleur.
Ils figeaient les lèvres, affaissaient les joues,
Faisaient tomber les paupières sous le chagrin.
Mon âme était entrée dans la glaise,
Luttant comme sept diables. »

Edgar Lee MASTERS
Spoon River

« Nous possédons quelques vieilles histoires que nous nous repassons de bouche en bouche ; nous exhumons de vieilles malles, boîtes et tiroirs des lettres sans formule de politesse ni signature, dans lesquelles des hommes et des femmes qui ont autrefois existé et vécu sont réduits à de simples initiales ou à de petits noms familiers nés de quelque affection maintenant incompréhensible et qui nous paraît du sanscrit ou du choctaw ; nous entrevoyons vaguement des gens, ceux dans le sang et la semence de qui nous étions nous-mêmes latents et expectants, que la pénombre de ce temps exténué a doués à présent de proportions héroïques, en train d'accomplir leurs actes de simple passion et de simple violence, impénétrables au temps et inexplicables. »

William FAULKNER
Absalom, Absalom !

« Quand nous retrouver réunies
Dans tonnerre et éclairs, ou pluies ? »

William SHAKESPEARE
Macbeth

Ce qu'il advint cette nuit-là, le ciel seul en décida. Les premiers signes s'étaient manifestés la veille au soir, quand les hirondelles s'étaient mises à voler au ras du sol. Dans la cour, un vent chaud giflait les ramures du grand marronnier et une cordillère de nuages noirs se dessinait sur l'anthracite de la nuit. Le tonnerre grondait, et des éclairs coulissaient au loin en éclairant le puy Violent.

Assise sur le rebord du lit, Marie attendait, redoutant le moment où l'orage serait au-dessus de la ferme. Elle enflamma la mèche de la lampe à pétrole posée sur le chevet, chaussa ses lunettes rondes au cerclage rouillé, puis se leva pour effacer la distance qui séparait le lit de la commode en chêne, sept pas de vieille femme. Ouvrit le tiroir du haut, et en sortit un coffret métallique fermé à clé. Tout ce qu'elle aurait pu faire les yeux fermés.

Elle quitta la chambre avec le coffret, referma la porte pour éviter les courants d'air et rejoignit la cuisine à la lueur de la lampe, puis déposa le coffret et la lampe sur la table, s'assit, contrariée de voir que les autres ne fussent pas déjà debout. La pâle lueur faisait danser les rides dans l'écorce de son visage et, derrière les verres de ses lunettes, on devinait ses petits yeux dirigés sur ses mains jointes.

Les roulements du tonnerre devinrent de plus en plus distincts, faisant comme des mots se carambolant dans une même phrase dénuée de ponctuation, répétée à l'infini. Maintenant que l'orage avait passé la rivière, plus rien ne pouvait l'arrêter. À chaque détonation, une violence invisible affaissait les épaules de Marie, pendant que la confusion et la peur bataillaient au plus profond d'elle.

Victor et Mathilde entrèrent, enjambèrent le banc et s'assirent face à la vieille femme, sans un mot. Marie releva la tête sur son fils, le regard dur.

— Pourquoi il est pas là ? demanda-t-elle sèchement.

— On n'a pas voulu le réveiller, dit Victor.

— T'aurais dû.

Victor lança un regard las à sa mère.

— Il dort, il sera bien temps, dit-il.

Marie déplia ses mains et avança le buste, comme si elle eût voulu donner plus de poids à ses paroles.

— Qu'est-ce que t'en sais ? interrogea-t-elle.

— La… elle peut pas tomber deux fois au même endroit, tout le monde sait ça.

Marie crocheta ses doigts autour du coffret, petits bouts de corde noués de phalanges zébrées de crevasses brunes.

— Parce que c'est toi qui décide où elle tombe ?

— C'est pas ce que je voulais dire…

— S'il était à cette table, je suis pas sûre que t'aurais osé.

— Excuse-moi.

Mathilde ne disait rien, n'écoutait pas, apparemment insensible à l'orage maintenant suspendu au-dessus de la ferme. Elle semblait absente, son joli visage sali par la peur, une autre peur engendrée par un autre orage à venir. Un premier éclat de lumière empli de bruit transperça la fenêtre. Tout le monde se tut. D'autres suivirent en une série de flashs assourdissants qui allongeaient sporadiquement les ombres dans la cuisine, avant de les réduire à néant, puis de les révéler à nouveau. Visages hébétés, tour à tour enflammés puis éteints, faces de cire figées dans la prière, cherchant quelque présage salutaire par-delà le tonnerre.

Une déflagration assourdissante fit trembler les murs et, l'instant d'après, la pluie se mit à frapper les vitres, pareille à des graviers lancés contre. L'orage passait. Le grand danger était écarté. Victor regarda sa mère reprendre vie peu à peu. Les mains de la vieille femme tremblaient encore quand elle sortit une clé de sa poche, l'inséra dans la serrure du coffret et la tourna deux fois. Puis elle fit basculer le couvercle, jeta un coup d'œil à l'intérieur et le referma, et rangea la clé dans sa poche en se penchant légèrement de côté, sa tête peinant à retrouver une stabilité, comme une bulle d'air agacée sur un niveau.

Victor ne quittait pas sa mère des yeux.

— Va te recoucher, maintenant, dit-il.

Elle ne bougea pas.

— Cet orage, dit-elle en haussant le ton par-dessus la pluie qui s'abattait sur le toit.

— C'est bon, il est passé.

— Là où tu vas, ça sonnera pareil, dit-elle, comme si elle parlait au coffret.

Victor jeta le revers de sa main en direction de la lampe et la flamme vacilla dans le courant d'air.

— T'en fais pas, on mettra pas bien longtemps à renvoyer les boches chez eux, la queue entre les jambes.

— Ils doivent penser la même chose, les boches.

— Le sergent recruteur a dit que c'était l'affaire de quelques semaines, ajouta Victor en se forçant à sourire.

Marie leva la tête, et les reflets de la lampe sur les verres de ses lunettes semblèrent creuser ses orbites.

— Parce qu'il sait le futur, ton sergent ! lâcha-t-elle dans un souffle.

D'un mouvement de tête, Victor encercla sa mère et sa femme dans le même regard. Il ne souriait plus.

— J'ai pas le choix, dit-il.

La vieille femme approcha machinalement le coffret plus près encore de sa poitrine.

— Te fais pas esquinter, c'est tout ce qu'on te demande.

— Je sais…

— Et prends garde à la foudre.

Marie inspira longuement.

— Tu donneras des nouvelles, reprit-elle.

— J'écrirai dès que je pourrai.

— C'est demain que tu pars.

— Je dois être à la gare dans la matinée, avec César.

Marie cala ses poings de part et d'autre du coffret.

— Il faut aussi qu'ils nous prennent notre cheval, comme si ça suffisait pas.

— Léonard a dit qu'il vous donnerait un coup de main avec sa mule.

— Une vieille mule peut pas remplacer un percheron. S'ils en ont pas voulu, c'est qu'elle peut pas aider à grand-chose.

Victor laissa s'installer un silence, espérant que sa mère continue d'évacuer cette colère légitime qu'il contenait lui aussi. Mais elle ne le fit pas.

— Ils y connaissent rien, c'est rudement résistant, une vieille mule… et puis, ils nous rendront César quand la guerre sera terminée, dit-il.

Marie hocha la tête avec dédain.

— Parce que tu crois qu'il va retrouver le chemin tout seul, peut-être ?

— Ils vont le marquer, comme ça, ils sauront qu'il est à nous.

Elle haussa les épaules.

— J'imagine qu'ils vont faire le tour de toutes les fermes pour nous ramener notre bien, dit-elle sur un ton cynique.

Victor leva un bras en l'air et laissa violemment retomber sa main sur la table.

— J'y suis pour rien à la fin, dit-il.

— T'as parlé au petit ? demanda la vieille femme, sans prêter attention aux dernières paroles de son fils.

Victor tressaillit, posant un regard voilé d'incompréhension sur sa mère.

— Il sait où je vais, dit froidement Victor.

— Tu devrais prendre un peu de temps avec lui.

— Je sais ce que j'ai à faire.

— Et moi, je peux encore te dire ce que je pense.

Marie leva les yeux sur sa bru toujours prostrée.

— Qu'est-ce que t'en penses, toi ?

Mathilde tourna lentement la tête vers Marie, rassembla ses mains, comme si elle allait applaudir, ou prier, nul n'aurait su dire.

— Je sais pas ce qui vaut le mieux, répondit-elle.

— Y a des choses qu'il faut dire pour qu'on les entende.

— C'est toi qui dis ça ! coupa Victor.

— Et alors ? c'est mon droit.

— Tu crois que j'ai besoin qu'on me fasse la leçon, en plus du reste ! lança Victor excédé.

Marie soupesa le coffret, prête à se lever.

— Après tout, vous ferez bien comme vous voudrez, dit-elle.

— Comme on peut, rétorqua Mathilde d'une voix sentencieuse.

Victor fixait toujours sa mère et il y avait de la défiance dans son regard.

— Tu m'as jamais dit ce qu'y avait dans ce coffre ? observa-t-il.

La vieille femme stoppa son mouvement.

— Tout ce qui doit jamais brûler, dit-elle.

Puis, elle se leva pour ne pas avoir à donner d'explications supplémentaires et regagna sa chambre en emportant le coffret. Le rangea dans le tiroir de la commode qui grinça en frottant sur le socle massif.

Assise sur son lit, Marie écouta la pluie qui faiblissait de minute en minute, attendant que pointe le jour. La pluie cessa bien avant l'aube. Plus tard, une lueur contourna les volets et se figea, sans vraiment pénétrer à l'intérieur. Une tourterelle se mit à chanter quelque part sur le faîtage, accompagnant l'égouttis.

Marie était prisonnière de funestes pensées qui se propageaient dans sa tête comme une coulée de boue glacée. Si Victor ne devait pas revenir de la guerre, elle perdrait tout, s'affaisserait à la manière d'une herbe cisaillée par la faux, et rien n'y ferait contre une telle douleur, pas même la présence de ce petit-fils qui lui ressemblait tant, qu'elle chérissait sans honte, à croire que ce genre de manifestation sautait les générations. Elle pensa aussi à Mathilde, si effacée, si fragile. Marie ne la sentait pas armée pour faire face à la place vide dans le lit, ce désespoir qui saisirait sa bru, ce désespoir dont elle savait tout. L'expression tangible de sa peur n'avait rien à voir avec un vide quelconque, mais plutôt avec son propre effondrement de mère. Une paralysie intérieure dont elle ne voulait surtout rien montrer, et qui l'avait prise depuis que les cloches de Saint-Paul s'étaient mises à sonner à contretemps.

Marie se sentait vieille. Bien trop vieille pour se suffire du labeur. Son cœur et son corps fatigués auraient eu besoin d'être ménagés, mais elle haïssait le repos et le haïrait infiniment plus lorsque son fils serait parti pour la guerre. Elle savait ce qu'une femme peut finir par accepter. Une mère, jamais.

Les nuits d'orage, d'habitude, on réveillait Joseph pour qu'il s'habillât en hâte et se tînt prêt à partir, au cas où la foudre tomberait, que l'incendie prendrait. Son grand-père était mort de cette façon, foudroyé au beau milieu de la cour pendant qu'il bâchait le puits qu'il venait de maçonner. Depuis ce jour, le moindre coup de tonnerre terrorisait sa grand-mère. Joseph avait sept ans quand elle lui avait froidement raconté le drame sans préciser la date, ni plus détailler les circonstances de l'accident ; il y avait huit années de cela. Sans jamais oser poser la question, Joseph s'était toujours demandé ce qu'il était resté de ce grand-père après l'impact, ce qu'on avait bien pu mettre de lui dans son cercueil. Il avait vu plus d'une fois ce que la foudre pouvait faire à un arbre, imaginant alors les désastres sur un corps humain.

Cette nuit-là, Joseph se leva sans faire de bruit, résistant à l'envie de rejoindre le reste de la famille dans la cuisine. L'oreille collée à la porte, il écouta la conversation, persuadé qu'ils n'en auraient pas dit autant en sa présence. Une suite de mots endoloris par le grondement du tonnerre.

Quand l'orage se fut éloigné, des pieds de chaise raclèrent le plancher gauchi, puis ceux du banc, et Joseph retourna vite se coucher. Des pas discrets se rapprochèrent de la porte de sa chambre, ralentirent et continuèrent. Ses parents regagnèrent leur chambre. De l'autre côté du mur, leurs voix étouffées lui parvenaient à peine. Sa mère se mit à renifler et sangloter, couinant un peu comme une bestiole malheureuse.

Le silence revint, mais Joseph ne put se rendormir pour autant. L'orage était loin, balayant d'autres contrées vers la chaîne des puys. Il entendit les grincements du sommier, d'abord imperceptibles, puis de plus en plus distincts, le souffle rauque de son père, les râles retenus de sa mère, la houle de leurs masses comprimées, comme s'ils luttaient chacun à leur manière contre la nuit au cœur d'un même feu bruyant et reconnaissable entre tous. En de tels moments, quand il était plus jeune, Joseph avait souvent eu envie de voler au secours de sa mère, mais pour la première fois il voulut secourir son père.

Animal de trait, plus habitué à tirer l'outil qu'à promener ce fétu d'homme sur son dos. Créature placide qu'on aurait dit d'un seul tenant, centaure à la croupe massive bourrelée de muscles, au buste fragile recouvert d'une chemise de coton fraîchement lavée et séchée dans l'air torride de la veille.

Victor montait à cru, serrant dans une seule main la corde de chanvre graisseux reliée au mors, qui tenait lieu de rênes. À ce qu'il savait, on ne réquisitionnait pas les selles. Son regard déborda des trois corps adossés à l'ombre de la maison. Trois générations à jamais emprisonnées dans la boîte osseuse de son crâne, une vision dont il ferait plus tard chair de souvenir, où qu'il se trouvât.

Les bâtiments de la ferme lui parurent dérisoires, malgré les lourds murs en pierre de lave et les toits pentus recouverts de lauzes. Il se souvint des luttes à mener pour obtenir une maigre récolte, de l'impuissance face à l'animal agonisant, aux éléments impitoyables, et aucune victoire passée ne parvint à atténuer la douleur du départ. Tout ce qu'il abandonnait entre leurs mains, à son corps défendant. Il inspira longuement, retint son souffle autant qu'il le put et s'en libéra en baissant les yeux sur sa famille. Parvint à sourire en cet instant tragique, mais ce sourire délicat mentait mal : *ne vous en faites pas, je reviendrai, c'est sûr.*

Le soleil en pleine face, Joseph grimaçait en se grattant nerveusement une épaule. On aurait dit qu'il répondait timidement au sourire de son père, plissant les yeux à cause de l'intense luminosité qui émiettait la silhouette dans son regard, comme un peintre impressionniste le ferait à petits coups de pinceau répétés, afin qu'il n'existât plus rien que la révélation des espaces entre les touches de peinture. Afin que disparût la lourdeur de ce corps mortel, et que ne subsistât qu'une seule lumière source de vie.

Joseph tourna la tête vers sa mère absorbée dans la contemplation de ses doigts noués. Puis, sans crier gare, il courut au-devant de son père. Mathilde lança ses bras en avant, mais ses pieds restèrent fixés à la terre battue de la cour. Joseph saisit l'encolure du cheval, colla sa joue au chanfrein, et se mit à lui parler d'avenir, de retrouvailles, sans se risquer au vécu, de peur de tracer les contours d'une malédiction. Victor se pencha de côté, serrant les cuisses pour ne pas chuter, posa une main sur la tête de son fils et la retira.

— Je compte sur toi, dit-il.

Joseph recula d'un pas. Il clignait des yeux en cherchant ceux de son père.

— Emmène-moi.

— C'est pas possible, fils.

— Je suis assez grand, tu sais.
— J'en doute pas.
— S'il te plaît, alors.
— Avec tout le travail qu'on a, tu seras bien plus utile ici.

Victor se pencha plus encore, comme s'il voulait confier un secret.

— Si on m'obligeait pas, je resterais, crois-moi, ajouta-t-il.
— Tu reviendras quand ?

Le percheron releva sa lourde tête, faisant cliqueter le mors entre ses dents. Victor se redressa pour le flatter.

— Dans pas longtemps, dit-il.
— Ça veut rien dire, dans pas longtemps…
— Si jamais je suis pas de retour avant l'automne, pensez à ramasser les patates et les topinambours bien mûrs, et à repiquer les choux d'hiver et les raves en quantité à la place.

La bouche de Joseph peinait à retenir un trop-plein d'émotion.

— On le fera ensemble, dit-il.

Victor avala de la salive et resserra sa prise sur la corde.

— T'es l'homme de la famille pour un petit moment, dit-il.
— Je te décevrai pas.
— Je sais ça.
— Papa…
— Allez, file, maintenant.

Joseph obéit en traînant les pieds. Se retourna plusieurs fois avant de rejoindre les femmes. Marie ne dit rien, son visage reflétait une gravité solennelle. Mathilde leva une main à hauteur de ses yeux, et personne n'aurait pu dire s'il s'agissait d'un salut, ou d'un désir de voiler la vision de son mari qui la quittait. Pas même elle. Depuis la nuit d'orage, ses gestes ne lui appartenaient plus.

Victor leur jeta un dernier regard et baissa la tête, puis il enfonça gentiment les talons dans les flancs du cheval. L'animal souleva un antérieur, plia un sabot emmailloté de poils drus et roux, et le déplia pour frapper le sol dans une éclaboussure de poussière ocre. L'homme et sa monture traversèrent les coulées de lumière entre les ombres portées des grands cyprès plantés là par on ne savait plus qui, en bordure du chemin, effilés comme des flammes sombres immobiles. Le cheval semblait se déplacer, tantôt sur une eau noire, tantôt sur une eau limpide. Puis, la silhouette indistincte se fondit une dernière fois dans l'ombre et émergea plus loin dans une explosion solaire, avant d'être lentement avalée par la déclivité du terrain, jusqu'à ce qu'il ne restât rien que le bruit des sabots scandant de muettes prières. Le souffle du monde. Et pas la moindre empreinte.

Marie releva les mains devant elle au niveau des hanches. Elles flottaient ainsi sans raison, comme si elle avait soupesé quelque chose d'infiniment lourd. Des ombres avaient trouvé refuge sur son visage impassible, en traces charbonneuses qui faisaient disparaître ses yeux. Mathilde fixait toujours le chemin désert, persistant encore à chercher une pieuse signification d'un tel désastre. Joseph aurait voulu qu'elle parlât, se révoltât, qu'elle criât des mots jamais dits à voix haute et qu'elle aurait enfin dits à cet homme qui s'en allait, ce mari, mais elle se taisait et il se tut lui aussi.

Au milieu de la prairie du Bélier, Victor aperçut l'arbre foudroyé dans la nuit. Il tira sur la corde pour faire stopper le cheval. C'était un peuplier solitaire, dont le tronc ressemblait désormais à un gros tibia fendu par le milieu à dix mètres du sol. Un vol de corneilles s'en approcha, hésita un instant en passant au-dessus de la catastrophe, puis les oiseaux se mirent à moissonner l'air de leurs ailes effrangées jusqu'à une proche lisière de chênes, où ils se posèrent en silence. Plus tard, ils regardèrent passer l'homme sur sa monture, et l'un d'eux fit jaillir une langue pointue en croassant. Notes lugubres, comme des lettrines sonores arrachées au livre des morts.

Victor traversa des vallons, des combes, des prairies et des forêts, longea des haies, des murets faits de pierres ramassées dans les champs lors des labours, s'imprégna des odeurs de cette nature envers laquelle il lui sembla alors ne pas avoir assez témoigné d'égards. Tout ce qu'il dépassait au rythme calme et résigné du percheron pour se porter en terre étrangère au-devant d'une guerre abstraite. Traversant la forêt, il pleura en cachette sous les frondaisons de grands hêtres. Non qu'il eût véritablement envie de pleurer, mais il ne voulait surtout pas qu'il restât une seule larme à cracher lorsqu'on lui prendrait César.

Victor arriva à la gare de Salers un peu avant midi. D'autres attendaient déjà le passage du train, certains, accompagnés. Il en reconnut quelques-uns. Ils se saluèrent. Victor ramena les brins de la corde l'un contre l'autre, se pencha et descendit en se laissant glisser le long du flanc de l'animal, qu'il flatta un long moment, caressant son cou, collant sa joue à l'endroit où son fils avait plaqué la sienne. Puis il guida César jusqu'à un carré d'herbes jaunies en bordure de la gare, et le mit à pâturer librement avec d'autres chevaux ; il avait fière allure, corde traînant au sol, comme un serpent répondant à la musique lancinante du charmeur.

Victor rejoignit ensuite la trentaine d'hommes éparpillés devant le bâtiment, pour la plupart des gamins. Quelques-uns blaguaient en faisant monter les enchères d'une bravoure jamais éprouvée, forçant des accents vernaculaires ; la plupart se taisaient. Il y avait des femmes qui accompagnaient gravement un mari, un fiancé, ou même un frère, chacune se retenant de laisser éclater une tristesse pourtant légitime. Ils regardèrent Victor s'avancer vers eux, puis revinrent à leurs conversations, ou bien à leur mutisme, une fois qu'il fut assis, dos contre le mur de la gare, face au cheval en train de brouter.

Un sifflement lointain se fit entendre en début d'après-midi, d'autres suivirent. Les regards se croisèrent, et dans ces regards étonnés il y avait sans conteste une gamme infinie de sentiments humains, comme s'ils n'avaient jusque-là pas vraiment cru au départ, et nul ne parlait plus, et tous écoutaient. Victor n'avait pas touché au pain qu'il triturait dans ses mains. Il leva les yeux sur César et remit le quignon dans sa poche.

Le train entra en gare quelques minutes plus tard. Des morceaux de tissus bleu, blanc et rouge virevoltaient autour du convoi, puis s'affaissèrent à l'arrêt. Des soldats en uniforme descendirent des wagons. Un sous-officier vérifia les livrets militaires. On s'embrassa une dernière fois et la gravité s'invita dans les yeux de chacun, malgré ce qu'on s'était promis, regards rabotés de toute fierté, désormais fuyants. Victor monta dans le wagon de tête, se dirigea immédiatement vers la fenêtre ouverte et passa la tête au dehors. Il eut le temps d'apercevoir César, que des hommes conduisaient en queue de convoi. L'animal releva sa lourde tête, et la bascula à l'opposé de son maître, comme s'il ne souhaitait pas que l'instant s'éternisât. Et Victor ne le vit plus. Ne le revit jamais.

Lorsque les passagers descendirent en gare d'Aurillac, ils furent abasourdis de découvrir une ville grouillante, un théâtre indescriptible de désordre et de bruits. Victor suivit le mouvement. Marchant sur le quai, il entendit des hennissements en arrière, provenant des wagons à bestiaux et accéléra le pas, sans se retourner.

On les conduisit au casernement du 139e régiment d'infanterie. Une foule en liesse accompagna les futurs héros. Des choses volèrent dans les airs, retombant et s'envolant de nouveau au milieu des hourras. Des filles hystériques vinrent les toucher et parfois offrir leurs lèvres, et, rencognés à l'ombre des façades, quelques vieux observaient gravement la troupe avec la lucidité de ceux qui savent et n'osent rien dire.

Victor ne réagit pas lorsqu'on qu'on l'appela « soldat » pour la première fois. Cette manière de les désigner frères, de les démembrer de leur passé, parut ruisseler sur lui. Ce ne fut qu'une fois l'uniforme revêtu qu'il prit véritablement conscience qu'on le volait à lui-même et à ceux qu'il aimait.

À Chantegril, le moindre effort essorait les corps et il fallait boire souvent pour ne pas se racornir, se fissurer comme l'argile desséché, tant la chaleur était tenace. Se délestant de quelques feuilles, les arbres luttaient contre la déshydratation, et l'air épais absorbait les senteurs, poreux comme de l'albumen. Même l'ombre brûlait.

La journée passa. Ils dînèrent, échangeant à peine quelques regards pendant le repas, déviant aussitôt leur course de peur qu'ils s'accrochent sur les lamentables aspérités d'un souvenir ou d'une simple image. Ils mâchaient fort et faisaient semblant que chaque geste requît toute la concentration dont ils disposaient, afin qu'il n'y eût d'espace pour rien d'autre que le transport des aliments vers leur bouche et l'action de leurs bruyantes mâchoires.

Après le repas, ils se réunirent devant la maison. La nuit commençait à éteindre le jour au-dessus des montagnes, comme si une force invisible envers laquelle il lui sembla alors ne pas avoir assez témoigné d'égards eût tiré sur un fil de laine pour dévider un écheveau. Au loin, un gros nuage manchonnait le puy Violent, et on aurait pu croire que cette ruine de volcan rejetait encore des fumées vieilles de trois millions d'années, à la manière de ces lumières d'étoiles mortes qui parviennent encore aux yeux des vivants. Un vestige de la fureur de la terre qui avait façonné ce monde en lui offrant la vie, depuis les algues souveraines, pour parvenir à ces deux femmes et à ce gamin en train de contempler des coulées de basalte fossilisé. Puis le soleil disparut lentement, disque parfait ingurgité par la montagne, qu'une autre recracherait au matin dans toute sa splendeur.

C'était comme si un assentiment muet les eût conviés là tous les trois pour attendre quelque retour héroïque, alors que c'était simplement la fraîcheur et la brise qui les avaient attirés, et rien de plus, à ce qu'ils voulaient croire. Pourtant, de temps à autre, ils jetaient un coup d'œil vers le chemin, tels des guetteurs interrogeant des vigies postées quelque part dans les hauts cyprès. Et chacun se gardait bien de montrer aux autres ce ridicule acte réflexe qui guidait leur regard.

Lorsque la nuit tomba, ils se cloîtrèrent entre les larges murs de la maison, tous épuisés, ravinés, silencieux. Attendirent que la nuit chasse la torpeur du jour passé, tentant de trouver le sommeil, de se reposer autant que possible, fenêtres grandes ouvertes, plus ou moins dévêtus sur les lits défaits, se moquant pas mal des moustiques et de leurs piqûres, des cris au dehors. Ils voulaient simplement respirer sans y penser.

Joseph se leva aux aurores. Il quitta la maison, emportant sa canne à pêche et une musette avec à l'intérieur un morceau de pain et de lard. Il n'aurait certainement plus l'occasion de pêcher avant longtemps. Il ressentait le besoin d'être seul.

Il traversa des prairies jaunies, peuplées de fétuque ovine échevelée par la brise matinale et de nards raides, et alourdies de gentianes. Entendit les cloches d'un troupeau tinter plus haut dans les estives, et leur écho rebondir dans la combe du Bélier. Il ramassa quelques sauterelles engourdies dans les laîches en lisière de forêt, et les enferma dans une petite boîte en fer au couvercle métallique perforé à coups de pointe martelée. Lorsque Joseph estima en avoir suffisamment collecté, il ajouta quelques brins d'herbe verte à l'intérieur. Puis il plongea sous le couvert de hêtres gigantesques, qui annonçait la vallée au fond de laquelle coulait la rivière, comme un drain à ciel ouvert. Tandis qu'il dévalait la pente abrupte, ses pieds glissaient parfois sur le sol, et il s'agrippait alors aux frêles troncs enfantés par la couche d'humus. La Maronne s'annonça bientôt au son du courant qui butait sur les rochers. Une fois qu'il l'eût atteinte, Joseph sentit son cœur s'accélérer. Il entra dans l'eau froide dont il connaissait chaque piège et remonta le courant en direction de son coin de pêche préféré, traînant les pieds pour bousculer les pierres, se détournant pour éviter un trou. Des murailles rocheuses s'élevaient de part et d'autre des berges, comme une construction magistrale en perpétuelle évolution.

Joseph atteignit enfin un premier bassin rempli d'une eau claire, suffisamment profond pour abriter des truites, à la surface duquel affleuraient çà et là de gros blocs de roche blanchâtre aux flancs marqués par la baisse des eaux. Il s'en approcha avec d'infinies précautions, se courbant pour amenuiser son ombre. Une fois qu'il eut longuement observé la rivière pour dégoter les nouvelles embuscades des poissons, il déroula le bas de ligne fixé sur le scion de sa canne en bambou, puis accrocha une sauterelle par le dos à un hameçon, prenant soin de ne pas éventrer l'abdomen de l'insecte qui détendit ses pattes arrière à la recherche d'un point d'appui inexistant, s'obstina. Joseph balança la canne d'avant en arrière plusieurs fois de suite et déposa délicatement la sauterelle sur l'eau, de façon à ce qu'elle ne se noie pas et continue de bouger.

Joseph pêcha durant deux heures, prélevant cinq truites de belle taille, au dos obscurci par l'ombre des rochers et à la robe fardée d'étoiles muqueuses. Elles se battirent toutes avec courage, et il leur brisa les vertèbres en basculant la tête en arrière à l'aide de son pouce enfoncé dans la gueule, juste sous le bec, afin de contrarier la rigidité cadavérique, comme son père le lui avait enseigné. Une seule se décrocha à sa jambe, avant qu'il ne pût s'en saisir, et il la regarda disparaître à la vitesse d'un éclair.

Assis sur un rocher, à l'ombre d'un grand saule aux ramures dorées et pantelantes, Joseph sortit le morceau de pain de sa besace et le grignota à peine. Ne toucha pas au lard. Un sphinx allait et venait autour d'un pied de digitale, infatigable colibri poudreux à la trompe suppurante de nectar, minuscule ivrogne incapable de se résoudre à quitter la source de son plaisir. Plus loin, un loriot chantait, invisible. Un autre lui répondait, tout aussi invisible. Puis ils se turent. Toutes ces vies simples, aux fonctions si évidentes, donnaient en temps normal la sensation à Joseph d'être l'envers d'un homme, une forme directement reliée à la nature et, maintenant que son père était parti, elles ne lui apparaissaient plus comme telles, et il prenait conscience qu'il allait devoir apprivoiser différemment l'univers amputé de la part tendre de l'enfance. Devenir un homme avant l'âge d'homme.

Marie s'était habillée en entendant les pas discrets. À travers les volets entrebâillés, elle regarda Joseph s'éloigner dans la combe. L'aube était en train de lever comme une pâte dorée. Elle nettoya les verres de ses lunettes avec le drap de sa robe, puis crocheta les volets et rejoignit la cuisine. Fabriqua un feu sous le trépied en émiettant quelques brindilles sur la feuille d'un antique journal, et ajouta trois bûches par-dessus. Déposa un galet dans une casserole et mit du lait à chauffer. Puis, elle resta un long moment immobile, face au feu, les mains enfoncées dans ses poches, appuyées sur les os saillants du bassin, pendant que le galet dansait dans le fond de la casserole en cognant la paroi.

Mathilde entra dans la cuisine sans dire un mot. Son visage était marqué par le manque de sommeil. Marie entoura la poignée de la casserole d'un chiffon et s'approcha de la table.

— Il est sorti, dit-elle en versant le lait dans un bol.

— Si tôt que ça ?

— Il en avait besoin, je suppose.

Mathilde s'approcha de la fenêtre, jeta un bref coup d'œil dans la cour et tira les volets.

— Il fait déjà une chaleur à crever, dit-elle en se tournant vers le feu.

— Tu veux du lait ?

— Maintenant qu'il est chaud.

Mathilde attrapa un bol dans le bahut et le posa sur la table. Marie, visiblement insensible à la chaleur, finit de verser le contenu de la casserole en retenant le galet de tomber avec un doigt. Mathilde s'assit, et Marie s'en alla poser la casserole sur une large pierre bosselée devant l'âtre fumant.

— Il va vite s'éteindre, dit Marie.

Puis elle s'assit à table en étreignant le bol.

— Il va falloir qu'on s'organise, ajouta-t-elle.

— Vous avez l'habitude de ça, dit Mathilde avec plus d'emportement qu'elle n'aurait souhaité.

Marie souleva le bol à deux mains et souffla sur le lait en regardant la vapeur se tortiller devant elle.

— J'ai jamais eu le choix de faire autrement, ma fille ! dit-elle froidement.

— Je sais.

— Si t'as mieux à proposer.

Mathilde porta le bol à ses lèvres. Marie attendit qu'elle boive, avant de reprendre.

— Faut d'abord s'occuper de la moisson. Joseph fauchera, il est assez solide pour ça. Pendant ce temps, Léonard t'aidera à lier les javelles et vous les rentrerez au fur et à mesure avec sa mule et sa charrette. Il sera bien temps de battre après. Moi, je resterai m'occuper de la ferme, le soleil me vaut plus rien.

— J'irai voir Léonard pour lui dire, dit Mathilde d'un air las.

Marie but une gorgée.

— C'est déjà fait. Il viendra demain matin, dit-elle.

Mathilde reposa son bol sur la table, le tenant toujours, les yeux levés sur la vieille femme.

— Moi aussi, je peux faucher, dit-elle avec aplomb.

— On verra, si y a besoin.

— C'est ça, je verrai.

— Il faut qu'on garde des forces, on sait pas ce que l'avenir réserve.

— J'en ai des forces, et sûrement plus que vous croyez.

— J'en doute pas.

Elles terminèrent leur lait en silence, pendant que la lumière s'empilait dans la pièce, révélant des mondes en suspension.

Le ciel naviguait entre les feuilles et les branches, et le soleil au zénith rayonnait sur la voûte des arbres, laminant peu à peu la maigre fraîcheur accumulée en sous-bois durant la nuit. Mathilde retrouvait les chemins si souvent foulés pieds nus dans son enfance, celui de la fauvette, des martres et des pradelles, délaissés jeune fille, pour rejoindre Chantegril à la suite de son père, afin d'être présentée au futur mari.

Une émotion d'enfant l'effleura lorsqu'elle entendit les grenouilles coasser, leurs voix gutturales accompagnées de la musique produite par une pierre frottant la lame d'une faux, d'un côté puis de l'autre, *zip-zip, zip-zip*... Mathilde aperçut son père dans le pré, non loin de la mare. Elle fouilla du regard les abords, et ses yeux s'emplirent peu à peu de tristesse, en ne voyant que lui, bras étendu sur la lame courbe, l'entourant comme s'il se fût agi de l'épaule d'une femme avec laquelle il se serait apprêté à entamer une danse. *Zip-zip, zip-zip, zip*... Puis il rangea la pierre à aiguiser dans le fourreau de cuir fixé à sa ceinture et se remit à faucher l'herbe tendre, le geste ample, presque lent, qui lui permettrait de tenir ainsi jusqu'au soir sans faiblir, sans jamais planter la pointe dans la terre.

Mathilde était arrivée trop tard pour dire au revoir à son frère, et venait tout juste de renoncer à l'idée de demander un jour de l'aide à son père. À l'abri des arbres, elle regarda l'herbe s'effondrer, en route vers une dessiccation qui la rendrait croquante pour les bêtes l'hiver. Elle ne s'approcha pas de son père, persuadée qu'aucune parole ne leur viendrait en secours, espérant pourtant secrètement qu'il relevât les yeux sur elle et s'en tînt là, à leurs regards rassurants, à mi-chemin l'un de l'autre. Mais rien ne se déroula de la sorte, et elle le vit s'éloigner et disparaître, comme désintégré pied à pied par la lumière.

Derrière la grange, assis sur un mur, Léonard était occupé à sculpter un morceau de charme avec son couteau, chapeau légèrement basculé en arrière. Sa veste était seulement accrochée par le bouton dépareillé du haut, telle une fibule, et les pans ressemblaient à deux ailes au repos. Un bâton arborant la tête d'un serpent était posé contre les pierres, près de lui. Concentré, il pratiquait des entailles précises qui le rapprochaient de la forme finale, comme si la tête du renard eût bel et bien existé dans le cœur du bois, et que le rôle du vieil homme se fût résumé à l'en dégager sans dommage. Rien de plus.

— Bonjour, Léo !

Léonard ne se détourna pas de son œuvre.

— Bonjour, mon garçon !

Joseph s'assit près du vieil homme, sans quitter les mains agiles des yeux.

— C'est rudement beau, dit-il.

— J'ai fini, je crois bien.

Léonard plia son couteau, se pencha de côté en tendant la jambe, et le fourra dans une poche de pantalon. Puis, il se mit à lisser la sculpture avec la paume de sa main pour en faire tomber les dernières échardes. Cette main rêche était, elle aussi, comme du bois crevassé par le temps. Un sculpteur, qui se serait amusé à faire gicler des copeaux de chair sans grand talent et qui n'avait pas l'air de vouloir s'arrêter là.

Une fois qu'il en eut terminé, Léonard tendit la tête de renard à bout de bras, l'observant sous toutes les coutures, puis la posa entre Joseph et lui.

— Je suppose que les truites étaient de sortie, si tôt ce matin, dit-il.

— Je t'en ai apporté deux.

— Garde-les pour vous, va.

Joseph jeta un regard noir sur sa musette.

— Il en restera quand même assez, dit-il.

Le vieil homme laissa passer un moment, ferma un œil en regardant le ciel uniformément bleu.

— Il est parti, dit-il en laissant tomber sa voix comme une masse inerte.

— Hier matin.

— Il reviendra.

Joseph sentit son cœur s'emballer.

— C'est ce qu'il a dit.

— Y a pas de raison.

— Il aura peut-être pas son mot à dire.

— Comme je le connais, il va se battre comme un lion, ton père… peut-être même qu'il aura pas à le faire.

Joseph releva la tête en direction de la prairie cramoisie qui s'étendait jusqu'à une cloison de chênes rachitiques, aux branches biscornues enchevêtrées les unes dans les autres, qui semblaient se donner la main pour exécuter une drôle de farandole embrasée de soleil.

— Il compte sur moi, dit-il.

— On fera ce qu'il faut pour que tout soit en ordre le jour où il sera de retour.

Joseph releva le rabat de sa musette d'un geste vif, plongea une main à l'intérieur et sortit deux truites fario qu'il étala sur une pierre grise, près de la tête sculptée.

— Il a emmené César, dit-il.

Léonard posa une main sur la jambe de Joseph et la retira aussitôt.

— T'en fais pas, ma mule est pas du genre à se défiler, et moi non plus.

— Je sais bien. Merci, Léo.

— Y a pas de merci…

— T'as déjà fait la guerre, toi ?

Avant de répondre, Léonard prit le temps de frotter son pantalon pour en faire tomber des écailles de bois.

— Y a longtemps, dit-il.

— T'as tué des hommes ?

Les traits du vieil homme se figèrent sur son visage.

— C'est ce qu'on attend de ceux qui la font, dit-il après une nouvelle hésitation.

— T'en es bien revenu, toi.

— J'avais les meilleures raisons du monde de revenir.

Léonard aspira de l'air par sa bouche, comme s'il eût voulu remettre dedans les mots qui lui avaient échappé.

— C'était quoi, tes raisons ? demanda Joseph.

— Des gens qui comptaient sur moi.

Joseph ramena sa musette contre sa poitrine.

— J'ai peur, Léo.

— Le contraire serait pas normal.

— J'ai peur de ce qui pourrait lui arriver... et j'ai peur qu'on... qu'on reste seuls.

— Faut avoir confiance dans ceux qui partent, et aussi dans ceux qui restent... Moi, j'ai confiance.

Joseph tourna son visage vers le vieil homme, sans le regarder.

— Tu voudrais pas me raconter comment ça se passe, dit-il.

— Comment se passe quoi ?

— La guerre, je veux dire.

Léonard posa à nouveau une main sur le genou de Joseph, mais ne la retira pas cette fois-ci, regardant tendrement le jeune homme. Puis il ramena son chapeau en avant, et l'ombre formée par le rebord fit comme une traînée de suie voilant son front et ses yeux.

— Ce que je t'en dirais t'aiderait pas, et ça m'aiderait pas beaucoup non plus.

— On nous en a déjà parlé, à l'école, des guerres d'avant.

— Ça a dû pas mal changer depuis cette époque.

— Peut-être pas qu'en bien.

— C'est pas l'intérêt des officiers de pas prendre soin de leurs soldats.

Le vieil homme se racla la gorge, cracha de côté, et sortit un mouchoir pour s'essuyer la bouche.

— Tu les as attrapées où, ces belles truites ? demanda-t-il.

— Au-dessus des Pierres Blanches.

— C'est pas l'endroit le plus facile pour pêcher.

— Je suppose qu'y aurait pas autant de poissons, si tout le monde y allait.

— Je sais pas ce qu'elles leur trouvent à ces pierres.

Joseph força un sourire.

— Peut-être qu'elles ont quelque chose de magique, dit-il.

— Ça peut expliquer pas mal de choses, la magie.

— T'as déjà pêché, toi ?

— Comme tout le monde, j'imagine. Dans le temps, moi aussi j'allais là-bas.

— Pourquoi t'y vas plus ?

Léonard passa un doigt sur le flanc luisant d'une des truites.

— Je pourrais plus me rendre aux Pierres Blanches.

— Y en a un peu partout, des truites.

— Sûr, mais quand tu peux plus aller dans un endroit où t'as toujours été, c'est plus la peine d'insister, à mon avis… tu perds quelque chose que tu retrouveras jamais, alors, il vaut mieux faire en sorte de pas perdre plus.

— Je comprends pas.

— À ton âge, ce serait dommage. Tu vois, même si on me donnait des jambes toutes neuves, j'y retournerais pas, vu que j'aurais trop peur de pas tout retrouver comme je l'ai laissé.

La rivière se mit à sinuer dans la mémoire de Joseph.

— C'est toujours aussi beau, dit-il.

— Je veux bien te croire.

— À mon avis, rien ni personne pourra changer ça.

Léonard hocha la tête.

— Y a qu'une chose qui pourrait, concéda-t-il, comme s'il se parlait à lui-même.

— On dirait que tu parles pas que des Pierres Blanches, là ?

Léonard regardait les mamelons rocheux qui se découpaient sur l'horizon comme les vertèbres d'un grand cachalot immobile à fleur d'eau. Il plissait les yeux pour laisser entrer la lumière nécessaire, et pas plus, afin qu'un excès ne dévorât pas le spectacle. Le ciel était une toile tendue, boulochant en altitude sous quelques nuages filandreux.

— Y avait ce pêcheur, dit-il. On se retrouvait souvent aux Pierres Blanches et on remontait la rivière, chacun d'un côté. Du jour où il est plus venu, ç'a tout changé.

— C'était qui ?

— Peu importe qui c'était.

— Pourquoi il a arrêté de pêcher, lui ?

— Il avait ses raisons. Ce qui est sûr, c'est que, quand je revenais pêcher, après, j'avais toujours l'impression qu'il allait apparaître. À la fin, j'y allais plus pour les truites, mais pour être là quand ça arriverait.

Les mains de Léonard agrippèrent son bâton, ses doigts revenaient sans cesse effleurer la tête sculptée du serpent.

— Et c'est pas arrivé, dit Joseph.

— Ça risquait pas, mais il fallait du temps pour que je l'accepte. À la fin, je pêchais même plus, je m'asseyais sur un rocher, j'écoutais la rivière en regardant les arbres. J'aurais voulu qu'ils me racontent tout ce qu'ils savaient. Je croyais que, pour une fois, la nature serait de mon côté, mais elle se foutait pas mal de moi… comme toujours.

Léonard se tut, il tendit son bâton en avant en désignant les arbres au loin, puis il reprit :

— La nature, elle en fait qu'à sa tête. T'as beau te coller à un arbre, tu te transformes pas en écorce pour autant… ou t'allonger dans une rivière, tu te transformes pas plus en eau…

— Et vous vous êtes jamais revus ?

— Il est parti.

— Comme ça, du jour au lendemain ?

— Comme ça.

— Les gens peuvent disparaître sans raison, alors.

— Pas tous, fils, pas tous.

Léonard sourit tristement et tapota la main de Joseph du bout de son bâton.

— À voir tes doigts, on dirait que t'as pas fait que pêcher.

Joseph plia et déplia plusieurs fois de suite ses doigts croûtés de terre rouge.

— J'en ai profité pour ramasser de la belle glaise en redescendant vers Saint-Paul, je connais un bon coin.

— Quand est-ce que tu me montres ?

Joseph regarda longuement la tête sculptée du renard.

— J'aurais trop honte, dit-il. Regarde-le, on dirait qu'il est vivant, ce renard, prêt à sauter sur une poule.

Un sourire s'épanouit sur le visage de Léonard.

— Il lui manque un bout pour ça, dit-il.

— Je pourrai jamais faire aussi bien.

— C'est que du temps passé.

— J'imagine que c'est un peu plus.

— Tu m'aurais vu au début.

— Laisse-moi encore un peu de temps, et je te montrerai.

— D'accord. Allez, faut pas la faire attendre, cette terre. Si elle sèche, tu pourras plus rien faire avec, dit Léonard en attrapant la sculpture et en la posant sur la besace de Joseph.

Le regard du jeune homme passa de la tête du renard à Léonard.

— Qu'est-ce que tu fais ? dit-il.

— Si ça peut te donner un peu d'inspiration.

— Je peux pas accepter.

— Et pourquoi pas ? Tu me fais bien cadeau de deux belles truites.

— C'est facile à attraper, des truites, tandis que ça, c'est trop.

— C'est qu'un bout de bois, et puis ça me fait plaisir.

Joseph fourra la tête sculptée dans la poche avant de sa besace pour ne pas la souiller.

— Merci, Léo.

— Y a pas…

— Y a pas de merci, oui, je sais.

Le soldat Victor Lary quitta la garnison d'Aurillac le 7 août 1914 avec son régiment, accompagné par une populace toujours exultant, cette fois en sens inverse, du casernement jusqu'à la gare. Une foule qui les voyait victorieux avant même le premier coup de feu tiré contre l'ennemi.

Le colonel M. prit le commandement du régiment, assisté des chefs de bataillon R., T. et J. Première revue d'effectif. Le colonel M. avait l'œil noir, le sourcil épais et une moustache travaillée qui reposait sur un brouillon de lèvres. M., qui se voyait déjà beau et grand, un destin sur mesure à tailler dans le bois de troupes dociles. Tendre bidoche. M. et sa harangue tout aussi travaillée que sa moustache, tout aussi lustrée, campé bien droit dans son uniforme coupé sur mesure, les mains dans le dos, comme s'il s'apprêtait à faire deviner à chaque homme dans quel poing serré se trouvait son propre destin. Prestance aristocratique, que la piétaille suivrait au feu sans discuter. M., qui croyait encore à la grandeur du sacrifice, à sa propre grandeur, avant qu'il ne pose ses bottes cirées en première ligne. M., qui obéirait aux ordres de généraux penchés sur des cartes d'état-major, qui ne douterait jamais de leurs décisions irrévocables issues de savantes stratégies engageant d'autres vies que la leur. Il ne faillirait pas, montrerait l'exemple, et ceux qui ne le suivraient pas seraient jugés pour la forme, puis fusillés. Une chose était certaine, le poids d'une balle ne différait pas d'un camp à l'autre, et la cohésion se fondait sur la peur et la soumission.

Le régiment au complet arriva deux jours plus tard aux environs d'Épinal. Ce fut ensuite la marche-manœuvre durant dix jours, histoire de se préparer aux assauts. On entendit le son du canon pour la première fois à Varennes. Et la colonne se tut. Les hommes se regardèrent, incrédules, comme s'ils cherchaient une vaine explication à leur présence ici. Et ils baissèrent les yeux en manière de recueillement singulier, dirigé vers parents, frères, sœurs, femmes, enfants. Spectacle poignant, quand l'idée de la mort s'engouffra sous les képis, la conscience aiguë que le voyage n'avait pas encore commencé, le véritable voyage, celui qui allait les déverser dans l'horreur à la manière de lemmings programmés pour le suicide. Un soldat fanfaronna un court instant, puis se mit à chanter pour tenter de couvrir le bruit de la mitraille. D'autres le suivirent. Leurs voix tremblaient d'émotion et la terre tremblait aussi. Victor ne put se joindre au chant. Son cœur se déchira alors, et il rêva d'entendre aboyer un chien.

La maison était calme, maintenant que tout le monde s'était retiré. Joseph attendit encore, puis il attrapa sa musette et enjamba la fenêtre de sa chambre. Il s'évadait ainsi souvent pour rejoindre une cave à l'abandon située sous le four à pain, un endroit où plus personne n'allait, par crainte d'un éboulement. Joseph avait installé, à l'insu de tous, deux étais en bois solide d'acacia et s'était ainsi aménagé une sorte d'atelier secret. Il savait que ce rituel serait désormais mis à mal par l'excédent de besogne, les nouvelles responsabilités et la fatigue qui en découlerait.

Parvenu devant la cave, Joseph sortit le morceau de lard qu'il n'avait pas mangé au matin, en enduisit le verrou, puis le fit glisser dans l'œillet, tira la porte, entra et referma derrière lui. À l'intérieur, il craqua une allumette et en barbouilla la mèche d'une bougie fixée à une pierre par des coulées de cire ressemblant à une longue robe de bal sur un corps décapité. Les ombres de toutes sortes d'animaux façonnés dans la glaise de la rivière, avec plus ou moins de bonheur, se mirent à danser sur les murs. Les sculptures étaient toutes disposées sur deux madriers destinés à recevoir jadis des barriques de cidre et de vin râpeux, désormais entreposées dans une autre cave creusée sous la maison d'habitation. Il s'approcha du fond de la cave et déposa le cadeau de Léonard sur un madrier, parmi les autres sculptures, et l'ombre du renard dansa indifféremment parmi les autres.

Avec la lame de son couteau, Joseph gratta la surface d'un large rondin pour retirer les croûtes d'argile collées, puis versa de l'eau par-dessus à l'aide d'une écuelle flottant dans un seau. Il prit ensuite la motte de terre récoltée le matin au bord de la rivière et la déposa sur le billot humidifié. Il l'observa longuement, inventoriant dans le détail la série de gestes nécessaires à l'accomplissement de son projet, et ses lèvres bougeaient en même temps qu'il baladait ses mains dans le vide, comme un qui inventerait son propre langage.

Lorsqu'il en eut terminé avec ses gammes, Joseph construisit une structure sommaire en fil de fer, ressemblant à une lettre dégotée dans l'alphabet grec. Puis il trempa ses mains dans le seau et se mit à attendrir la terre, à la pétrir longuement pour en faire une forme malléable, qu'il partagea ensuite en deux boules d'égales proportions. Il commença par malaxer un morceau, l'humidifiant fréquemment. Sa langue voyageait sur ses lèvres. Une croupe trapue munie d'un large cou se matérialisa et il renversa la forme sur le rondin. Préleva ensuite un peu de glaise sur l'autre boule, et façonna une jambe puissante qu'il incrusta dans la masse. Il procéda à l'identique pour les trois autres membres, jusqu'à faire disparaître les jointures et apparaître les galbes. Puis il conçut une tête chevaline et la souda aussitôt au cou de l'animal. Avant que la terre ne se solidifie, il matérialisa une fine crinière de la pointe de son couteau. Durant tout le temps des opérations, Joseph reculait souvent et revenait parfaire un détail, afin que la copie fût aussi proche que possible de ce qu'il avait en mémoire : un percheron massif nommé César, ce compagnon qu'il avait toujours connu.

Lorsqu'il estima en avoir terminé, épuisé et le visage ruisselant de sueur, il évalua la statuette d'un œil critique, et releva les yeux sur l'ombre portée parquée sur le mur, à qui il se mit à parler, comme s'il conversait avec un esprit. Sa voix, pareille à un filet d'eau s'écoulant sans contrainte pour parvenir à son père chevauchant le vaillant messager. Cette ombre nouvelle dessinée par sa mémoire autant que par ses propres mains. Puis, ses mots taris, il pressa la flamme de la bougie entre pouce et index, abandonnant son monde mystérieux à l'obscurité de la cave.

Une fois dehors, il sentit un peu de fraîcheur balayer son visage et la tension le quitter à pas comptés, pendant qu'alentour bafouillaient des animaux nocturnes. Il voyait le ciel illuminé, tordu par les montagnes. Joseph savait que les étoiles dansaient mieux au mois d'août. Il attendit que l'une d'elles, décrochée de quelque incroyable socle, traversât l'univers d'un infini à l'autre, prêt à jeter dans son sillage le seul vœu qu'il eût en tête. Elles ne manquaient pas d'habitude, ces étoiles-là, lors des claires nuits d'été, comme si une bouche céleste s'était amusée à les cracher à l'envi.

Joseph bascula sa tête en arrière, embrassant ainsi plus largement la prairie de nuit fleurie de milliers de soleils. À défaut de voir filer une étoile, il se mit à fixer au hasard une lueur suspendue au milieu des autres. La voir évoluer, se fragiliser, était un phénomène qu'il avait maintes fois observé, un phénomène qui dépassait son entendement, un peu comme l'idée d'un dieu architecte. Au fond, les yeux rivés au ciel, il espérait encore voir surgir la cible de son vœu.

Il patienta. Rien n'apparut, rien ne se décrocha du vide pour porter la bonne parole jusqu'à lui. Il eut alors une folle envie de crier, de gueuler de toutes ses forces après le ciel, de lui dire d'arrêter ce jeu cynique, de se laisser aller à lui offrir enfin une étoile. Il lui devait bien ça, à lui et à sa famille, ce ciel qui avait déversé la foudre sur son grand-père et qui les menaçait tous aujourd'hui d'une autre façon. Il pouvait bien faire un signe, c'était le moment ou jamais de se manifester, de se racheter. Joseph attendit. Il attendit longtemps, mais le ciel resta muet, et Dieu aussi.

Plus tard, couché sur son lit, après une lutte acharnée pour contrer le sommeil, Joseph ferma les yeux, et des éclairs apparurent dans son rêve, comme des traînées de balles dans un ciel d'encre.

Dans la semaine qui suivit, à Chantegril comme ailleurs, on ne ménagea guère sa peine, essayant de penser le moins possible à la guerre. On se parlait peu, ou alors pour se partager le labeur en équitables portions correspondant aux capacités de chacun. Joseph faucha à lui seul la parcelle de sarrasin, pendant que Léonard et sa mère liaient les javelles et les empilaient dans la charrette tirée par la mule. Marie, dont la santé s'était fragilisée depuis plusieurs mois, ne quittait plus les abords de la ferme, s'occupant des repas, des volailles et un peu du jardin, quand le soleil se faisait moins mordant. Une organisation dictée par les contraintes de son corps.

Léonard se rendait chaque jour à Chantegril. Les visites lui faisaient du bien, l'apaisaient. Malgré la chaleur, il s'amenait invariablement, coiffé de son chapeau, vêtu de sa veste de drap noir, démarche chancelante à force de s'être tant courbé et autant de fois relevé que ses os avaient fini par prendre le pli d'une douleur acceptée qu'il ne se donnait plus la peine de combattre depuis longtemps. Avec ce sentiment de s'être toujours frotté à la vieillesse, même durant ses plus jeunes années.

Il veillait maintenant sur cette famille, sans autorité, proposant l'aide qu'il pouvait, dispensant les conseils qu'il savait, sans jamais s'imposer. Il se sentait utile chaque fois qu'il quittait sa ferme, plus vraiment un domaine depuis qu'il avait vendu douze vaches sur les quatorze qu'il avait possédées au plus, et cédé la majeure partie de ses terres au père de Joseph. Une transaction qui lui vaudrait toujours la rancune tenace de son plus proche voisin, Valette, un homme qui conjuguait sans arrêt le verbe avoir au futur. Un type violent, sournois et envieux, qui avait proposé un prix largement supérieur à ce que pouvait offrir Victor à l'époque. Mais, pour rien au monde Léonard n'aurait permis au maître des Grands-Bois de s'accaparer son bien le plus précieux. Valette ne respectait rien, pas plus les hommes que la terre.

Léonard se souvenait du jour où Valette s'était pointé pour lui faire une proposition qu'il ne pouvait refuser, à l'écouter.

— Alors, qu'est-ce que t'en dis ? avait questionné Valette, sûr de lui.

Léonard avait regardé cet homme, tout habillé d'arrogance, d'imbécillité et de suffisance. Il avait laissé couler un peu de temps avant de répondre :

— J'en dis que les nouvelles vont vite.

— Et ma proposition, t'en penses quoi ?

— Je reconnais que c'est pas quelque chose qu'on peut prendre à la légère.

— Ça veut dire que t'acceptes, alors.

Léonard avait retiré son chapeau pour gratter son crâne dégarni, puis l'avait repositionné légèrement en biais.

— Et t'en ferais quoi de mes terres ? avait-il demandé.

— Je les cultiverais, je suis même prêt à acheter aussi tes vaches.

— Mes vaches ?

L'évocation de ses bêtes avait brusquement assombri le visage du vieil homme.

— Deux mille francs par tête, c'est un bon prix, avait dit Valette.

— Mes vaches, elles sont pas encore à vendre.

— Comme tu voudras, on verra plus tard pour les vaches…

— Ta ferme, elle peut déjà faire vivre deux familles, et ton frère est parti, qu'est-ce que t'as besoin d'en vouloir plus ?

Valette s'était rapproché de Léonard, le toisant du regard.

— C'est pas à toi que je vais apprendre tout ce qu'un homme seul peut faire, avait-il ajouté.

Léonard avait jeté un regard farouche à Valette, mais l'autre n'avait pas semblé le moins du monde impressionné.

— Y a un message que je devrais comprendre ? avait demandé le vieil homme.

— Non, je pense à l'avenir d'Eugène, c'est tout.

— Les jeunes, aujourd'hui, ils ont plutôt envie d'aller voir ce qui se passe en ville que de rester ici. M'est avis qu'y aura bientôt plus que ça, des terres à vendre. Patiente encore un peu et t'auras que l'embarras du choix.

— Elles m'intéressent pas, les autres.

— Qu'est-ce qu'elles ont qui te plaît tant, mes terres ?

— Si tu veux plus que ce que je te propose, donne ton prix, qu'on en finisse.

Léonard avait pris un air désolé.

— Ce qui m'embête, c'est que t'es pas le premier à me faire une offre.

Valette s'était penché en avant, peinant à contenir une soudaine fureur.

— Victor ?

— Me dis pas que tu le savais pas. Je crois même que c'est pour pas qu'il les ait que t'insistes autant.

— Combien il t'en donne ?

Léonard avait pointé un doigt en direction de Valette, en le secouant de droite à gauche.

— Ça te regarde pas.

— Je sais que t'as rien signé. On peut s'entendre, c'est dans ton intérêt.

— T'en sais décidément, des choses, mais ce que t'as visiblement pas encore compris, c'est que tu perds ton temps. On fera pas affaire…

— Je suis même pas sûr qu'il ait de quoi te payer.

Léonard avait balayé l'air du revers de sa main, pendant qu'une sourde colère montait en lui.

— C'est pas tes oignons, avait-il dit.

— Réfléchis encore un peu, j'ai tout mon temps.

— Moi pas, c'est tout réfléchi, j'ai qu'une parole… mes terres, elles sont pas près d'appartenir à un charognard de ton espèce.

Valette avait fait un pas en avant, serrant les poings.

— Tu crois que tu m'impressionnes ? avait dit le vieil homme sans se démonter.

— Tant pis pour toi, tu finiras par le regretter.

— Si un jour ça devait arriver, je doute que t'en sois le premier témoin.

Après leur conversation, Léonard avait retrouvé plus d'une fois les bêtes de Valette en train de saccager de jeunes semis, ou un carré de seigle prêt à être récolté. Une barrière malencontreusement pas refermée. Il avait laissé courir, ne voulant pas mener cette guerre-là. Il pensait alors que la frustration de Valette se tasserait avec le temps.

Ce n'était pas seulement le fait de s'occuper des gens de Chantegril qui poussait Léonard à s'éloigner de sa ferme, il y avait aussi Lucie, sa femme, aigrie et impotente. Au moins, en se rendant chez Joseph, il avait encore le sentiment d'être au monde pour autre chose qu'entretenir une vieille masure, traire deux vaches somnolentes rompues à sa présence, et affronter le regard médusé de Lucie. L'espoir de mots bienveillants qui auraient pu briser un temps le silence qui les enveloppait, il n'y croyait plus depuis longtemps.

Lorsqu'il rentrait, traînant sa carcasse malingre de gnome, il se demandait en chemin s'il lui faudrait faire face au silence, ou aux reproches de sa femme, et finissait immanquablement par s'accorder sur les deux. Il ne lui en voulait pas au fond, il avait bien conscience de n'avoir rien tenté pour qu'il en fût autrement, n'avoir même aucune idée de ce qu'aurait pu être cet autrement, comment il aurait fallu agir pour qu'il existât. La vase s'était accumulée entre eux, et chacun s'était perché sur un promontoire pour s'en protéger, s'isolant à jamais de l'autre par consentement mutuel. Tout cela à cause d'un fantôme, un fantôme précisément sous la vase.

L'omnibus longea le cimetière de Saint-Paul en début d'après-midi, puis entra dans le village silencieux, sous un soleil meurtrier. On aurait dit un char funéraire tiré par deux chevaux de réforme trempés de sueur, dont les jambes frémissaient encore lorsqu'ils s'immobilisèrent sur le champ de foire, à deux pas de la bascule à bestiaux et de l'église monumentale.

Le cocher descendit péniblement du strapontin, et deux passagères sortirent de l'omnibus. Personne d'autre. Elles étaient de taille identique, séparées par quelques années, partageant d'évidents traits communs. Elles portaient de longues robes blanches et des souliers cirés faits pour marcher sur des trottoirs entretenus. À leurs atours, à leurs manières, à leurs hésitations, nul besoin d'être devin pour s'apercevoir qu'elles venaient d'une ville, rien qui ne les préservât de la tristesse palpable qui encombrait leur visage. Plantées au pied du véhicule grinçant, regards ébahis embrassant la désolation des lieux, désarmées, si loin de chez elles. Obligées de venir se perdre ici, depuis que le mari et père s'en était allé commander des escouades de fantassins en route pour la gloire.

Le cocher les aida à descendre leurs valises de l'impériale d'un air absent, puis se dirigea en boitant vers une auberge à la façade recouverte de vigne, autour de laquelle s'agaçaient une multitude d'insectes bruyants. La porte était ouverte, et il entra en baissant la tête pour ne pas se cogner au linteau. Un silence s'installa sur la place, absorbant le ballet incessant des insectes et les ébrouements des chevaux.

Une vieille femme sortit de l'église. Un chapelet pendait entre ses mains livides. Surprise de découvrir les deux étrangères vissées au beau milieu de la place, elle ajusta son chapeau de paille cerclé d'un ruban noir, sans quitter des yeux les nouvelles arrivantes. Hélène, la mère, approcha de la vieille d'un air affable, pour lui demander si elle pouvait leur indiquer le chemin pour rejoindre la ferme des Grands-Bois. La vieille les jaugea du regard à tour de rôle durant un long moment. Puis elle prononça des mots difficiles à comprendre, comme raclés au fond d'une auge à cochon, s'y prenant en deux fois pour les faire basculer à grand-peine par-dessus un rebord constitué de lèvres blêmes et déchirées.

— Y a pas grand monde qui monte là-haut, m'est avis que vous trouverez personne pour vous y mener à cette heure et avec cette chaleur.

— Ça ne fait rien, nous irons à pied, dit la mère en forçant un sourire.

— C'est pas la porte à côté.

— C'est-à-dire ?

— Un peu plus de cinq kilomètres, ça monte sacrément.

— Quelle direction faut-il prendre ?

Une main dépouillée, peinant à faire surgir l'index, indiqua une route tannée sinuant entre l'église et un troupeau de maisons aux volets clos et aux façades usées.

— Je crois que le mieux, pour vous, c'est de prendre par là, après, c'est rien qu'un mauvais chemin qu'il faut suivre jusqu'au hameau de Vielmur. Quand vous l'aurez dépassé, tournez tout de suite à gauche, et montez tout droit, ce sera la première ferme que vous trouverez…

La vieille s'interrompit, semblant réfléchir un court instant, puis elle reprit :

— Y a plus court, mais vous risqueriez de vous perdre.

— Merci, madame, répondit Hélène.

La vieille ne dit rien, elle récupéra sa main, et enchevêtra de nouveau le chapelet entre ses doigts.

Mère et fille se mirent aussitôt en route, une valise au bout de chaque bras. La bigote regarda d'un air curieux les deux inconnues s'éloigner, sans véritablement croire à leur existence.

Elles dépassèrent les dernières maisons, puis un grand rocher noir qui dominait le bourg au sommet duquel trônait une vierge immaculée. La route se termina bientôt, et elles entamèrent la montée par un chemin en sous-bois. Elles s'arrêtaient souvent pour se reposer et chasser la poussière qui revenait sans cesse se déposer sur leurs vêtements et leurs visages. Après une heure d'ascension, qui leur parut interminable, elles sortirent de la forêt, le soleil en pleine face, l'iris réduit à celui d'un félin en plein jour, découvrant un baptême de landes, de maigres prairies, de feuilles et d'aiguilles se déroulant au loin, comme un grand tapis dépareillé jaune et vert entourant les montagnes. Elles traversèrent un hameau, aperçurent une silhouette se précipiter à l'intérieur d'une masure, et une porte se referma en grinçant. Elles ne croisèrent personne d'autre durant le trajet.

Arrivées aux Grands-Bois, fatiguées et en nage, elles s'arrêtèrent pour épousseter leurs robes, se regardèrent et détournèrent aussitôt le regard. La ferme des Valette était une enfilade de bâtiments en pierre gris foncé couverts d'ardoises, qui réunissait la maison, l'étable et la resserre à bois, avec une remise et une cave au-dessous, à laquelle on accédait grâce à une rampe. Hélène inspira longuement et sourit tristement à sa fille, comme pour s'excuser d'un vilain tour qu'elle lui faisait. Puis, elles pénétrèrent dans la cour de conserve, passant tout près d'un tas de fumier affaissé, cerclé d'une douve luisante de purin. Un grand chien dégingandé vint les renifler dédaigneusement, avant de retourner se coucher sous un appentis, aux pieds d'un homme occupé à battre une faux sur une enclume à l'aide d'un marteau.

Lorsqu'il les aperçut, l'homme glissa le manche du marteau dans sa ceinture, sans affect, plissa les yeux et attendit qu'elles s'approchent. Il était grand et costaud, dans la force de l'âge. Deux grosses veines jouaient sur ses biceps comprimés par ses manches de chemise retroussées, et sa main droite était simplement pourvue d'un pouce et d'un auriculaire raccourci d'une phalange.

— On vous attendait pas de sitôt, dit-il.

— Bonjour ! On a pu attraper l'omnibus plus tôt que prévu, dit Hélène.

Elle poussa sa fille en avant par les épaules, comme s'il s'agissait d'une marchandise impossible à refuser.

— Anna, ma fille, dit-elle.

Tout en parlant, Hélène ne pouvait s'empêcher de fixer la main atrophiée.

— Un bête accident, y a longtemps, dit-il sans prêter attention à la jeune fille.

— Je ne savais pas.

— Ç'aurait servi à quoi, de savoir ! ajouta-t-il d'un ton cynique.

— Émile aurait pu vous aider.

— J'ai jamais eu besoin de sa pitié.

— C'est quand même votre frère.

— On dirait qu'il vient juste de s'en souvenir, que je suis son frère.

Hélène fuyait le regard de Valette.

— Pour le moment, c'est vous qui avez besoin d'aide, reprit Valette avec dédain.

Hélène se tut. Elle évalua les environs. Malgré le ciel bleu, tout était si gris, les pierres, les ardoises, le chien, la peau de Valette, et son propre cœur l'était aussi. Anna, quant à elle, était impressionnée par cet oncle aux manières de rustre, habité par une rage palpable qui semblait s'échapper de sa bouche après de multiples morsures.

— Merci de nous recevoir, dit Hélène sans conviction.

Valette découvrit une courte série de dents gâtées.

— C'est pas parce que je suis pas instruit, que j'ai pas le sens de la famille, moi.

Il prit les devants, sans proposer d'aider à porter les valises, et, tout en marchant vers la maison, il se retourna brusquement en levant sa main atrophiée :

— Si seulement je pouvais me servir d'un fusil, je serais là-bas, moi aussi.

Malgré les volets que l'on gardait fermés pour maintenir au mieux la fraîcheur dans la vaste pièce, des lambeaux de lumière s'infiltraient entre les lames de bois et s'évanouissaient en drapant la pénombre d'une lueur opiniâtre. Il y avait un pichet et un panier à essorer la salade rempli de noix, posés sur une table rectangulaire. Le balancier d'une pendule répandait du temps en un lieu qui ne savait apparemment qu'en faire. Il y avait un petit fourneau et un buffet avec des objets dessus, des babioles de nature à aider la mémoire à se frayer un chemin : une photographie d'enfant, celle d'un couple tout neuf endimanché, une douille d'obus parfaitement lustrée et une branche de buis desséchée. Il y avait la froide pesanteur d'une cheminée au foyer encadré par deux bancs roussis et devancé par des chenets en fonte. Il y avait des quartiers de viande salée qui pendaient à des solives noircies et poisseuses de graisse, et des tomates cabossées, fraîchement cueillies, étaient alignées sur le rebord d'un évier en pierre accolé au mur, dont le siphon laissait suinter un filet de lumière. Il y avait cette odeur omniprésente de fumée qui imprégnait les viandes, les vêtements, le bois, la pierre et les objets les plus retors. Et il y avait une femme assise, qui équeutait des haricots avec l'ongle du pouce. Elle portait un tablier bleu nuit à bretelles passé par-dessus une robe de coton noir boutonnée au col, des bas noirs, des brodequins bruns à la proue râpée, et ses cheveux châtains étaient ramenés en chignon à l'arrière de son crâne.

— Elles sont arrivées, dit Valette.

La femme releva la tête en direction des nouvelles venues, tout en poursuivant son travail, sans un mot.

— Bonjour Irène, dit Hélène.

— Bonjour, fit Anna.

Irène hocha la tête.

— Tu t'occupes d'elles, j'ai encore à faire, dit Valette avant de sortir.

Irène avança ses jambes sous la table, déplia son tablier sous le plateau, rassembla les résidus de haricots du plat de la main, les fit basculer, puis replia le pan contre son buste et se leva.

— Je vais chercher de l'eau fraîche, vous devez avoir soif, dit-elle d'une voix atone.

De sa main libre, elle saisit le pichet et sortit sous les regards incrédules des deux autres. Elle s'éloigna de la maison, puis déversa les déchets dans la cour. Des poules accoururent en ferraillant pour arriver la première à la curée, se balançant d'une patte sur l'autre, tels de petits pantins pressés, puis les volailles se mirent à becqueter avidement les déchets. Des fragments s'envolaient, retombant tantôt par terre, tantôt dans un bec, ou sur un toboggan de plumes luisantes. Irène se dirigea ensuite vers le puits situé devant la grange. Elle retira le frein de l'enrouleur et laissa descendre un seau en bois au bout d'une chaîne, jusqu'à ce qu'il cognât l'eau dont le niveau baissait de jour en jour. Attendit qu'il se garnît, et le remonta à l'aide d'une manivelle chuintante. Puis elle emplit le broc d'une eau limpide et fraîche, et versa l'excédent du seau au fond du puits et remit le frein en place. Elle jeta un regard aux poules qui se disputaient le reliquat de haricots et retourna dans la maison en empruntant la rampe d'accès.

Hélène et Anna n'avaient pas bougé de place lorsqu'elle entra.

— Vous avez le droit de respirer, dit Irène d'un air narquois en posant le broc sur la table.

— Nous t'attendions, dit Hélène gênée.

— Vous devez avoir une sacrée pépie avec la chaleur qu'il fait.

— Oui, firent en chœur la mère et la fille.

— Tu trouveras des verres dans le buffet, porte de droite, dit Irène en levant les yeux sur la jeune fille.

— D'accord.

Anna se dirigea avec empressement vers le buffet, sortit deux verres et alla les remplir. Irène regarda boire les deux femmes.

— Vous dormirez dans le même lit, dans la souillarde, dit-elle.

— Il n'y a pas de problème, dit Hélène en esquissant un sourire.

— Je préfère pas vous donner celui d'Eugène, des fois qu'il rentre à l'improviste.

— Je comprends.

Irène regarda sa belle-sœur comme si elle venait de dire une ânerie.

— Tu as des nouvelles de ton homme ? demanda Irène.

— Pas encore…

— J'imagine que t'en auras avant moi.

— Pourquoi ?

— Quelqu'un comme lui doit avoir plus de liberté pour écrire.

Hélène ne répondit rien, et elles burent un autre verre d'eau. Irène releva le menton en direction d'une porte.

— C'est là-bas, dans l'armoire, y a de quoi faire le lit, j'ai du travail, moi aussi, dit-elle.

Un vent chaud se frottait au linge suspendu, soulevant parfois un bout de tissu. La panière vide contre sa hanche, Mathilde réalisait qu'elle avait machinalement laissé des espaces entre les vêtements, des espaces suffisamment grands pour accueillir des frusques d'homme, des espaces conservés inconsciemment pour garantir la bonne fortune de Victor, où qu'il se trouvât en cet instant. Car l'expression du manque, c'étaient précisément ces espaces vides par lesquels s'engouffrait le vent, rien qui fût à la hauteur de la disparition brutale.

Après le départ de son mari, Mathilde avait pleuré des larmes dont elle ne savait pas véritablement l'origine. En cachette. Pleuré comme l'épouse d'un autre, ni plus ni moins. Pleuré pour l'absence, pleuré pour l'inconnu, pleuré pour le possible désastre, autant que pour l'impossible fléchissement du cours de l'histoire. Ce grand dérangement en elle. Puis, elle avait cessé de pleurer, vite, peut-être trop vite, endossant des rôles qu'elle n'aurait jamais endossés en temps normal. Elle avait retiré son alliance, non par défi, mais simplement parce qu'elle avait le sentiment que cet anneau balisait son malheur, quoi qu'elle entreprît. Une guerre lointaine avait redistribué les cartes sans lui demander son avis, et elle n'avait d'autre choix que de composer avec les nouvelles règles qu'on lui imposait.

On avait marié Mathilde Capy à Victor Lary pour rassembler deux fermes et pour qu'ils fissent des enfants. Ils avaient fini par s'appartenir, sans effort, comme on aurait entortillé deux brins fragiles pour en faire une ficelle plus solide, sans jamais parler d'amour. Chacun à sa place, chacun son rôle. L'expression acceptable d'un bonheur paysan. Joseph était venu dans la première année qui avait suivi leur union, puis une sœur, un an plus tard, que les fièvres n'avaient plus quittée depuis le jour de sa naissance. La malheureuse était morte sans même avoir ouvert les yeux. Les parents de Joseph ne lui avaient jamais parlé de l'existence éphémère de cette sœur, estimant chacun de leur côté que cela n'en valait pas la peine. Ils ne s'étaient jamais concertés à ce sujet. Il n'y eut pas d'autre descendance, trop de chair déchirée, à croire que les femmes des montagnes n'étaient capables de couver qu'un seul œuf viable, et qu'on tentait le diable à ses dépens en demandant plus.

Tout ce que Mathilde oubliait au matin dans une frénésie de travail rappliquait immanquablement en sourdine, la gueule ouverte, prêt à lui entailler l'endroit du cœur où nichent les habitudes rassurantes. Comme là, immobile devant le linge qui pendait et celui qui manquait. Victor reviendrait, et elle comblerait ce satané fil de fer rouillé, et ils seraient de nouveau réunis. Dans le cas contraire, elle n'aurait plus qu'à réduire les distances, et chercher plus tard un sens à son geste. Mais pour l'heure, il fallait tenir bon.

Elle s'approcha des vêtements, posa sa panière au sol, lissa ses longs cheveux de la paume de sa main tremblante, puis se mit à dépecer rageusement le fil de l'absence et du manque dans l'air surchauffé.

Vers la fin du mois d'août, un colporteur venu du nord s'arrêta sur la place de Saint-Paul en faisant tinter une clochette fixée à une ridelle de sa charrette pour rameuter les villageois. C'était un vieil homme râblé et trapu, aux allures d'ancien lutteur, que l'on aurait dit tout droit sorti de quelque pantomime. Des gens s'approchèrent, curieux. L'homme se mit à parler, et son visage se fissura en tous sens, comme s'il menaçait de tomber en mille morceaux, débitant ses paroles à une allure folle, avec un accent qui mangeait le début des mots. Son laïus avait l'air d'un chant incantatoire plus efficace qu'un prêche, tant il y mettait de ferventes intonations qui laissaient penser qu'il avait exactement ce dont vous aviez besoin et qu'il était prêt à vous le céder à regret, presque la mort dans l'âme.

À un moment, estimant que plus personne ne viendrait autour de son attelage, il déroula une pièce de tissu et passa plusieurs fois sa main dessus, à l'endroit et à l'envers, comme un rémouleur aiguisant une lame sur une pierre, sans quitter l'assistance des yeux. Puis, il stoppa brusquement le va-et-vient de sa main, et prit un air solennel afin de parler des combats qui faisaient rage dans les Ardennes. Les morts ne se comptaient plus, et encore moins les blessés, affirmait-il. Il parlait avec plus d'empressement qu'auparavant, en une logorrhée gourmande, comme si relater tant de malheurs invérifiables lui eût donné quelque importance supérieure. On aurait dit qu'il mâchait de la boue avec délectation, et les deux traces de salive accumulées au coin de ses lèvres faisaient ressembler sa bouche au bec d'un oisillon.

Les gens médusés regardaient le tissu, comme s'il se fût agi de la carte d'un orgue de Barbarie sur laquelle étaient enregistrées les nouvelles du front, et plus du tout comme quelque chose qui pourrait devenir une robe ou n'importe quel autre vêtement. Certes, on avait déjà des nouvelles par les journaux, mais la parole convaincue d'un homme, c'était autre chose. On lui demanda d'où il tenait ses informations. Une attitude outrée repeignit le visage du colporteur. Qu'on songeât, même un court instant, à douter de ses sources tint lieu de réponse irrévocable. Personne ne se risqua à reposer la question, voulant se convaincre qu'il exagérait sûrement. Pourtant, l'espoir d'une rapide victoire fut tranché net ce jour-là par ce ragot que chacun s'empressa de refouler derrière une autre porte que la sienne, d'enfouir autant que possible dans un coin de cerveau, celui des obsessions fangeuses. Ça ne durerait pas, les premières lettres étaient déjà en route, pour tenter de dire la véritable horreur qui allait se déverser, sans discontinuer durant un orage meurtrier de quatre années.

Ce jour-là, personne n'acheta quoi que ce soit au commerçant ambulant, et nul n'était plus là quand il repartit en pestant, tirant les brancards de sa charrette guirlandée de petites outres en terre cuite et de toutes sortes de babioles colorées.

Joseph réparait la barrière séparant du champ moissonné la prairie du Bélier qu'une harde de sangliers avait presque entièrement détruite. Ces bêtes-là, quand elles avaient décidé d'aller quelque part, ne s'encombraient guère de détours. Elles filaient tout droit, sans se soucier des obstacles. Léonard lui avait raconté que, une fois où il était allé chercher du bois de chauffe, il avait croisé une laie avec ses petits. La femelle s'était mise à le charger sans réfléchir, soulevant la charrette en passant dessous, comme si elle eût traversé un buisson, avant de poursuivre sa route en compagnie des marcassins placides.

Joseph releva la tête et essuya du revers de son bras la sueur qui coulait sur son front. Un faucon crécerelle faisait du surplace au-dessus du chaume, et plongea au sol à une vitesse ahurissante. Il se débattit durant quelques secondes, balayant les coutons de paille de ses ailes déployées, puis décolla lourdement en tenant un campagnol dans les serres et s'éloigna en direction des bois noirs.

Joseph se pencha pour saisir quelques pointes dans une boîte et les glissa une à une entre ses lèvres.

— Bonjour !

Il se retourna en entendant la voix. Des gouttes de sueur ruisselaient de nouveau sur son visage. Un court instant, il mit l'apparition sur le compte du voile de chaleur qui travestissait sa vue. La fille portait une robe de lin écru qui laissait apparaître ses épaules nues, et des sandales à ses pieds. Ses longs cheveux bruns étaient lâchés et une mèche faisait souvent cligner ses yeux. Un papillon voletait autour du bouquet de fleurs sauvages qu'elle venait de cueillir.

— Je suis Anna, la nièce des Valette.

Il retira les pointes de sa bouche.

— Bonjour, dit-il.

— J'imagine que vous les connaissez.

— On est voisins.

Joseph tentait de contenir l'indicible trouble qui l'avait saisi à la vue de la jeune fille. Il épongea son front, puis posa son marteau et les pointes sur le tronc coupé d'un hêtre enrubanné de lierre et transformé en piquet. Les mains désormais inoccupées, il regretta aussitôt son geste et montra du doigt les toits que l'on apercevait au loin.

— Joseph, dit-il, j'habite là-bas, à la ferme de Chantegril.

Anna mit sa main libre en visière.

— Mon père a tenu à nous éloigner du front, ma mère et moi, reprit-elle.

Un silence flotta, comme un flocon tourbillonne, se pose et fond. Tout autour, la brise tempêtait, animant des touffes de folle-avoine qui se prosternaient en se cognant à la clôture. Un chêne et sa parade de branches ressemblait à un esclave éventant un couple de monarques, et l'air en tension était une portée de musique sur laquelle grésillaient des insectes et pépiaient des passereaux. Une démesure de bruits, un dérisoire boucan, le fracas délicat d'un monde.

Joseph avait la sensation d'être une des marguerites que la jeune fille tenait en main, comme si la suite de cette journée d'août eût dépendu désormais de son bon vouloir à elle. Il n'aurait su affirmer la nature de son évidente beauté. Il était incapable d'un tel jugement. Incapable de réfléchir plus loin que le moment présent. Anna l'observait, plus intriguée que gênée par son mutisme.

— Quelque chose ne va pas ? demanda-t-elle.

Joseph la regarda sans pouvoir répondre. Une odeur capiteuse lui parvint, un mélange de lait frais, de fruits rouges et de savon, avec quelque chose d'animal pour faire du liant. Bien sûr que quelque chose n'allait pas, mais il était incapable de savoir précisément quoi. Une voix jamais entendue, une odeur jamais sentie, tout ce qui faisait pourtant inexplicablement partie de la mémoire de Joseph avant qu'il eût rencontré rencontré cette fille. Tout était mouvement auprès d'elle, les ombres aussi bruissaient autour de sa voix, et cela n'avait rien à voir avec une simple sensation frontale. Précisément ce qui n'allait pas. Un malaise diffus, bien au-delà du trouble.

— Tu ne veux pas me parler, dit-elle.

— Mon père aussi est parti à la guerre, parvint à dire Joseph.

— C'est ce qui te rend triste ?

Joseph ne répondit rien, il ne ressentait pas vraiment de tristesse en cet instant, et cela ajoutait à son incompréhension. Le départ de son père avait asséché une partie de son cœur, et la jeune fille en irriguait brusquement une autre, indéterminée, sans prévenir.

— Excuse-moi, je n'aurais pas dû…

— Non, ça va, la chaleur et la fatigue, sûrement, dit-il.

Anna s'approcha d'un piquet de clôture, superposa ses mains sans lâcher la brassée de fleurs, fixant le champ moissonné d'un air soucieux. Des alouettes s'élevaient dans les airs en chantant, puis se posaient un peu plus loin, avant de reprendre leur envol par vagues successives.

— Je n'ai jamais connu un endroit aussi calme, dit-elle.

— Le calme, c'est pas ce qui manque par ici, dit Joseph en regardant dans la même direction, comme s'il cherchait à percevoir ce qu'elle ressentait.

— Tu as des frères, ou des sœurs ?

— Non, je vis avec mon père, ma mère et ma grand-mère.

— Moi non plus, je n'en ai pas.

Perdue dans ses pensées, elle cala son menton sur ses mains.

— Tu crois qu'il existe des mondes parallèles ? dit-elle au bout d'un moment.

Joseph se tourna vers la jeune fille, surpris.

— Des mondes parallèles ?

— Oui, où on aurait des existences différentes.

— J'en sais rien, je me suis jamais posé la question, j'ai bien assez de celui-là. Pourquoi tu me demandes ça ? dit-il.

— J'ai lu un livre qui en parlait.

— Moi, j'en ai pas lu beaucoup, des livres.

Elle leva la tête, comme pour prendre le paysage à témoin, et dit :

— J'ai l'impression qu'ici, la vie ne se déroule pas dans le même monde que celui dans lequel se trouvent nos pères.

— Malheureusement, je crois bien que c'est le même.

La jeune fille laissa passer un temps.

— J'imagine que cela m'aide à supporter son absence, dit-elle.

— Mon père a dit que la guerre durerait pas longtemps.

Une fossette se creusa au coin de la bouche d'Anna, comme un tic nerveux, puis son visage devint impassible, impénétrable.

— Tu en connais, toi, des guerres qui n'ont pas duré longtemps ?

Joseph se renfrogna.

— C'est ce qu'il a dit.

— Une guerre vite bâclée, dit-elle doucement, j'aimerais y croire.

Joseph se pencha et se mit à ranger ses outils dans une caisse en bois.

— Faut que je rentre aider ma mère, dit-il.

— Je t'ai choqué ? dit-elle en le regardant faire.

— Non, c'est pas ça, mais j'ai encore beaucoup de travail.

— On pourrait peut-être se revoir.

— J'en sais rien, dit Joseph pris au dépourvu.

— Tu n'en as pas envie ?

Il saisit l'anse et souleva la caisse.

— Si, dit-il faiblement en fuyant le regard interrogateur de la jeune fille.

— Alors, quand ?

— Je peux pas te dire.

— Tu ne travailles quand même pas le dimanche.

— Il m'arrive d'aller à la pêche.

— Tu m'emmèneras avec toi, la prochaine fois ?

— Je sais pas trop si j'irai ce dimanche, dit-il.

Anna prit un air espiègle.

— S'il te plaît !

— J'essaierai, mais je te promets rien.

— D'accord, je compte sur toi, tu sais où me trouver pour me prévenir, dit-elle en souriant.

La caisse au bout de sa main droite, Joseph se sentait lourd à côté de cette fille, incapable qu'il était de mesurer encore ce que signifiait cette rencontre.

— Puisque tu rentres, on peut faire un bout de chemin ensemble, dit-elle.

Il aurait voulu qu'elle disparût sur-le-champ, qu'elle lui laissât reprendre ses esprits, qu'elle ne le vît pas bouger, comme un grand échassier maladroit. Il aurait voulu lui dire de prendre les devants, mais il en fut incapable.

— Si tu veux, dit-il.

Elle se mit en route et il la rejoignit d'une démarche raide, regardant droit devant. Ils marchèrent côte à côte en silence, disparaissant parfois dans l'ombre de frênes et de sorbiers, et réapparaissant à découvert dans la lumière fardée du soleil déclinant qui étirait leurs ombres sur le chemin. Des sansonnets en groupe passaient dans le ciel limpide en quête d'un dortoir. Lorsqu'ils arrivèrent à la bifurcation qui menait à Chantegril, Joseph s'arrêta.

— Je suis arrivé, dit-il soulagé.

— Tu ne m'oublies pas, dit Anna en fronçant exagérément les sourcils.

— T'oublier ?

— Pour la pêche.

— Ah, oui, c'est promis.

Anna poursuivit la descente vers les Grands-Bois. Joseph la vit s'éloigner, corps gracile flottant nonchalamment et s'estompant dans l'air vibrant de chaleur, puis disparaître dans une courbe. Alors, il se détourna, hissa la caisse à outils sur une épaule et se dirigea vers la ferme en se maudissant d'espérer que la guerre durât encore un peu.

Si l'on s'en tenait au calendrier, l'été touchait à sa fin, mais le soleil continuait de peser de tout son poids, du lever au coucher, en bon petit soldat. On avait pris du retard dans les travaux des champs. Anna aidait Valette à retourner du regain fauché pour le faire mieux sécher, avant de le rentrer à l'abri pour nourrir les bêtes l'hiver. Sa mère était restée se reposer à la ferme, victime d'une insolation. Après une journée de répit, elles n'avaient eu d'autre choix que de se mettre au travail, participant du mieux qu'elles le pouvaient au labeur, sous les ordres des Valette, sans le moindre ménagement.

D'habitude, aux Grands-Bois comme ailleurs, on faisait la guerre aux mouches, tenant les portes et les fenêtres fermées pour les empêcher de venir gâter la nourriture avec leur trompe avide et leurs pattes infestées de miasmes, ou de pondre leurs œufs sur une viande au séchage, quand elle manquait de sel par endroits. En ce jour, pourtant, la porte était restée ouverte. À l'intérieur, le fourneau ronflait comme en plein hiver. Irène coupait de fines tranches d'oignon, qu'elle faisait ensuite tomber dans une lourde cocotte posée sur le tablier en fonte. Elle reniflait et s'essuyait souvent les joues du revers de sa main tenant le couteau.

Une fois qu'elle se sentit mieux, Hélène rejoignit Irène dans la cuisine, l'observant un moment avec étonnement.

— Qu'est-ce que tu prépares ? demanda-t-elle.

— Tu le vois pas, soupe à l'oignon, dit Irène.

— Avec cette chaleur !

— Y a pas de saison pour la soupe.

— Tu veux que je t'aide ?

Irène se frotta le nez à plusieurs reprises.

— Eugène, c'est ce qu'il préfère, dit-elle sans prêter attention à la question.

Des larmes glissaient sur ses joues sans discontinuer et elle ne prenait plus la peine de les chasser.

— Foutus oignons, c'est pourtant pas faute d'en avoir pelés des quintaux... On s'habitue jamais, faut croire, dit-elle.

— Je peux t'aider, si tu veux, proposa de nouveau Hélène.

— Y a des patates dans la cave, remontes-en une dizaine, et aussi un des fromages qui sèchent dans le garde-manger tant que t'y seras.

Hélène descendit à la cave. Elle rapporta un fromage et les pommes de terre qu'elle se mit aussitôt à éplucher. Une fois les oignons pelés, Irène se dirigea vers la table et se mit à racler les paumes de ses mains au-dessus des épluchures pour en faire tomber les morceaux de peaux collés, tout en regardant avec insistance faire sa belle-sœur. Puis elle releva le menton d'un air hautain.

— Fais pas tes épluchures si épaisses, dit-elle.

— Ce n'est pas facile, elles sont toutes desséchées, ces pommes de terre.

— T'as pas dû faire ça souvent.

— Il n'en reste presque plus, à la cave.

— C'est bien pour ça qu'il faut les économiser, tant qu'on n'a pas récolté les nouvelles.

Hélène poursuivit l'épluchage, s'appliquant plus encore. Irène l'observa quelques secondes supplémentaires, puis saisit le pichet, retourna près du feu, versa de l'eau dans la cocotte, et se mit à touiller sans quitter la mixture des yeux.

— On n'est pas du même monde, mais va falloir que tu l'oublies, ton monde, dit-elle.

— Je fais ce que je peux.

— Faudra faire plus. Ici, ce que tu peux, ça suffira pas.

On aurait dit qu'une voix ancestrale venait de prononcer ces mots, des mots qui se seraient cognés à de multiples aspérités avant de sortir de la bouche d'Irène. Sa mâchoire crispée révélait désormais de petits plis au-dessus de sa lèvre supérieure, comme si elle se retenait d'en dire plus afin de jubiler encore quelques instants de sa supériorité.

— Émile viendra nous chercher quand ça sera fini, et vous serez débarrassés de nous, dit Hélène au bord des larmes.

— Pour le moment, il est pas en mesure de le faire.

La lame du couteau dérapa et se ficha profondément dans la chair de la pomme de terre qu'Hélène était en train d'éplucher. Elle prit une longue inspiration.

— Eugène te manque, à toi aussi, dit-elle pour tenter de briser la glace.

Irène se figea.

— Ça sert à rien d'en parler, dit-elle.

— Tu as raison, nous devons avoir confiance.

— Des choses peuvent arriver et le pire en fait partie, un point c'est tout… je me raconte pas d'histoires, moi.

Hélène posa la pomme de terre et le couteau sur la table. Ses yeux brillaient.

— Comment tu fais ? demanda-t-elle dans un souffle.

— Comment je fais quoi ?

Hélène regarda un long moment Irène, puis se remit à éplucher, les mains tremblantes.

— Rien, dit-elle.

— Tu fais pas grand-chose de bien, alors, si en plus tu parles à tort et à travers…

Irène se retourna brusquement.

— Tu te sens capable de surveiller le feu et de touiller de temps en temps pour pas que ça accroche, ou c'est trop te demander ? questionna-t-elle.

Hélène acquiesça.

— D'accord, répondit-elle.

Irène traversa la cuisine jusqu'à la porte de la chambre d'Eugène. Elle entra, referma la porte derrière elle, s'approcha du lit à pas lents, retira le drap d'un geste vif et ample, comme si elle jetait un filet à l'eau, et vint ensuite se planter à la fenêtre, l'ouvrit et repoussa les volets contre le mur. Ses yeux s'étrécirent. À cette heure, le soleil donnait en plein. Les bâtiments, les arbres, les animaux et les reliefs disparurent instantanément dans un raz-de-marée lumineux. Irène ferma les yeux, fit volte-face et, quand elle les rouvrit, de petites choses se mirent à danser devant elle, des miettes d'encre en suspension, contraintes par des berges incendiées, cette vision, comme une prescience de ce qui pouvait advenir d'Eugène. Tout ce qu'elle retenait. Ce fut le lit qui se matérialisa en premier, petit à petit, puis chaque meuble, chaque objet dans la pièce, et, lorsque tout reprit sa place dans l'espace exigu, Irène se jura de combattre la vision incendiaire avec ses propres armes, déterminée à ce qu'on ne la dépossédât pas du fils, à ce que, quoi qu'il arrive, il demeurât vivant. Le fils. De toutes les manières qui lui viendraient. Le fils éternel.

Mo, c'était ainsi que l'appelaient sa mère et sa sœur cadette, pour les autres, il était le fils Pionier, et pour son père, Maurice. Ce père qui lui avait appris les secrets du fer, comment on le mâchait avec respect pour lui faire prendre le pli, les gestes ataviques du forgeron : la chauffe du fourneau et l'action du soufflet, le rebondi du marteau sur l'enclume pour économiser les forces, et puis la frappe précise, le façonnage d'une penture. Un long apprentissage où le faire étouffait le dire, où les fiertés contenues soufflaient sur les braises de la forge vivante. Pour que jamais ne s'éteignît la flamme. Toutes ces choses patiemment transmises depuis l'enfance, patiemment acquises, ne serviraient désormais pas plus à Mo qu'à Maurice. Le fils Pionier était tombé. Récipiendaire héroïque tout autant qu'inutile. Une lettre l'affirmait, cinq lignes écrites sur une feuille de papier jaunie arrachée d'un cahier.

On entendit la mère crier un matin de septembre, et son cri se répercuta dans toute la vallée en un innommable écho, une âme déchirée. Quand elle ressentit la traversée de son corps par une balle de Mauser C96, une balle enfantée par son propre fils, une simple balle qui transperça le village tout entier. Car, l'onde de choc de ce cri venait à elle seule confirmer la peur, et détruire les dernières illusions. Maurice Pionier, premier de toute une série de noms que l'on graverait bientôt à la surface d'une pierre dormant encore au creux d'une paisible carrière baignée de chants d'oiseaux, des noms que l'on répéterait parfois en un sinistre bégaiement sur le monolithe à la gloire de la grande coupable. Des noms gravés avec cette balle de fusil, qui n'en finirait jamais de sculpter la mort durant la guerre qui allait suivre. Tous les cris qui sortiraient bientôt d'autres bouches, toutes les larmes qui déborderaient d'autres yeux et toute l'impuissance qui ravagerait les cœurs soumis. Ce premier cri, qui fit désespérer les uns, se préparant au pire, à crier à leur tour, quand d'autres se prenaient à espérer, attendant de voir paraître un corps aimé, même estropié, qu'il en revînt au moins quelque chose.

Chez les Pionier, la forge se tut pendant cinq jours, un temps durant lequel la perte ébranla leur foi, chacun à sa manière injuriant le Ciel en silence, jamais plus que le Ciel. Passé ce délai fait d'interminables nuits, ils se remirent à parler à ce Dieu de misère, la mère d'abord, dans un murmure, afin que rien ne fût vraiment vain, la seule façon d'emprisonner une souffrance chronique, comme un parasite au cœur d'une tumeur fabriquée par un corps, ne sachant la combattre autrement. Le père pria d'une autre façon. Il s'en alla rallumer le fourneau, planta des fers dans les braises, et la forge se mit à respirer de nouveau, le souffle à peine un peu plus court.

Valette cessa de s'agiter sur le corps inerte d'Irène. Il roula sur le côté en soupirant. Dans l'obscurité de la chambre, il sentait son sexe flasque peser lamentablement sur sa cuisse et coller à ses poils.

— Comment tu veux que j'y arrive, si t'y mets pas un peu du tien ? dit-il, tout en remontant son caleçon de sa main valide.

Irène étira sa chemise de nuit au-dessous du genou et releva le drap.

— J'ai pas la tête à ça, dit-elle.

— T'as peur qu'elles entendent ?

— Peut-être bien.

— La petite est en âge de savoir comment ça se passe.

— Quand même.

— Y avait rien qui te gênait quand Eugène était juste à côté.

Irène ramena ses cuisses l'une contre l'autre et ses mains glissèrent sur son entrejambe.

— Qu'est-ce que t'en sais ? dit-elle d'un ton rogue.

— Au moins, tu le montrais pas. Pourquoi ça changerait ?

— Je comprends pas comment tu peux.

— Comment je peux quoi ?

— Penser à ça pendant qu'il est en train de se battre.

— Et tu crois que tu vas l'aider en entrant dans les ordres ?

— On n'est pas des animaux… on dirait que t'es malheureux de ça.

— Si c'était la première fois, je dis pas…

Valette s'interrompit et se tourna vers sa femme, cherchant à percer l'obscurité.

— J'accepterai pas longtemps de plus, un homme a des besoins, ajouta-t-il sèchement.

— Je t'ai jamais empêché de prendre ce que t'avais envie, mais me demande pas plus pour le moment.

— J'aime pas la viande froide.

— Et moi, je la réchaufferai pas pour toi ce soir, faudra te contenter de comme elle est, ou de t'endormir.

— Putain de bonne femme !

Irène serra les dents pour ne pas répondre à la provocation, impatiente d'en finir. Une rage sournoise se baladait dans le ventre de Valette. Il s'assit au bord du matelas, enfila son pantalon qui pendait sur le bois de lit, puis se leva et demeura un court instant immobile, dos à Irène.

— Va falloir que ça change, dit-il.

Valette quitta la chambre. En passant devant la souillarde aménagée en chambre, il se remémora la jeune fille courbée dans le pré, en train de manier maladroitement un râteau pour rassembler l'herbe coupée, ses petits seins libres qui se balançaient sous sa robe légère. Quand son sang s'était mis à cogner plus fort contre ses tempes, il s'était approché d'elle pour guider ses mains, affiner son geste, ressentant la crispation du corps de l'adolescente à son contact, sa déplorable infirmité qui devait la dégoûter autant qu'elle le dégoûtait lui-même. « Tu peineras moins en t'y prenant comme je te montre », avait-il dit. « Merci », avait-elle répondu avec une gêne évidente dans la voix. Puis il s'était éloigné de quelques mètres, continuant de retourner le regain sans plus cesser de l'épier, à la reluquer comme une bête magnifique à mettre au pas.

Il pénétra dans la cuisine, alluma la lampe à pétrole et tourna la virole pour intensifier la flamme. Il se servit un plein verre de gnole, et but, basculant sa nuque en arrière à chaque gorgée, comme un oiseau s'abreuvant à une flaque. Une fois qu'il eut terminé son verre, il prit la lampe, encastra le verre vide sur le goulot, coinça la bouteille sous son bras, puis se dirigea vers la porte d'entrée, l'ouvrit et sortit. Dehors, il s'assit sur la plus haute marche de l'escalier, posa la lampe près de lui, remplit le verre, et but cul sec en regardant le ciel scintillant d'étoiles.

La tête se mit à lui tourner. Il adorait ce moment, quand l'alcool faisait son doux office à l'intérieur de son corps offert en pâture, l'allégeant des lourdeurs de son existence. La lune ressemblait à une assiette en porcelaine blanche trônant sur une nappe noire pleine de trous. Une odeur d'herbe saupoudrée de rosée se promenait dans l'air et des grillons mâles frottaient leurs élytres l'un contre l'autre au rythme des lueurs vacillantes. Une dame blanche traversa la cour, et ses ailes claquèrent comme des draps dans le vent. Le chien émergea de l'obscurité, s'approcha avec d'infinies simagrées et se coucha aux pieds de son maître en soupirant.

Valette se resservit, et but à petites gorgées cette fois. Il pensait aux soldats qui se battaient au front. À Eugène, qui, espérait-il, défendait âprement l'honneur de la famille. Ce bon à rien qui, à plus de vingt ans, avait encore besoin de coups de pied au cul pour filer droit et faire les choses comme elles devaient l'être. À croire qu'un père n'en finissait jamais avec le dressage d'un fils, contrairement aux bêtes qui, elles, retenaient les leçons une fois pour toutes. À croire qu'il y avait toujours un fonds de révolte chez les hommes, et à bien y réfléchir, ça ne lui déplaisait pas quand il se manifestait chez Eugène, qu'il pouvait alors rosser tout son soûl.

En fait, Valette ne savait pas vraiment pourquoi cette guerre avait été déclenchée. Ce que racontaient les journaux. Un couple d'aristocrates dézingué dans un pays dont il n'avait jamais entendu parler avant ne lui semblait pas une raison valable, certainement un prétexte qui dépassait les gens de sa condition. Qu'importe. Pour lui, si les hommes faisaient la guerre depuis toujours, c'était forcément qu'elle avait une utilité essentielle à l'équilibre du monde. La Nation fabriquait l'homme et il devait être capable de donner sa vie pour elle sans discuter. À son avis, le prix d'une vie était bien au-dessous du prix de l'honneur.

Il enrageait de ne pas être au front pour prouver sa valeur, tout ça à cause de ce maudit accident qui lui avait coûté trois doigts et la moitié d'un autre, et aujourd'hui, précisément son honneur. Onze ans passés à se demander préalablement comment saisir un outil. Un madrier en chêne de trois mètres, pesant une soixantaine de livres, qu'il avait sommairement pointé à deux mètres du sol afin de prendre des mesures, et qui s'était décroché. L'alcool ingurgité le midi avait sérieusement entamé les réflexes de Valette. En s'abattant sur sa main, le madrier s'était transformé en guillotine mal affûtée. Il n'avait pas crié, juste grimacé. La douleur était arrivée au moment où il avait regardé sa main écrasée, mais, étant donné qu'il y avait peu de sang qui coulait de la blessure, il ne s'était guère affolé. Il avait tendu son bras libre, attrapé le pied-de-biche dont il s'était servi pour arracher d'anciens bardeaux à remplacer, glissé le côté plat sous le madrier et fait levier pour le soulever. La panique s'était installée au moment où il avait vu la bouillie de chair qui ne ressemblait plus du tout à une main de travailleur. La médecine n'avait pas pu faire de miracle, à part recoudre par endroits et laisser cicatriser la charpie au mieux.

En cet instant, la caricature de main dessinait une ombre chinoise à la lueur de la lampe, et ressemblait à la tête d'un auroch chargeant la nuit. À quoi bon ! se dit-il. À quoi bon trimer toute une vie, si un homme n'avait pas l'occasion de se transcender dans un acte héroïque ? Quelque chose d'approchant. Dieu, lui-même, n'avait-il pas voulu les croisades, afin que ses brebis obéissantes se transforment en magnifiques loups caparaçonnés assoiffés de sang ? La vérité n'était-elle pas dans le sang donné pour une noble et grandiose cause ? Car recevoir le sang était à la portée de chacun, mais le donner, c'était une autre paire de manches, une affaire d'homme, et seulement d'homme. Le sang des hommes n'avait rien à voir avec celui des femmes. Décidément, la paix ne leur valait rien. La paix, c'était le sommeil, et puis la mort.

Valette, lui, ne s'était jamais véritablement senti en paix. Et sa propre femme qui lui refusait la seule guerre qu'il était en mesure de mener, entre ses cuisses. La rage n'en finissait pas de monter. Il se redressa en titubant, et décocha un violent coup de pied dans les côtes saillantes du chien. L'animal se leva en jappant et s'évanouit dans l'obscurité en tremblant de tout son corps chétif. Valette l'entendit s'affaler près du puits, et il se retint d'aller l'achever à coups de piquet.

Et, comme il savait que rien ne parviendrait à atténuer la violence engrangée, il enfouit son infirmité sous son aisselle et tenta de creuser l'espace libre entre les étoiles de son regard aiguisé par la colère. Et il but. Il but encore.

Dans les jours qui suivirent la visite de la jeune fille, Joseph tenta de combattre son image, le jour en travaillant comme un forcené, et la nuit en sculptant d'étranges animaux difformes. Dormant peu. Cela ne servit à rien. Jamais il n'avait rencontré une fille de ce genre. D'évidence, elle n'avait rien en commun avec toutes celles du village. Joseph sentait que celle-ci ne se défendait pas de sa beauté, comme toutes ces gamines qui cachaient leurs cheveux sous une coiffe, ou un bonnet, et leurs formes sous d'amples vêtements. Ces filles qui minaudaient et ne regardaient jamais Joseph dans les yeux, qui lui souriaient par en dessous pour soulever innocemment des désirs naissants dont elles ne savaient encore rien, comme si ce piètre artifice eût été garant d'un imparable pouvoir de séduction transmis de génération en génération. Anna, puisque c'était son prénom, et qu'il ne l'oublierait jamais, même s'il ne devait plus la revoir, ne baissait pas les yeux en lui parlant. Elle offrait son regard en gage, et aussi l'image de son corps, sans penser à mal, parce que ça crevait les yeux qu'elle ne pensait pas à mal, qu'elle ne calculait ni ses gestes, ni son sourire redoutable.

Anna s'incarnait sur les vitres, dans les flaques d'eau, dans l'air. Joseph n'y pouvait rien. La brume du matin était imprégnée d'elle, et celle du soir aussi. Plus il en fuyait le souvenir et plus ce souvenir revenait à la charge. Un murmure opiacé envenimait son sang, abolissait le temps. Son visage, son regard, sa peau, la fluidité de son corps le provoquaient à chaque instant et en tout lieu, et nourrissaient un sentiment bicéphale, une tête pour le désir et l'autre pour la vénération. Un paradis de plaies à vif. Un malaise devenu douleur, une perfection de douleur, comme seul un cœur sait en construire sans matière préexistante.

Perdu dans ses pensées, il se surprenait parfois à sourire niaisement au vide, se demandant comment ce qui semblait le rendre invulnérable à certains moments pouvait tout autant causer sa perte à d'autres. À l'école, on lui avait appris que la terre tournait autour du soleil et, pour la première fois, il concevait cette vérité, jusque-là abstraite, la réalité du mouvement sous ses pieds, nullement comme s'il s'agissait d'une vérité scientifique, mais plutôt comme si un obstacle eût toujours empêché cette rotation et que cette fille l'eût retiré par sa seule grâce.

En plusieurs occasions, sa mère lui reprocha son manque de concentration, d'être ailleurs, et il se garda de lui avouer la cause de cet ailleurs, bien décidé à garder ce secret pour lui, et même qu'il avait chuté du fenil en pensant à la fille, se rattrapant de justesse à une solive, conservant pour toute trace une ecchymose grise sur sa hanche, qu'il chérissait depuis.

Revoir la jeune fille devint une obsession. Lorsque sa mère lui demanda de se rendre à Saint-Paul pour acheter des provisions, il fit un détour par la ferme des Valette, se cacha, attendant d'apercevoir la fille venue de nulle part, poursuivie par une guerre, cette fille qui habitait ses jours et ses nuits, sans qu'il eût d'autre choix, sans qu'il en souhaitât finalement d'autre. Il avait conscience de n'avoir rien en commun avec elle, et pourtant, elle lui avait parlé, à lui, Joseph, dernier-né de la lignée des Lary, lui avait souri et demandé à le revoir. Depuis, elle éclairait sa vie sombre et dévastée d'une lumière brûlante qui consumait peu à peu les barrières de sa raison. Et tant pis pour ladite raison, tant pis si tout cela n'était qu'un leurre. Il fallait qu'il la voie. Il se rendrait aux Grands-Bois en fin de semaine pour lui proposer une partie de pêche le dimanche, lorsque les femmes seraient à l'église, espérant ne pas croiser Valette. Parce que rêver ne suffisait pas à Joseph, ne lui suffirait plus. Il voulait retrouver la voix de la jeune fille, son odeur et les ombres qui l'enveloppaient. Les ombres autant qu'elle-même. Et s'il n'y avait qu'une illusion au bout de son désir, au moins, c'était la plus belle des illusions.

Joseph se dépêcha de terminer le nourrissage des bêtes. Il quitta la ferme sans rien dire à personne et rejoignit le chemin à l'abri des regards. Durant la descente, il coupait parfois les virages serrés, empruntait des éboulis ruisselants de scories, puis revenait sur l'étroit sentier miné par les sabots des bêtes et le passage des charrettes. Ses jambes pesaient de plus en plus lourd, comme il se rapprochait des Grands-Bois.

Posté devant l'étable, le chien aboyait et sautait vainement en l'air pour essayer d'attraper les flopées d'hirondelles à ventre blanc qui entraient et sortaient en criant par la porte grande ouverte. Un veau récalcitrant au bout d'une corde, Valette traversait la cour en proférant de terribles menaces à son encontre. Joseph se figea à l'entrée de la ferme, espérant ne pas être vu. Il n'eut pas le temps de reculer pour se cacher derrière un pilier, que l'autre pivotait d'un quart de tour, comme mu par un sixième sens, entraînant le veau dans le mouvement. L'animal se mit à ruer et Valette le frappa rudement avec son poing en jurant, le regard rivé au jeune homme. Puis il cracha droit devant lui.

— Qu'est-ce que tu fais là ? cria-t-il.

Joseph avança, intimidé par la brute.

— Je viens voir Anna, dit-il.

— Anna ?

— Votre nièce.

— Tu la connais ?

— On s'est croisés l'autre jour…

— Et tu lui veux quoi ?

— Lui parler, c'est tout.

— Qu'est-ce qui te fait croire qu'elle veut te parler, elle ?

Joseph ne répondit pas, il explorait désespérément les environs. Valette raccourcit la corde en l'enroulant autour de sa main, jusqu'à toucher le museau gluant de morve du veau.

— Je lui dirai que t'es passé, dit-il sur un ton glacial. Son visage se tordit pendant qu'il parlait, comme s'il était pris dans un fil de fer que quelqu'un aurait serré lentement avec des pinces.

Joseph avait envie de s'enfuir, jamais il n'aurait tenu tête à Valette en temps normal, mais l'envie de revoir Anna était plus forte que n'importe quelle menace.

— Elle est peut-être pas si loin, insista-t-il.

— Tu la vois ?

— Non !

— Alors, c'est qu'elle est loin.

— S'il vous plaît.

— T'as pas compris ou t'es sourd ?

Valette déplia ses doigts recouverts de la morve du veau et les referma sur la corde. Une énorme veine bleue enfla et monta à l'assaut du biceps en multiples circonvolutions.

— Reste pas dans mes pattes, je t'ai assez vu, dit-il.

— Je vais aller frapper à la porte pour voir si elle est là, et après, je m'en vais.

Valette fit un pas de côté pour barrer le passage à Joseph.

— Tu vas nulle part, dit-il.

Le visage de Joseph s'éclaira brusquement. Anna sortait de la maison. Valette fit volte-face, tordant la tête du veau dans l'autre sens, découvrant la jeune fille, puis il revint à Joseph, et cracha à ses pieds.

— Fous le camp !

— Je vous dérange plus, dit Joseph en contournant Valette et le veau pendant qu'Anna se portait à sa rencontre, le sourire aux lèvres.

Le visage de Valette était cramoisi, gorgé de sang et d'une haine démesurée.

— Tu me le paieras, dit-il à voix basse, avant d'entraîner l'animal jusqu'à l'étable en lui promettant l'enfer.

Valette entra dans le bâtiment et ferma le battant derrière lui. Une fois à l'intérieur, il attacha la corde à une des pattes arrière de la mère du veau qui aussitôt se mit à téter. Valette passa par une têtière libre et donna du foin à la vache, afin qu'elle se tînt tranquille. De retour dans l'étable, il s'approcha d'une meurtrière pour espionner les jeunes gens qui discutaient dans la cour. Les poings fermés, appuyés contre le mur, il attendit que Joseph fût parti, puis se précipita vers la jeune fille avant qu'elle n'entre dans la maison.

— Qu'est-ce qu'il te voulait ? demanda-t-il.

— Me proposer d'aller pêcher, demain matin.

— Pêcher ?

— Oui.

— On a tous mieux à faire que pêcher.

— Ce sera dimanche, le jour du Seigneur.

— Le Seigneur, il empêche pas l'herbe de pousser, ni les bêtes d'avoir faim le dimanche, à ce que je sache.

Anna fit mine de ne pas relever, se dirigea vers la maison. Valette se précipita et lui saisit un bras avec force.

— Méfie-toi de ce gamin, dit-il.

— Pourquoi ? demanda-t-elle en se dégageant.

— Sa famille a le mauvais œil sur elle, tout le monde sait ça dans le coin.

— Qu'est-ce que vous voulez dire ?

— La foudre est tombée sur le grand-père en plein jour… si c'est pas un signe qu'ils sont pas sous la protection du bon Dieu.

D'une main, Anna frotta son bras endolori, là où les doigts de Valette avaient laissé leur empreinte.

— Un accident, personne n'y peut rien, dit-elle.

— Le malheur, il suit les générations… une fois qu'il a trouvé un filon, il s'accroche comme de la merde sous les pieds.

Anna se mit alors à fixer le moignon de Valette.

— Alors, d'après vous, un drame en appelle forcément un autre, dit-elle sur un ton sarcastique.

Valette tendit sa main mutilée sous le nez de la jeune fille en essayant de contenir au mieux sa rage.

— Fais attention à ce que tu dis, ma petite, t'es encore bien jeune pour connaître la vie comme je la connais.

— Je vous écoute, c'est tout.

— Tu ferais bien, dit Valette en abaissant son bras.

Épuisé par sa chasse infertile, le chien s'approcha d'eux. Anna tendit la main vers lui et l'animal vint aussitôt minauder pour chercher des caresses.

— On veut simplement prendre un peu de bon temps, dit-elle en passant une main dans le pelage rêche du chien.

— Le bon temps, y a belle lurette qu'il est passé, et c'est pas demain ni après-demain qu'il reviendra. Tu feras comme je dis, un point c'est tout.

— On ne fait rien de mal.

— Y a plus à discuter.

Là-dessus, Valette se dirigea vers l'étable. Avant d'y entrer, il se retourna, comme pour ajouter quelque chose, mais se ravisa et cracha sur le mur. Anna le regarda disparaître dans la bouche obscure de l'entrée, espérant secrètement qu'il n'en ressortît jamais.

Les rayons du soleil formaient une traîne qui scintillait sur la rivière, et des oiseaux passaient d'une rive à l'autre en épinglant des insectes au passage. La Maronne parlait à voix basse, comme si, dans son murmure, elle s'était excusée depuis toujours de creuser la roche.

Anna tira brusquement sa canne à pêche en arrière. Une truite sortit de la rivière dans une gerbe d'eau. La jeune fille trébucha en reculant et le poisson retomba lourdement au sol en se trémoussant, cherchant à se faufiler entre des herbes. Sur l'autre berge, Joseph ne perdit rien de la scène. Il rebroussa chemin sur quelques mètres et traversa le cours d'eau sur un tronc d'arbre déraciné, devant lequel s'était constituée une petite retenue cerclée d'écume salie de brindilles. Quand il rejoignit Anna, elle était à quatre pattes, le fil de la canne emmêlé autour de ses bras et les mains plaquées sur le poisson qui se tortillait avec de moins en moins de ferveur.

— Elle peut plus aller bien loin, maintenant, dit Joseph en peinant à garder son sérieux.

Anna se tourna de côté, prenant alors seulement conscience de la présence du jeune homme.

— Qu'est-ce que c'est ? demanda-t-elle.

— Une truite.

— Mon premier poisson, dit-elle fièrement.

— Il est rudement beau.

Anna serra la truite dans ses mains et se releva en la tenant à bout de bras dans un geste sacrificatoire. Sa robe de coton était recouverte de rosée et collait à ses cuisses.

— Tu veux que je la décroche ? l'interrogea-t-il sans regarder la fario.

— Non, il faut bien que j'apprenne.

— Attends, fais voir, dit Joseph en s'approchant de la jeune fille.

Il tira sur le fil pour évaluer la profondeur à laquelle l'hameçon était enfoncé.

— L'hameçon est pas bien loin, t'as juste à le pousser dans le fond de la gorge et il devrait venir tout seul, dit-il.

Anna enfonça deux doigts dans la gueule de la truite, saisit l'extrémité de l'hameçon et se mit à le triturer.

— Je le sens, dit-elle.

— Vas-y assez franchement !

Anna poussa d'un coup sec, et les fines dents de la truite lacérèrent ses doigts en surface. Elle les retira et regarda couler le sang en minces filets clairs, d'un air surpris.

— Continue, il va bien finir par lâcher, dit Joseph en mimant le geste, se retenant de prendre la main de la jeune fille.

Elle enfonça de nouveau ses doigts dans la gueule de la truite, insista sans plus se soucier des coupures, puis retira l'hameçon avec précaution. Un morceau de cartilage ensanglanté pendait à l'ardillon.

— On dirait qu'elle est morte, dit Anna en regardant la fario inerte dans sa main.

— Pas encore. Maintenant, faut que tu glisses ton pouce sous le bec et que tu le tires en arrière d'un coup sec.

— C'est obligé ?

— Si tu lui casses pas les vertèbres, elle va continuer de souffrir pour rien, et en plus, elle va se raidir comme un bout de bois.

Anna hésita un court instant, puis opéra comme Joseph lui avait indiqué, s'y reprenant à plusieurs fois. La colonne vertébrale céda enfin dans un craquement, et le petit corps visqueux se mit à trembler, puis s'immobilisa. Les mains de la jeune fille étaient parsemées d'écailles translucides qu'elle fixait intensément, comme si elle venait d'accomplir un acte terrible qui la rendait pourtant heureuse.

— Donne, je vais la mettre dans mon sac, dit Joseph.

Elle tendit le poisson à Joseph, et il le fourra aussitôt dans sa musette. Puis il se pencha vers le sol, arracha une touffe d'herbes et l'offrit à Anna.

— Pour essuyer tes mains, dit-il.

— Merci !

— T'apprends vite, je suis encore bredouille.

Elle frotta vigoureusement ses mains avec les herbes, puis laissa les brins souillés de mucus et de sang tomber par terre, sans quitter Joseph du regard, et il y avait une étrange lueur dans ses yeux, comme une sorte de défi.

— Mon oncle ne voulait pas que je vienne, dit-elle.

— Je me doute, et t'as pas peur de lui désobéir ?

— Il n'en saura rien.

Joseph se mit à regarder la rivière d'un air songeur.

— Je voudrais pas que t'aies des ennuis à cause de moi, dit-il.

— Ne t'en fais pas.

— Si, je m'inquiète un peu, Valette, c'est un drôle de type… pour ce que je sais de lui, y a pas grand-chose qui l'arrête.

Anna laissa passer un moment et son visage se durcit.

— Je n'aurais pas dû parler de lui, il ne va quand même pas tout gâcher.

— T'as raison, laissons-le où il est pour l'instant.

Elle repoussa une mèche de cheveux qui lui barrait le front.

— Je voudrais te remercier de m'avoir emmenée, dit-elle.

— C'est rien…

Les traits à présent détendus, elle s'approcha de Joseph d'un air grave.

— Je t'ai apporté un petit cadeau, dit-elle.

— Fallait pas.

— Ce n'est pas grand-chose, mais j'y tiens.

Joseph ne pouvait décrocher son regard de la jeune fille simplement vêtue d'une robe, se demandant où elle pouvait bien cacher le cadeau dont elle parlait.

— Ferme les yeux ! dit-elle en effleurant à peine les mots de sa voix.

Il obéit sans réfléchir, et ses paupières vacillèrent sous le poids des secondes qui s'éternisaient. Il mourait d'envie de rouvrir les yeux pour voir ce qu'elle manigançait.

— Ne triche pas, je te surveille, dit-elle.

Savon, lait et fruits rouges, c'était là, de nouveau, comme la première fois. Un mélange suave qui dévorait l'odeur de la truite.

— À quoi tu joues ? demanda-t-il dans un sourire crispé.

— Chut, ne parle plus.

D'abord un frottement de tissu, puis une respiration régulière balaya le visage de Joseph. Les lèvres de la jeune fille se posèrent sur les siennes, et il ne sut comment réagir, tant l'instinct lui manquait. Joseph succomba lorsqu'il sentit les mains d'Anna sur ses joues, et ses doigts étaient comme les pattes délicates d'une araignée explorant sa peau. Il n'avait désormais plus aucun effort à faire pour garder les yeux clos, et il entrouvrit machinalement les lèvres. La langue de la jeune fille déboula dans sa bouche, la fouilla et s'enroula autour de sa propre langue inerte. Un feu humide embrasa Joseph, il se sentit durcir et agrippa maladroitement les hanches de la jeune fille, plus pour garder ses distances que pour se rapprocher d'elle. Une délicieuse panique l'envahit. Jamais il ne s'était laissé aller de la sorte, jouet consentant, persuadé qu'il ne pourrait jamais rembourser une dette pareille, et qu'il serait redevable à cette fille jusqu'à la fin de son temps.

Il ne réalisa pas lorsqu'elle recula, et se trouva idiot en l'entendant parler de nouveau.

— Tu peux ouvrir les yeux, maintenant.

Il attendit encore quelques secondes. L'empreinte laissée par les lèvres d'Anna était tout aussi forte que ses lèvres elles-mêmes. Puis il ouvrit les yeux. Anna souriait. Une moue déformait un coin de sa bouche, fabriquant de petites vaguelettes de chair, comme quand on jette un caillou à la surface d'une eau étale.

— Ça va ? demanda-t-elle.

Joseph laissa son corps se réamorcer avant de répondre.

— Je crois bien, dit-il d'un air absent.

— Tu crois bien ?

— C'est que…

— Tu n'avais jamais embrassé une fille, avant ?

— Pas comme ça.

Anna fronça les sourcils.

— Alors ? dit-elle.

— Alors, j'espère que tu vas attraper beaucoup d'autres truites et que je serai là quand ça arrivera.

La maison était paisible en ce dimanche matin. Certaine de ne pas être dérangée, Hélène s'enferma dans la chambre. Elle sortit sa robe préférée de l'armoire, la passa, puis enfila les bottines qu'elle portait le jour de son arrivée, les laça en serrant bien à la cheville, de manière à révéler le galbe du mollet. Tout en soupirant, elle passa un doigt sur la longue zébrure infligée par une ronce et qui courait sur un tibia. Décrocha ensuite du mur une glace piquetée de traces brunes, puis s'inspecta longuement sous toutes les coutures. Elle réalisa qu'elle avait perdu quelques-unes de ses formes, et cela la chagrina. Il ne fallait pas se laisser aller pour le jour où Émile reviendrait dans son bel uniforme.

Elle s'assit sur le lit, ferma les yeux afin de se soustraire à l'environnement sommaire du lieu, tenter de faire disparaître les mauvaises ondes véhiculées par l'exiguïté de la pièce, et elle y parvint durant quelques instants.

Avant de quitter sa demeure, elle avait songé un moment rejoindre ses parents avec Anna, dans leur vaste propriété située près de la capitale, mais Émile ne l'aurait pas admis. Le couple de vieux aristocrates bornés n'avait pas accepté la relation, et encore moins l'union de leur fille avec un simple instituteur. Ils avaient tout tenté pour dissuader Hélène, allant même jusqu'à menacer de la déshériter. Un manant aux bottes crottées qui ne perdrait jamais ses mauvaises manières de bouseux, voilà ce qu'était Émile, ce qu'il resterait à leurs yeux, quoi qu'il pût entreprendre et quelle que fût sa réussite. Ce dernier avait encaissé la fin de non-recevoir du père et le mépris des deux, et avait fini par en prendre son parti. Hélène s'était dit que peut-être, avec le temps, les choses évolueraient favorablement, mais le temps n'avait pas opéré dans ce sens. Elle leur avait écrit après l'ordre de mobilisation, pensant qu'une guerre représentait une situation de nature à lisser les rancœurs. Ils n'avaient pas daigné répondre.

Tenir bon, était tout ce qui comptait pour Hélène. Quand tout serait fini, Émile réintègrerait son poste de directeur d'école. Tout rentrerait dans l'ordre. Elle pourrait retourner à ses occupations citadines sans plus se soucier de sombres besognes paysannes. Elle se souvint avec nostalgie du dernier concert auquel ils avaient assisté au grand théâtre, elle adorait la musique classique depuis toujours : les suites de Bach. Elle sentait encore la main d'Émile sur la sienne, et les larmes de bonheur qui avaient coulé de ses yeux.

Cette vie, loin de la ville et de ses charmes, n'était pas pour elle, mais elle n'avait d'autre choix que de supporter cette épreuve. Elle faisait son possible pour aider à la ferme, mais n'avait jamais fourni d'efforts physiques de sa vie, hormis ranger les tasses en porcelaine de grand prix qu'elle n'osait confier à sa bonne, ou bien encore planter des bégonias et des impatiens dans des jardinières au printemps, et des myosotis à l'automne. Anna, au moins, semblait s'accommoder au mieux de cette nouvelle vie, ou peut-être faisait-cllc contre mauvaise fortune bon cœur. Si tel était le cas, Hélène se gardait bien de poser la question à sa fille.

Une boule d'angoisse remonta dans sa gorge. Elle se mit à retirer rageusement ses bottines et sa jolie robe, qu'elle jeta dans l'armoire sans la plier. Des larmes vinrent à ses yeux, glissèrent, vite déroutées par l'os de la joue, et rejoignirent le coin de ses lèvres pour mourir dans sa bouche entrouverte. Un goût salé, un goût d'impuissance.

Hélène était étrangère à ce pays, aux gens, aux choses, engluée dans son désarroi, sans véritablement pouvoir le cacher, sans en trouver la force. Ici, l'herbe verte des prairies était sale, les cailloux blessaient la plante de ses pieds menus, l'air du matin était empuanti d'odeurs de fumier, et même le ciel bleu lui apparaissait comme un immense ex-voto à la mémoire de ces vies sacrifiées à la terre. Pas à sa place dans cette étroite démesure, une geôle faite d'habitudes, prisonnière de barreaux que nul n'avait jamais songé à scier. Car, pour elle, la vie ici n'était précisément rien d'autre qu'une inacceptable provocation qui se muait en immense lassitude, et pas encore en désespoir.

Ils se serraient sur les bancs de l'église, autant par superstition que par véritable foi. Car, sans jamais le confier à quiconque, ils en voulaient à Dieu de permettre le massacre d'innocents, mais venaient pourtant écouter le prêtre parler de croisade et de juste sacrifice. L'Église et l'État, séparés depuis peu, semblaient s'être ligués pour tirer les marrons d'un feu allumé par Satan en personne. Alors, ils écoutaient les prêches, afin d'y dégoter au mieux quelque espoir, au pire une expression de leur soumission, un signe perçu dans un rayon de lumière frappant un saint dans une niche, le sourire confiant de la Vierge Marie qu'ils n'avaient jamais remarqué auparavant, son regard flamboyant, tantôt dirigé vers l'enfant Jésus en ses bras, tantôt vers l'homme sacrifié sur la croix. Et ils s'observaient en douce, pour vérifier qu'ils n'avaient pas rêvé, puis relevaient la tête sur le saint homme, sans prendre part à son délire grandissant pioché dans un évangile de circonstance, et dans une interprétation qu'il se sentait le droit de décliner à ses pauvres brebis malades de la guerre et de la misère. Tout ce qui permettait de cautériser un tant soit peu les consciences.

« … Hélas ! Mes frères, Satan ne respecte rien. Invisible capitaine d'une armée ennemie, dont le seul et terrible but est de combattre le Christ et détruire son règne. Satan ! Mes frères, lui qui s'est emparé de la raison et l'a enivrée de sa propre puissance. Mais nous ne le laisserons pas faire, mes frères ! Au nom de la liberté, de notre liberté, nous ferons face, sans quoi nous ne serions plus hommes et femmes, et tomberions, ravalés au rang de brutes sans raison, sans espérances et sans avenir. Parce que nul ne doit nous asservir, sans souci de notre âme, de notre vie morale et religieuse et de notre éternel avenir. Vous, mes frères, qui êtes gens de peine, qui pouvez bien souvent à peine suffire aux besoins de l'heure présente, parfois incapables de songer au lendemain, devez sans cesse soutenir la lutte contre l'oppression qui nous priverait d'avenir, de foyer et de Dieu. Ce Dieu infini, qui nous a aussi placés sur terre pour combattre les disciples du mal. Luttons tous ensemble, mes frères ! Comme nos valeureux soldats, contre l'empire maudit que nous prépare Satan, en lieu et place du royaume béni de Jésus le Christ Notre Seigneur. Car, s'il triomphait un jour, nous verrions se multiplier ses sinistres légions d'impies vouées au culte d'une barbarie sans nom. Oui, mes frères ! Soyons à la hauteur de la confiance que Dieu a placée en nous, car, Dieu le veut ! Dieu le veut ! Dieu le veut ! Dieu le veut !… »

Tous reprirent en chœur, au cri de « Dieu le veut ! », et cela faisait comme des coups de bélier cognant les portes d'un château fort. Jamais le curé ne prononça les mots « boche », « allemand » ou

« teuton », il n'avait que Satan à la bouche. Il se délecta un moment de l'effet produit par ses paroles, puis imposa les mains au-dessus de l'assemblée transie, qui se tut aussitôt et s'assit dans un même élan. On entendit les bancs craquer et des semelles frotter sur la pierre, les respirations et l'agacement des flammes se consumant au sommet de grands cierges, le raclement de gorges et de mâchoires accompagné de remugles, le son obsédant d'une goutte suintant depuis la voûte et s'écrasant au sol après un voyage millénaire, et la friction de mains moites sur des chapelets aux grains ternis.

Le curé gagna l'autel. Il présenta à son front l'hostie consacrée, la morcela et la croqua lentement, puis but le vin. Il saisit ensuite un ciboire empli de petites hosties, descendit les marches de l'autel, et les communiants s'approchèrent docilement, presque sans bruit, le premier rang d'abord, comme des mendiants, tête baissée, sans savoir vraiment s'ils s'en allaient communier avec le Créateur, ou bien apprivoiser Satan. Remuant à leur passage les odeurs de fumée, de sueur et d'encens. Regagnant ensuite leur place, et s'asseyant derrière un long pupitre, sur lequel reposaient des missels à intervalle régulier, chacun inventant sa propre prière pour s'ensauver du mal, sous un ciel de pierres grises parsemé d'angelots et parcouru de lézardes.

Surpris du silence qui s'éternisait, les officiants relevèrent la tête et virent l'homme d'église pétrifié au bas des marches. Il regardait un chien qui se tenait tout au fond de l'allée centrale, un griffon pouilleux, aux pattes flageolantes. L'animal aboya, montrant des crocs usés aux racines noirâtres, faisant trembler un rudiment de pelage fait de poils dressés piqués entre les plaques imberbes de gale. Aux yeux du curé, les prunelles de la bête ressemblaient à des pièces de nickel trouées en leur milieu déambulant sur un mur de visages écornés.

Lorsque le curé se fut ressaisi, il montra le chien du doigt, comme s'il voulait maintenant le défier en un combat surnaturel, puisqu'il ne faisait aucun doute pour lui qu'il s'agissait bien d'une apparition diabolique. « Sors d'ici, Satan, je t'en conjure, tu n'es pas ici en ta demeure… sors ! » dit-il, comme s'il prononçait un exorcisme. L'animal se mit à grogner d'un air menaçant, jetant sa tête d'un côté et de l'autre vers les rangées de bancs. Le curé releva le défi, il avança lentement vers le chien, son aube traînait par terre et son corps semblait flotter. La sensation d'être investi d'une mission divine, porté par les regards peureux de l'assistance implorant le combattant de la foi de faire reculer le démon, aux exhortations de « Dieu le veut ! », sauveur désormais plein d'assurance, prêt à mettre en déroute l'incarnation de Satan.

Le chien sauta en avant, un seul bond dont nul ne l'aurait cru capable. Il planta ses crocs dans le bras du curé qui se débattit en criant, réussissant à envoyer dinguer la bête au sol. Elle couina sous l'impact, puis se redressa et se mit à courir vers la sortie sans demander son reste, ses griffes ripant sur les dalles, avant de disparaître par la porte entrouverte.

Le curé demeura un long moment dans l'allée. Saint homme devenu légendaire, visage fermé et hautain de vainqueur aux ordres des esprits souverains en leur royaume, intérieurement ébahi et conforté. Lui, qui avait affronté sans hésiter le diable grimé, et réussi à le mettre en fuite. Lui, dont personne ne douterait plus du bien-fondé de sa parole, ni de la puissance et de la gloire de son Dieu.

Puis, tenant son bras endolori recouvert par l'ample manche de son vêtement immaculé, il balaya du regard les visages interdits, désormais fuyants, sur lesquels flottaient une totale incompréhension et parfois de la pitié pour cet homme qui s'était mis à gesticuler sans raison dans l'allée en criant comme un démon.

— Qu'est-ce que tu fais ?
— Je te regarde.
— Arrête !
— Pourquoi ?
— Arrête, je te dis !
— Je ne m'en lasse pas.
— On pourrait nous voir.
— Ne t'inquiète pas.
— Si, justement.
— Et alors, nous ne faisons rien de mal.
— J'ai l'impression que si.
— Tu devrais te détendre un peu et profiter de ce moment.
— T'as une autre blague de ce genre ?
— Qu'est-ce que tu ressens ?
— J'en sais rien.
— Tu aurais envie de faire quoi, si on t'en donnait la possibilité ?
— Si on n'était pas ici, tu veux dire ?
— C'est ça.
— Un truc que je rêve de faire depuis toujours ?
— Dis-moi.

— *Aller voir la mer, c'est ça que je rêverais de faire.*

— *Ce n'est pas un bien grand rêve.*

— *Peut-être pour toi… j'aimerais savoir à quoi elle ressemble, avant de mourir.*

— *Je t'y emmènerai un jour.*

— *Dis pas de bêtises.*

— *Je te le promets.*

— *Tu devrais bien réfléchir, avant de promettre.*

— *Je tiens toujours mes promesses.*

Marie dépensait une énergie considérable pour dissimuler les ratés de son cœur qui s'emballait souvent, brinquebalant comme une charrette progressant à vive allure sur un mauvais chemin, puis qui ralentissait son rythme jusqu'à ce qu'elle ne le sente plus cogner dans sa poitrine, sans qu'aucune douleur accompagnât ces à-coups, juste des fièvres provoquées par la peur. Elle se sentait décliner de jour en jour, et pourtant, elle n'avait pas peur de la mort. Ce qu'elle redoutait, c'était de ne pas revoir son fils, et aussi d'abandonner la ferme à sa bru et à Joseph. Ils avaient encore tant de choses à apprendre, tant de choses qu'elle ne pourrait leur transmettre, une fois dans la tombe. Certes, ils pourraient compter sur Léonard, mais jusqu'à quand ? La voyant peiner plus que de coutume, plus d'une fois elle avait surpris le regard de l'un ou l'autre, jamais insistant, agissant comme si de rien n'était, certainement pour se duper eux-mêmes, ou bien par simple résignation.

Mathilde surprenait agréablement Marie. Depuis que Victor était parti, elle avait pris ses responsabilités sans rechigner, faisant crânement face à l'adversité.

Certains soirs, dans la cuisine, elle avait parfois envie de lui parler, après que Joseph fut parti se coucher, partager l'absence, assouplir un peu la tension dans leurs corps. Peut-être que Mathilde en avait également envie sans oser. Comment savoir ? Au lieu de quoi, elles agrippaient des ustensiles, toutes sortes d'objets solides qui les rendaient à leur solitude.

Pour les femmes, la vie, c'étaient des actes et bien peu de mots. On leur avait appris que les mots représentaient la désinvolture de l'esprit s'ils n'étaient rattachés à des gestes concrets, comme égrener un épi de maïs, pétrir une pâte, fendre une bûche par le milieu, construire un feu. Les mots, quand ils sortaient, leur semblaient boursouflés de raison, jamais de légèreté et encore moins de folie.

À la lumière d'une lampe posée sur un tabouret, Mathilde récurait des casseroles dans une grande bassine en étain. La voyant ainsi courbée en train de s'échiner à frotter le métal cabossé à l'aide d'une brosse, Marie eut envie de violenter les certitudes infligées par une vie presque entière. Elle ressentit le besoin de laisser aller ses mots, comme de jeunes oiseaux sortant du nid. Une urgence. Le lendemain, il serait peut-être trop tard.

— Laisse-les tremper la nuit, tu les rattraperas plus facilement demain, dit-elle.

— Ce qui est fait est plus à faire.

— Faut aussi penser à te reposer.

Mathilde releva la tête vers sa belle-mère assise à table dans la pénombre.

— J'aurais pas cru vous entendre me dire ça un jour, dit-elle.

— Allez, va.

Mathilde laissa tomber la brosse dans l'eau, se redressa, appuya ses mains ruisselantes sur ses reins, puis épongea son front d'un revers de manche et resta ainsi un long moment, le regard suspendu au-dessus de la bassine dans laquelle surnageait une épaisse couche de crasse, comme si elle eût cherché à coincer une idée qui lui traversait la tête sans s'arrêter.

— Les journées sont pas assez longues, dit-elle, avant de se baisser de nouveau, et de saisir la brosse et une casserole.

— Tu les rallongeras pas plus en te tuant à la tâche.

— J'aime pas rester sans rien faire.

— Assieds-toi un moment, tu veux bien ?

Plus que les paroles de la vieille femme, son intonation ressemblait à une supplication. Mathilde observait intensément sa belle-mère. Jamais elle ne l'avait entendu détourner quelqu'un de sa tâche, ni même parler d'oisiveté. Elle essuya ses mains sur un torchon suspendu au dossier d'une chaise, puis s'approcha lentement de la table, dubitative, presque peureuse, portant la lampe, elle s'assit et la posa sur la table, joignit ses mains, attendant de comprendre où la vieille femme voulait en venir.

— C'est bien, dit Marie, laissant retomber doucement sa voix sur le silence de la pièce.

— Vous allez pas vous coucher ? Vous en avez assez fait pour aujourd'hui, vous aussi.

Marie ne sembla pas entendre, elle fixait les mains de Mathilde.

— Il est fort, ce gamin, dit-elle.

— C'est vrai, je l'ai encore pas vu rechigner…

— Comme son père.

Le visage de la vieille femme était torturé par les coulées de lumière provenant de la lampe.

— Il t'en parle, des fois, de son père, à toi ? dit-elle sans lever les yeux.

— Jamais.

— Peut-être qu'il devrait.

— S'il le fait pas, c'est que ça lui va comme ça.

Marie sentit des secousses dans son cœur. Elle attendit de les avoir apprivoisées, inspirant et expirant longuement. Rien de grave pour l'instant.

— C'est sûrement pas aussi simple, dit-elle.

— C'est pas plutôt vous qui avez besoin d'en parler, de votre fils, dit Mathilde sur la défensive.

— C'est aussi ton mari.

— Vous croyez que j'ai besoin qu'on me le rappelle ?

— Je te veux pas de mal.

— Alors, quoi ?

Marie sourit tristement.

— Tu tiens rudement bien le coup, toi aussi, dit-elle.

— Comme tout le monde, je suppose.

— Alors, ça doit pas être facile tous les jours, si tu fais comme tout le monde.

— Qu'est-ce que vous voulez, à la fin ?

Marie releva son petit menton en désignant les mains de Mathilde, fixant la trace blanche sur son index gauche. L'alliance retirée.

— On a beau essayer de se débarrasser des choses qui rappellent, mais moi, je crois que c'est pas un bon calcul… Y en a toujours une qui se radine quand on s'y attend le moins.

Mathilde replia aussitôt ses doigts en serrant le poing.

— Je risque pas de la perdre en travaillant, dit-elle, comme une petite fille prise en défaut.

Le regard de Marie se durcit.

— Je te juge pas, dit-elle.

La vieille femme leva sa main gauche en l'air, celle avec l'anneau doré qui avait presque disparu sous le bourrelet de chair, comme un lien oublié sur le tronc d'un baliveau.

— Ce que Dieu a uni, rien peut le défaire, dit-elle solennellement.

— Je veux faire de tort à personne.

Marie avança son buste contre la table, le regard empli de commisération.

— Alors, faut jamais montrer tes faiblesses, ni donner l'occasion aux gens de les fouiller, dit-elle.

Mathilde baissa les yeux, desserra son poing, et sa voix se brisa.

— Je suis peut-être pas assez forte pour supporter tout ce qui nous arrive, dit-elle.

— C'est pas une question de force.

Marie s'adoucit et posa une main sur celle de Mathilde, qui se crispa, comme paralysée par le contact.

— De la force, t'en as suffisamment, laisse personne te faire croire le contraire, jamais, dit Marie.

— Je pensais que ça m'aiderait.

— Tu sais très bien que non.

— Des fois, je sais plus quoi faire pour plus penser, même le travail y suffit pas.

— On n'est pas faits pour pas travailler, nous autres.

Les yeux de Mathilde brillaient.

— Ça vous arrive jamais d'imaginer que ça tournera pas comme on voudrait ?

— Non, jamais ! dit sèchement Marie.

L'une mentait et l'autre le savait. Mathilde fit glisser sa main sur la table, abandonnant le contact qu'elle n'avait pas souhaité mais pourtant accepté, et se leva. Elle demeura immobile un instant au-dessus de la table, regardant son annulaire.

— Je vais la porter, dit-elle.

Mathilde s'en alla mettre les casseroles sales à tremper, puis quitta la pièce. Marie ne dit rien, visage de nouveau fermé, en proie aux emballements de son cœur tourmenté, ne quittant pas son doigt cerclé d'or des yeux.

Une brise légère ébouriffait les feuilles des arbres. Deux cochons tachetés de noir mangeaient des glands attendris par la fraîcheur de l'ombre, ne laissant rien perdre, retournant les feuilles sèches et les mousses avec leur groin, sous la garde d'un Joseph abîmé dans la contemplation du puy Violent. Le neck de basalte en contrebas de la montagne ressemblait au museau d'un dragon en sommeil. Le regard du jeune homme passa du sommet aux fauves prairies, puis aux forêts, et revint en sens inverse se fixer sur le puy, avant de bifurquer vers la masse endormie du roc des Ombres. Il tenta d'imaginer qu'il voyait ces montagnes pour la première fois, mais n'y parvint pas. Elles avaient toujours été là, évidemment, et elles ne bougeraient pas d'un pouce, même s'il leur tournait le dos.

Joseph avait toujours pensé qu'il ne pourrait jamais quitter ce pays dont il faisait intimement partie, simplement parce qu'il était né là et qu'on lui avait inculqué l'idée qu'il était suffisant de naître quelque part pour y appartenir, qu'il n'y avait rien d'autre à espérer que de gravir et descendre indéfiniment ces montagnes.

Mais voilà que deux événements étaient en train de bouleverser sa vie : le départ de son père et l'arrivée d'Anna. L'un indirectement lié à l'autre. Il se concentra pour classer ces événements par ordre d'importance. Son père d'abord, bien sûr. Il en voulait aux montagnes de n'avoir su le retenir. Elles qui avaient retenu des générations de Lary pour un inconnaissable projet avaient été incapables de garder celui-là dans leur giron minéral. Et puis la fille. La fille après. La fille d'abord, bien sûr, qui remisait le souvenir de son père en arrière-plan. Malgré lui. Il essaya de se remémorer ce qu'était sa vie avant elle, et l'image qui lui vint était celle de ce volcan éteint à l'horizon, inconscient du feu qui couvait. Ce feu en Joseph. Parviendrait-il à le garder au fond de son corps, à force de volonté ? La question racla les os de son crâne. Alpiniste en perdition pendu à la roche par une corde fragile. Une ombre balaya la question et aussi tout espoir de rester accroché à la paroi. Il se sentait inexorablement dépossédé de ce qui avait eu de l'importance à ses yeux, maintenant que se dressait l'à-pic qu'était cette fille, cette fille à qui il ne cessait de penser. Tout ce qu'il voulait gravir sans la moindre assurance de parvenir au sommet.

Joseph tenta de se raisonner, se demandant comment ce qui n'existait pas avant pouvait se mettre à compter autant du jour au lendemain. Il ne s'agissait pas simplement d'Anna, mais aussi de l'empreinte qu'elle avait abandonnée, comme une trace figée dans les neiges éternelles, ce baiser qui avait chamboulé les géographies de Joseph. Il ne trouvait pas de mots pour qualifier cette sensation vorace, de toute façon, il lui aurait fallu en inventer de nouveaux et il n'était pas dans l'invention. Des mots, il n'en possédait pas tant que ça, en tout cas pas qui auraient pu convenir pour rendre grâce à ce sentiment, la conscience surnaturelle que ce baiser n'était pas une pierre posée au hasard, mais qu'il s'agissait d'une construction grandiose s'élevant bien au-delà des montagnes. Reconnaître et nommer l'odeur de l'acacia en fleur, du chèvrefeuille, les oiseaux à leur chant, la plupart des animaux embusqués dans ce grand cirque, les arbres, tout cela était en son pouvoir. Et voilà que cette grande encyclopédie devenait obsolète, mise respectueusement à distance par de nouvelles vérités, une présence importée, une forme magistrale de chair, l'expression d'un miracle.

Décrire Anna n'aurait pu rendre justice au sentiment engendré par le cœur de Joseph, si loin du simple désir de renouveler un baiser, aussi puissant fût-il. Tout en elle était mouvement. Perpétuellement accordée à la nature sauvage en rien trahie, quand elle posait les yeux sur lui. Capable de donner la vie et de la reprendre dans une même fraction de seconde, qui n'était dès lors pas du temps, mais une infime abstraction de l'espace séparant deux corps. Car cette fille était à elle seule tout l'espace dans lequel se mouvoir, la voie lactée où se baignent les étoiles. Certes, il avait goûté à ses lèvres, mais il avait également frôlé sa poitrine et les parenthèses de ses hanches.

Il y eut d'autres baisers, plus assurés que le premier, des baisers qui mélangeaient de pareils désirs. Ils se donnaient rendez-vous en cachette à la croix des vachers, aussi souvent que possible. Quelques minutes pouvaient suffire à porter une journée sur un nuage. Voleurs de temps habités d'urgence. Une urgence de peaux et de regards. Ils n'étaient pas à un âge où on a peur de l'extrémité des désirs. La perfection de l'inconnu était pour eux la plus douce des musiques, une symphonie en train de se composer.

Ils se cachaient, non par honte, mais pour que nul ne songeât à leur dérober ne serait-ce qu'une once de cette magie que, n'ayant visiblement plus accès aux émotions de l'adolescence, désormais bridées, ravinées ou même inconnues, les adultes auraient sans nul doute qualifiée de ridicule. Adultes, qui pensaient que la vie c'était autre chose que des violons, ne se seraient pas privés de faire entendre leur propre raison à ces jeunes insouciants. Pourtant, eux mouraient d'envie de cracher tout ce que contenaient leurs cœurs sans se soucier des regards. Se retenaient. Une manière de retarder le basculement engendré par un aveu. Un aveu aussi puissant et mièvre qu'un simple « je t'aime », qu'ils n'osaient encore prononcer. Alors, ils fuyaient la crainte en étirant l'espace et le temps.

Une fois séparés, ils continuaient de s'apprivoiser en imagination, se souvenant des baisers, des gestes, avec encore le feu abandonné par la trace d'une paume sur un visage, et même par l'ombre de cette paume. Ils s'ouvraient alors à des territoires effrayants de beauté, de douceur et d'inconnu, absents au monde débarrassé de ses lourdeurs. Deux corps préservés des intempéries.

Dans l'étable, Léonard raclait le fumier avec l'envers de sa fourche. Une bosse proéminente se baladait sous sa veste, ressemblant à une grosse balle prisonnière douée de vie propre. Il piqua gentiment les fesses d'une vache pour la faire lever, et s'excusa de la brusquer en la nommant. La bête peina à se mettre debout, prenant d'abord appui sur ses pattes arrière, puis sur celles de devant, avant de se mettre à secouer sa tête et fouetter l'air avec sa queue. Le vieil homme penché s'y reprit en plusieurs fois pour amasser une fourchée de fumier, par petits tas empilés les uns sur les autres, qu'il déposa ensuite dans la brouette positionnée dans l'axe de l'entrée. Là où se tenait Joseph depuis une poignée de secondes.

— Tiens, te voilà, toi, dit Léonard en continuant de curer son étable.

— Bonjour, Léo, je te dérange peut-être ?

— Ça fait quelques jours que tu me déranges pas bien.

— On te voit plus à Chantegril, ces temps-ci.

Léonard fit lever la seconde vache.

— Le chemin se fait facilement en sens inverse, vu que ça descend tout le temps, dit-il sans provocation.

— Justement, je m'inquiétais, dit Joseph pour se justifier.

— Fallait pas, j'ai été pas mal occupé ces derniers temps, et puis, je me suis dit que vous aviez sûrement besoin d'un peu de tranquillité, que vous en aviez peut-être marre de m'avoir sur le dos.

— Tu sais bien que c'est pas vrai.

— Ça pourrait.

— T'as besoin que je t'aide ?

Léonard releva un coin de sa bouche en émettant un bruit de succion, comme si un relief eût été coincé entre ses dents.

— J'imagine que c'est pas l'occupation qui manque chez toi, pour que t'ailles en chercher ailleurs, dit-il.

— Tu le fais bien, toi.

— C'est pas pareil.

Joseph se tourna vers les vaches qui brassaient l'espace de leur tête enchaînée.

— Nous aussi on a rentré les nôtres.

— L'hiver va pas être commode.

— T'es sûr ?

— On est jamais sûr de rien, mais je le sens. Après l'été qu'on a eu, y a des chances que l'hiver soit à la hauteur.

Les mots de Léonard sonnèrent comme des coups de masse donnés sur un piquet.

— Tu voulais me demander quelque chose, ou tu passais juste dire bonjour ? reprit-il.

— Un peu les deux. Tu me prêterais pas ta mule et le tombereau pour aller ramasser des feuilles à litière avant qu'il fasse trop mauvais temps ?

— J'en ai pas l'utilité tout de suite. Je vide ma brouette et je l'attelle.

Joseph s'avança, contourna la brouette.

— Laisse, je vais te la vider, dit-il.

— C'est pas de refus, dit Léonard en plantant la fourche dans le monticule de fumier.

D'une seule main, le vieil homme passa le harnais à la mule, caressant de l'autre au passage une joue grise et soyeuse. Il lui parlait doucement, comme s'il avait besoin de son consentement. Puis, avec l'aide de Joseph, il arrima les brancards du tombereau de part et d'autre des flancs de l'animal docile, ajusta les *boucleteaux* au cuir râpé, et serra les liens, cran après cran, jusqu'à une trace d'usure plus claire.

— On peut mettre les échelles par côté, comme ça tu chargerais plus de feuilles à chaque voyage, vu que ça pèse rien ? suggéra-t-il.

— Je veux bien.

Ils allèrent dans la grange chercher deux échelles faites de plusieurs rangées de voliges clouées sur d'épais montants, puis les transportèrent jusqu'au tombereau, et les soulevèrent pour les emboîter dans des œillets métalliques fixés aux ridelles. L'opération terminée, Léonard s'approcha de sa mule et se mit à lui caresser l'échine de sa paume graissée de sébum crasseux, faisant voler en éclats de petits bouquets de poussière brune.

— Et toi, t'écouteras bien, dit-il à la mule.

— Elle commence à avoir l'habitude, dit Joseph.

— C'est vrai, mais des fois, c'te bête, elle est comme moi, sa mémoire fout le camp sans prévenir.

Le vieil homme accumula de la salive sur sa langue, et sa pomme d'Adam remonta sous le menton, puis reprit sa place dans le pli du cou en même temps qu'il projetait un crachat sur le sol nu. Il regarda la chose, comme s'il cherchait une signification dans les entrelacs glaireux et presque immaculés. Il releva ensuite la tête, et revint à la mule, afin de vérifier les arrimages.

— Tu veux pas que je vienne t'aider à les ramasser, ces feuilles ? dit-il.

— Non, non, je me débrouillerai, dit Joseph avec empressement.

Léonard ne quittait pas sa mule des yeux.

— Tu préfères être seul, c'est ça ? dit-il.

— T'as de l'occupation, tu m'as dit.

— Ça me dérangerait pas, j'ai fini de tirer le fumier.

— Merci pour la proposition, une autre fois.

— Comme tu veux.

Léonard ôta son chapeau, se gratta la tête et le remit aussitôt.

— C'est pas une légende ce qu'on raconte sur les mules, tu sais, dit-il.

— Qu'elles sont têtues, tu veux dire ?

— Celle-là, elle l'est peut-être encore plus que les autres.

— J'ai pas remarqué…

— Si jamais elle fait sa sale tête, tu la brusques pas et t'attends que ça lui passe… à un moment, ça finit toujours par lui passer.

— Y a pas de raison, Léo.

— Des raisons, y en a pas forcément avec les bêtes.

Joseph empoigna la bride, s'apprêtant à partir. Le vieil homme fronça les sourcils, renifla longuement. Il se mit à caresser le chanfrein de la mule du bout des doigts, et détourna la tête, comme s'il ne voulait pas qu'elle entende ce qu'il avait à dire.

— Et puis, elle aime pas beaucoup les étrangers, dit-il à voix basse.

Joseph sentit un malaise monter en lui.

— J'en suis pas un, dit doucement Joseph, en posant un regard bienveillant sur l'animal.

Le regard espiègle du vieil homme passa de la mule à Joseph. Il souriait, et on voyait ses dents écartées les unes des autres comme les lattes d'un portail, et un éventail de rides profondes se déplia au coin de chacun de ses yeux.

— Toi, non, dit-il.

— Qu'est-ce que t'insinues, alors ?

— Des fois que t'en croises un d'étranger…

— Par ici, pourquoi tu voudrais que j'en croise un…

— Ou une étrangère, on sait jamais. Si ça devait arriver, fais comme je te dis, prends le temps avec elle, y a rien de pressé.

Joseph s'empourpra.

— Je te la ramène ce soir, dit-il pour couper court.

— D'accord !

Joseph tira sur le licou. La mule avança aussitôt, entraînant le tombereau dans le fracas des roues cerclées de jantes en fer sur les pierres de la cour. Léonard enfonça les mains dans ses poches, et attendit que l'attelage eût disparu pour se débarrasser de son amusement et retourner à ses affaires.

Joseph ramena l'attelage dans la soirée. Il aida Léonard à dételer le tombereau, le remiser, puis ils menèrent la mule à l'écurie, l'étrillèrent, s'affairant autour du corps pansu comme des écuyers, avec précaution, déférence et respect, pendant qu'elle croquait un foin mêlé de luzerne.

— T'as fait ce que t'avais prévu ? demanda Léonard au bout d'un moment.

— Oui, c'est bon.

Léonard stoppa le mouvement de va-et-vient de l'étrille sur le pelage de la mule, puis recula d'un pas en la regardant.

— Je suis sûr que t'as aucune idée de l'âge qu'elle a, dit-il.

Joseph se détendit. Il posa une main sur le dos de l'animal, semblant réfléchir, au fond soulagé que Léonard ne revienne pas sur la mise en garde qu'il avait proférée au matin, au sujet d'une rencontre possible.

— Je te l'ai toujours connue, dit-il.

— Elle va bientôt fêter ses trente ans, figure-toi.

— On les lui donnerait pas.

— T'as vu, pas une ride, dit Léonard en clignant d'un œil.

— Je suis sûr qu'elle a encore de belles années devant elle.

— Je sais pas, j'en ai jamais eu avant celle-là.

Léonard se rapprocha de l'animal, fit glisser le revers de sa main plusieurs fois sous son nez, comme si quelque chose l'eût démangé, puis se mit à caresser la mule entre les oreilles, là où elle adorait, dans cette petite vallée d'os recouverte de velours.

— Paraît que ces bêtes, elles travaillent jusqu'au bout…

Le vieil homme se rembrunit brusquement, son front se creusa à la manière d'une terre déshydratée, et les buissons de ses sourcils se rejoignirent pour former une haie dense de broussailles cendreuses.

— Moi, je vois pas de plus belle façon d'en finir, que de tomber sans prévenir, pas le temps de souffrir, ni de faire souffrir.

— M'est avis que c'est pas demain qu'elle va tomber.

— Elle sait qu'elle a pas intérêt de me faire un coup pareil.

La mule balança sa tête de haut en bas, comme si elle avait acquiescé.

— On dirait bien qu'elle a pas l'intention de te contredire, dit Joseph.

— Depuis le temps, on se comprend, dit le vieil homme, tout en se départant lentement de sa gravité.

— J'imagine.

— Je crois qu'y a plus de bon sens dans son regard, que dans celui de pas mal de gens que je connais. Des fois, j'aimerais bien qu'elle me raconte comment elle voit les choses avec ses yeux à elle.

— De quelles choses tu veux parler ?

Léonard se redressa, fixant la mule sans la toucher.

— C'est idiot, mais je voudrais savoir si elle est heureuse, dit-il.

— Elle a pas l'air malheureuse, en tout cas…

— Qui peut savoir vraiment.

— Ça se voit, quand quelque chose cloche chez une bête.

— T'as raison, après tout, on voit tout de suite quand quelque chose cloche chez quelqu'un, alors ça doit pas être différent pour les animaux.

Léonard posa un regard insistant et rieur sur Joseph, comme un gamin qui aurait prononcé en douce un juron.

— Tu m'as pas dit, au fait ? ajouta-t-il.

— Je t'ai pas dit quoi ?

— Elle s'est tenue tranquille ?

Joseph sentit un picotement dans sa poitrine. Il engrangea de l'air par le nez.

— Tout s'est bien passé, dit-il.

— Tant mieux, tant mieux.

Léonard sortit un morceau de pain dur de sa poche, et le tendit à la mule dans le creux de sa main. Il attendit qu'elle eût fini de mâcher, puis il reprit :

— Y en a qui leur mettent des œillères pour qu'elles voient droit devant et surtout pas par côté, moi je suis pas pour. Si je faisais pareil, comment elle se figurerait le monde qui l'entoure ?

Joseph se mit à regarder le ciel laiteux qui se détachait de l'horizon incendié par le soleil déclinant.

— Bon, je vais filer avant que la nuit tombe complètement, dit-il.

— Tu sais, y a pas tant de belles choses qui passent à notre portée dans une vie, pour qu'on se retienne de pas les voir.

Joseph sentit un ressort flancher dans son corps, et la gêne se transformer en une sensation presque agréable, comme si les mots de Léonard le raccrochaient à l'essentiel et qu'il n'y avait aucune raison de faire semblant de ne pas comprendre où voulait en venir le vieil homme.

— Rassure-toi, j'ai pas l'intention de me retenir de pas les voir, dit-il.

Léonard fit le tour de la mule et vint poser une main sur l'épaule de Joseph, et ce contact parut au jeune homme aussi léger que le frôlement d'une aile de papillon.

— Je ferais mieux de rentrer, dit Joseph.

— Attends, j'ai quelque chose à te montrer, avant que tu partes, dit Léonard.

— Quoi ?

— Tu devines pas ?

Le visage de Joseph s'éclaira.

— Ça y est, elle les a faits ? dit-il.

— Cet après-midi.

Joseph suivit Léonard. Ils entrèrent dans la grange. Une grande chienne efflanquée était allongée sur le sol paillé de frais, et quatre chiots dépareillés tétaient avidement en couinant. La chienne releva la tête en voyant les deux hommes, puis, rassurée, elle la reposa pesamment et se mit à faire entrer et sortir sa langue de sa gueule comme un serpent.

Le dernier chien de Chantegril était mort au cours de l'été. Le père de Joseph l'avait enterré au fond du jardin, quelques jours avant son départ, là où on avait toujours enterré les générations de fidèles serviteurs qui avaient appartenu à la famille. Le dernier en date, tout autant que les autres, avait été un valeureux compagnon, à ne pas avoir son pareil pour rassembler un troupeau, à donner ce qu'il fallait de voix pour ne pas braquer les bêtes, à flairer la sauvagine et le gibier, et aussi les loups faméliques qui battaient encore sporadiquement la campagne dans le crépuscule de leur race, trottinant de charogne en charogne sur leurs frêles pattes, avec ce restant de fierté qui ne cesserait jamais d'enflammer leurs prunelles grises.

Dans les fermes, on en prenait soin, des chiens, même s'il s'agissait des seuls animaux pas véritablement productifs, fidèles commis pourtant, à qui l'on confiait bien souvent les tourments et les secrets de l'âme, qui semblaient avoir été conçus pour cela également, et peut-être surtout, en échange d'un peu de soupe et parfois de caresses. Il fallait croire que ça ne changerait jamais, des choses naissaient quand d'autres choses mouraient, et ces « choses », muées en vérité, englobaient tout ce qui pouvait contenir de la vie. Alors, on pensait que ça ne finirait jamais, qu'il y aurait toujours moyen que cela continue, sans qu'on demandât à quiconque d'y pourvoir, et que le véritable miracle résidait en cela, que les vies fussent capables de se relayer, des fois avec un peu de retard, et quelques surprises.

— T'as plus qu'à choisir lequel tu veux, dit Léonard.

Joseph regardait les chiots qui tiraient frénétiquement sur les tétines enflammées, arrachant des spasmes de douleur à leur mère résignée.

— Tu vas faire quoi des autres ? dit-il.

Léonard haussa les épaules.

— Personne d'autre en veut ? demanda Joseph.

— Pas que je sache. C'est pour ça qu'il faut que tu choisisses vite, tant qu'ils ouvrent pas encore les yeux... Après, c'est pas facile.

— J'en sais rien, ils sont tous beaux.

— Prends les tous, alors, dit Léonard sans la moindre ironie.

— Si je pouvais !

Léonard haussa de nouveau les épaules en regardant la pauvre bête fatiguée, toujours copieusement malmenée par son engeance.

— De toute façon, elle aurait pas assez de lait pour les nourrir comme il faut. Elle y laisserait même sûrement sa peau, et je m'en voudrais de la perdre en cours de route.

Joseph désigna un des chiots.

— Le noir, avec la tache jaune sur la tête, dit-il.

— C'est aussi mon préféré.

— Pourquoi t'en gardes pas un, toi aussi ?

— La prochaine portée, peut-être... je voudrais pas lui attirer le mauvais œil.

Joseph s'agenouilla et caressa la tête de la chienne.

— Tu crois qu'elle sait ce qui va se passer, maintenant ?

— C'est pas la première fois.

— Elle a les yeux tout tristes.

— Tous les chiens ont ce regard-là.

Joseph réfléchit un moment.

— D'où ça leur vient, cette tristesse, à ton avis ?

— J'en sais rien, un genre de résignation, j'imagine… Comment tu vas l'appeler ?

— Tom, comme tous les autres.

— C'est peut-être pas un mâle, il est trop tôt pour savoir.

— Ça change rien.

Léonard opina.

— T'as raison, Tom, ça ira bien.

— Bon, je ferais mieux de rentrer, maintenant.

— Ta mère est au courant ?

— Une ferme sans chien, c'est pas une ferme, on en a besoin.

— Je te dirai quand il sera sevré.

— Je viendrai le voir de temps en temps.

— Autant que tu pourras, faut bien qu'il s'habitue à toi.

Joseph se releva sans quitter les chiots des yeux.

— Les autres seront plus là.

— Ils ont encore eu le temps de rien.

Ils sortirent et, quand Joseph se fut éloigné, Léonard retourna immédiatement dans la grange.

Au début, Marie s'était dit que ça passerait. Une sensation de sciure s'accumulant sur ses bronches, qu'elle ne parvenait plus à épousseter en crachant dans de grands mouchoirs brodés, le cœur au bord des lèvres. D'une manière ou d'une autre, perdre un vieux était dans l'ordre des choses. On prenait plus souvent soin d'une bête malade. Mathilde n'avait pas le temps de s'occuper davantage d'elle, accaparée plus que le jour par les travaux de la ferme et ceux de la maison. Marie n'aurait pas accepté qu'il en fût autrement, elle ne voulait surtout pas faire d'histoire. Pas assez riche pour vivre plus que son comptant. De toute façon, personne ne savait où trouver un docteur dans les environs, à croire qu'ils avaient tous été mobilisés désormais, même les plus anciens. Hors de question d'aller à l'hôpital. En finir là où tout avait commencé, entre deux recueillements simplement troublés par le fil ténu de l'existence. La survie d'une famille ne pouvait dépendre d'une vieille femme et, en d'autres circonstances, Marie aurait été la dernière à s'en plaindre.

Elle vit les feuilles digitées du marronnier se teinter de jaune, puis de marron, phénomène immuable attestant du ralentissement progressif de la circulation des sèves, qui aboutirait à l'assèchement des vaisseaux, avant la cicatrisation. Marie s'était toujours étonnée que des couleurs aussi subtiles soient annonciatrices de mort. Une mort programmée qui augurait certes d'une renaissance au printemps suivant, mais ce printemps-là elle ne pouvait que l'imaginer. Elle se demanda où pouvait bien se trouver le printemps des hommes, s'il existait même une seule bonne saison dans la vie. Non ! À peine quelques jours à la suite, certainement pas une saison complète, pas sur la terre où elle vivait, trop de souffrances à endurer, trop de malheurs à subir. Ne restait plus qu'à espérer qu'il s'en trouvât une, là-haut, dans un coin de ce foutu ciel, bien au-delà des mèches horizontales de nuages éclairées par le soleil blafard. À l'ombre d'un dieu de miséricorde.

Aux yeux de Marie, la vie était une sournoiserie. On venait au monde, à peine le temps d'un battement de cils, et on se racornissait, et puis c'était fini, ou presque. Le monde continuerait d'exister après elle, mais elle n'en ferait plus partie. Elle se mettrait à exister ailleurs et dans quelques mémoires temporaires, ça durerait ce que ça durerait. Même si personne n'était en mesure de dessiner la silhouette d'une âme, elle y croyait, parce que sans cela la vie n'avait aucun sens, et que les paysans d'ici avaient besoin de sens pour entretenir leurs feux et les donner à nourrir aux générations suivantes.

Marie ne quittait plus guère son lit. Le dos collé à un oreiller garni de duvet d'oie, elle visitait sa mémoire en approchant du gouffre. Puisqu'il fallait s'en aller, autant le faire sur la pointe des pieds, avec le moins de tracas possible pour les autres. Parce qu'elle s'en allait et qu'elle le sentait. Tout ce qu'on attendait d'une digne femme de soixante-douze ans. Pas si mal, soixante-douze années passées à trimer sans jamais rechigner à la tâche. Et si sa disparition pouvait jouer en faveur de son fils auprès du Seigneur, un genre d'échange discret, ce ne serait pas cher payé, se disait-elle. Sa seule requête, était de ne surtout pas mourir en pleine nuit.

Joseph frappa à la porte de la chambre de sa grand-mère. Il entra, tenant un bol de bouillon fumant. Chaque fois qu'il la découvrait, ainsi alitée, le regard de Joseph s'emplissait de tristesse et sa bouche était vide de mots. Marie le remercia d'un sourire, puis elle trempa ses lèvres dans la soupe pour donner le change et posa le bol sur la table de chevet en disant que c'était *bien bon*, qu'elle terminerait plus tard.

Elle tendit une main devant elle et la laissa retomber pesamment sur le lit.

— Dans la commode, tu trouveras un petit coffre dans le tiroir du bas, sous le linge. Apporte-le-moi, s'il te plaît, dit-elle.

Joseph s'exécuta. Il reconnut le coffret que couvait sa grand-mère lors de chaque orage. Il hésita un instant à toucher l'objet, comme s'il s'agissait d'une trop grande responsabilité, puis il posa ses paumes contre le métal froid et transporta le coffret de l'armoire au lit. Elle tapota le drap du plat de la main.

— Pose-le, dit-elle.

Le menton de la vieille femme se mit à trembler.

— Tu vas le garder, jusqu'à ce que ton père revienne, dit-elle.

— Il est pas bien où il est ?

Marie se tourna vers Joseph. Elle souriait, et son visage ressemblait à du sable modelé par le vent.

— Approche, dit-elle.

Joseph s'agenouilla.

— Je deviens dure d'oreille, je suis pas sûre d'entendre le prochain orage, dit-elle.

Joseph fixait le coffret.

— Tu peux l'ouvrir, tu sais, dit-elle.

Joseph ne bougea pas, alors elle tourna la clef et fit basculer le couvercle, puis se pencha au-dessus d'un air soucieux.

— Regarde, dit-elle.

Joseph avança timidement son buste. Il voyait maintenant la bouche rectangulaire du coffret aux montants éraflés.

— Y a là toutes les lettres que ton grand-père m'a envoyées quand il était loin, et aussi son alliance que j'ai retrouvée intacte dans la cour.

Marie reprit son souffle, avant d'ajouter :

— Le reste des papiers, c'est les titres de propriété.

— D'accord, ne put que dire Joseph en relevant des yeux incrédules sur sa grand-mère.

Elle posa une main sur le bras de son petit-fils, arborant un air grave qui lui cisaillait le peu de chair molle qui habitait son visage.

— Quand je serai partie, je veux que tu déposes les lettres et l'alliance avec moi… dans mon cercueil.

Joseph avala de la salive.

— T'es pas encore partie, dit-il.

Marie serra plus fort le bras de Joseph.

— Tu feras comme je dis ? dit-elle.

Un silence se cala entre eux.

— Je le ferai, dit-il enfin.

— Il faut pas que ça te rende triste.

— Tu m'en demandes beaucoup.

— Personne peut aller contre ce qui doit arriver un jour ou l'autre.

Joseph inspira longuement pour rapatrier autant de conviction qu'il le pouvait.

— C'est pas demain que tu t'en iras, je vais prendre soin de toi, dit-il.

— T'en fais pas, j'ai pas l'intention de partir tout de suite, dit la vieille femme.

— Bon, je te laisse te reposer, maintenant…

Marie décolla sa tête de l'oreiller avec une vigueur surprenante.

— Les titres, tu les garderas précieusement, c'est le seul moyen qu'on aurait d'avoir gain de cause, si quelqu'un s'amusait à déplacer les bornes, dit-elle.

— Ce serait du vol !

— La guerre est en train de tout chambouler.

— Qu'est-ce que tu veux dire ?

— Quand ton grand-père est mort, des gens ont profité que j'étais une femme, déboussolée en plus… mais ça a pas duré, tu peux me croire.

Joseph serra les poings.

— Valette, dit-il.

— Son père.

— Il aura pas intérêt, çui-là.

Marie posa une main sur le coffret.

— Y a que les preuves qui comptent, en ce bas monde, et à partir d'aujourd'hui, c'est à toi d'en prendre soin.

Marie n'en rajouta pas.

Joseph était auprès d'elle quand elle mourut. Longtemps, il se demanderait à quel moment précis elle avait cessé de vivre, ce qui s'était véritablement passé au fond de son corps pour qu'il en fût ainsi. Si cela avait eu lieu lorsque ses yeux avaient roulé dans leurs orbites, ou bien quand sa tête avait basculé sur un côté et que ses mains s'étaient dégrafées du drap. Quand ? Si ça traînait en longueur, la mort, ou si c'était aussi subit que ça en avait l'air ? Par quel bout s'était-elle emparée de sa grand-mère ? Comment se brisait définitivement une vie ? Y avait-il une règle pour passer de l'autre côté, un protocole commun à tous les humains ? Et après, par où filtrait l'âme du défunt ? Qu'est-ce qui restait en dedans et au-dehors ? Joseph en avait pourtant vu crever, des animaux, sans se poser de telles questions, mais c'était la première fois qu'il assistait à la mort d'un humain.

Mathilde habilla la défunte d'une longue robe noire, trouvée dans son armoire, que nul ne lui avait vu porter. Léonard vint prendre les mesures, et il ne portait pas son chapeau. Il ne s'attarda pas et retourna chez lui fabriquer un beau cercueil en bois de hêtre. Cela lui prit deux jours pour scier les planches, les dégauchir et les assembler dans les règles de l'art, sans un seul clou, simplement à l'aide de mortaises et de tenons. Il transporta ensuite le cercueil terminé à Chantegril avec sa charrette, et cette fois-ci, il était coiffé de son chapeau et rasé de près. Joseph l'aida à décharger la bière, à la porter dans la chambre de Marie, et à la déposer sur deux tréteaux. Ils s'attardèrent un long moment, silhouettes habillées de silence, regards voilés, évitant soigneusement le corps étendu sur le lit, cherchant à faire surgir un souvenir aimable, une abstraction salutaire de la raison de leur présence.

Ils se recueillaient toujours lorsque Mathilde entra, un drap blanc et rêche entre les mains, dont elle s'empressa de recouvrir le fond du cercueil. Lorsqu'elle eut terminé, Léonard s'approcha du corps en regardant Joseph fixement : « Faut que tu m'aides à la mettre dedans… ça ira ? » dit-il. Le jeune homme ne répondit pas, il eut une hésitation, avant de consentir à toucher la dépouille raide et gonflée, puis d'aider Léonard à la déposer dans la bière. Une odeur insoutenable explosa dans l'air confiné de la pièce. La robe, les mains, et le visage blême se fondirent dans le ton clair du bois. Dévasté par l'émotion et le dégoût, Joseph sortit en hâte, incapable de supporter ce qu'était devenu sa grand-mère, une outre puante remplie de mort.

Léonard demeura dans la chambre encore de longues minutes, faisant tourner son chapeau défraîchi dans ses mains, comme s'il manœuvrait une vanne. Mathilde était toujours là. Sans relever la tête, le vieil homme dit qu'il creuserait le trou, étant donné qu'il n'y avait plus de fossoyeur. Mathilde savait bien que ce n'était pas la véritable raison, mais la seule avouable. Il ajouta qu'il viendrait chercher Marie pour la conduire au cimetière quand on le lui demanderait. Puis il s'en alla, sans attendre de réponse.

Il y eut quelques visites et personne ne vint plus. La veille précédant la fermeture du cercueil, Joseph dissimula les lettres et l'alliance sous un pli de la robe, à l'insu de tous, selon la volonté de sa grand-mère, ainsi qu'une petite statuette représentant un chat assis façonné de ses mains. Il avait lu dans un livre d'histoire, à l'école communale, que des peuples anciens plaçaient des objets rituels dans les sépultures pour faciliter le passage des morts vers l'autre monde. Un piètre cadeau pour lui avoir rendu l'existence aussi douce que possible. Et il se demanda alors qui serait désormais fier de lui, qui le lui dirait avec de la lumière au fond des yeux.

Une semaine après sa victoire éclatante contre le chien des enfers, le curé de Saint-Paul était parti au front combattre le malin et accompagner les âmes des soldats. Personne ne le remplaça. Ce fut celui de Salers qui se déplaça pour bénir le corps de Marie, puis il repartit aussitôt. Après le départ de l'homme d'église, Mathilde demanda à Léonard de refermer le cercueil, mais l'odeur traversa bien vite le bois, il n'y avait plus que la tombe pour s'y soustraire.

Il plut sans arrêt deux jours de rang, si bien qu'il fut impossible de porter la dépouille en terre. Une pluie violente, qui saturait le sol, faisant comme une foule lointaine. Chaque goutte abattue était une voix se mêlant à toutes les autres, et les gouttes rebondissaient sur le sol à la manière de petites danseuses éphémères, qui s'égayaient sur un tapis liquide, avant d'en épouser le corps ruisselant dans un murmure monacal, une Passion selon Marie. Lorsque la pluie cessa enfin, Léonard creusa la tombe, puis s'en retourna chercher la bière, la chargea dans sa charrette avec l'aide de Joseph, et conduisit la défunte au cimetière.

Marie ne voulait pas de messe. Son dernier souhait. Vingt-trois personnes assistèrent à l'inhumation. Chacune jeta une poignée de terre sur le cercueil reposant sur deux planches disposées en travers de la tombe, d'un air contrit. Léonard, Joseph et deux autres hommes firent descendre la bière au fond du trou à l'aide de sangles, puis ils remontèrent les sangles, et le cimetière se vida.

Joseph tint à rester pour aider Léonard à combler la fosse. Une pie vint se percher sur la haute croix de pierre près du mur d'enceinte, agitant sa queue à chacun de ses jacassements. Petit être bavard, gesticulant dans sa bure bicolore, qui semblait se moquer des précautions mortuaires des deux pauvres bougres, de leur hésitation à recouvrir de terre ce qui devait l'être.

Le vieil homme cracha dans ses mains. Il se mit ensuite à balancer une première pelletée, qui s'écrasa sur le bois en grondant, puis il recommença. Joseph suivit le mouvement. La pie s'envola de son perchoir. On aurait dit qu'elle avait un grelot au fond de la gorge, dont elle essayait de se débarrasser vainement en voyageant. Léonard se redressa, fixant la tombe mitoyenne.

— C'est moi aussi qui l'ai creusé ce trou, pour ton grand-père, dit-il.

Joseph interrompit son geste. Il se mit à regarder la tombe, la pierre de guingois gravée de son propre nom, en partie mangée par les intempéries et recouverte de lichens.

— Je savais pas, dit-il.

— J'y tenais.

— Tu l'as bien connu ?

— Mieux, on peut pas, je suppose.

Léonard laissa reposer le manche de la pelle contre une épaule, frotta sa main sur son pantalon et rajusta son chapeau.

— On est nés à deux jours d'écart, lui en premier. Ma mère avait pas assez de lait pour me nourrir et ton arrière-grand-mère en avait de trop. On peut dire que, de ce moment, on est devenus presque des frères… le lait doit des fois bien valoir autant que le sang.

Le vieil homme prit un air amusé. Il releva la tête, comme s'il interpellait celui qui se trouvait sous la langue de terre :

— On courait les bois ensemble, et pas que les bois. On n'était pas non plus les derniers pour les bêtises…

Léonard se tut brusquement, et Joseph ne se risqua pas à briser ce silence.

— Une fois, on a ramassé des crottes de lapin dans un clapier, les noires, bien dures, celles qui ont été mangées deux fois, pas les vertes toutes molles. On les a trempées dans du miel, laissées sécher, et après, on les a fourrées dans des petits sachets qu'on est allés vendre sur la place de Saint-Paul, le jour de la foire, comme si c'étaient des bonbons.

Léonard souriait, et Joseph se laissa embarquer sur ce sourire nostalgique.

— Les gens s'en sont pas aperçus, que c'étaient des crottes ? demanda le jeune homme.

— Ça, ils s'en sont aperçus après les avoir goûtées. D'ailleurs, on a jamais recommencé, dit Léonard en se massant les reins.

— Je savais pas que vous aviez été aussi proches.

— Quand on a connu nos femmes, ç'a plus été pareil, mais on se voyait quand même. Faut croire que ce qu'on a vécu enfant rien ni personne peut le retirer, que c'est pour toujours dedans.

Léonard s'assombrit. Au loin, les particules de lumière s'éteignaient progressivement dans l'air humide, comme si un esprit patient les soufflait une à une.

— On imagine que, parce qu'on garde les choses pour soi, elles nous restent fidèles, reprit Léonard.

— Et c'est pas vrai ?

— Forcer une chose à pas sortir, c'est pas toujours le mieux.

Joseph abandonna un instant Léonard à sa rêverie, et, n'y tenant plus, il dit :

— Grand-mère parlait jamais de lui.

— Sûrement que c'était trop de douleur pour elle de le faire revenir. Quand une parcelle de forêt brûle, les arbres calcinés reverdissent jamais, par contre, la végétation se remet à pousser tout autour de ces sortes d'épouvantails noircis, et elle finit même par les recouvrir, à moins qu'on s'entête à débroussailler pour qu'on continue de bien les voir… Ta grand-mère, elle a jamais voulu laisser le champ libre à la végétation.

Joseph laissa le temps aux images d'entrer dans sa tête.

— J'aurais aimé le connaître, dit-il.

— Lui aussi, il aurait aimé te connaître, pour sûr.

— Il était comment ?

— Ton père, c'est son portrait craché.

Joseph était perdu dans des pensées qui se heurtaient les unes aux autres sans trouver une place.

— Quand il est parti, il lui en a fallu du courage, à ta grand-mère, pour tenir sa ferme avec un enfant de dix ans sur les bras, dit Léonard.

— Je l'ai jamais entendue se plaindre.

— C'était pas le genre.

Le jeune homme passa une main sur sa nuque.

— Je comprends pas pourquoi elle a pas voulu de messe, dit-il.

— Faut croire qu'elle continuait de croire au bon Dieu et plus beaucoup aux curés.

Joseph réfléchit un instant, avant de parler de nouveau :

— Tu crois qu'il y a quelque chose, après, un endroit où on peut se retrouver quand on est mort, je veux dire ?

Léonard étendit son bras, comme s'il faisait la révérence.

— Bien sûr. Regarde autour de toi, si y a autant de gens qui prennent soin de leurs morts, c'est qu'y a forcément du vrai dans tout ça.

— Dieu, il a quand même pas été tendre avec ma famille.

— Faut pas lui en vouloir, il a bien assez de s'occuper de l'après ; pour l'avant, c'est à nous autres de nous débrouiller avec.

— N'empêche, il pourra pas me reconnaître.

— Qui ça, Dieu ?

Joseph désigna la tombe.

— Grand-père, il pourra pas me reconnaître, vu qu'on s'est jamais vus, et je pourrai peut-être pas le reconnaître non plus.

— T'as bien le temps d'y penser. Et puis, il te regarde depuis que t'es au monde, j'en mettrais ma main au feu…

Léonard s'interrompit, prenant un air conspirateur.

— Ça t'est jamais arrivé de te sentir observé et qu'y a pourtant personne dans les parages ?

Le visage de Joseph s'éclaira, comme s'il venait de prendre conscience d'une évidence.

— Si, dit-il.

— Alors, cherche pas, c'est son âme qui veille sur toi, l'air de rien, ajouta le vieil homme.

— Les âmes veilleraient sur les vivants sans pouvoir intervenir pour empêcher les malheurs d'arriver, c'est ce que tu me dis ?

— Je suppose qu'il en va des âmes comme de tout le reste, et qu'il y en a qui font mieux leur travail que les autres. Toi, t'as pas à t'en faire… Allez, faut qu'on termine avant la nuit, on dirait que la pluie revient.

Léonard cracha dans ses mains et se remit à pelleter. Joseph l'observa un long moment, puis il dit :

— Ce type, que tu retrouvais aux Pierres Blanches, c'était lui, pas vrai ?

Le visage de Léonard ne trahissait pas la moindre émotion en cet instant, comme s'il s'attendait à cette question. Puis il releva la tête vers Joseph et lui sourit. Le ciel ressemblait à une gigantesque moisissure entourant la lune et l'étoile du berger.

— C'est bien que tu sois là, dit-il.

— Alors, c'était bien lui.

— Tu sais, je crois qu'un homme est pas vraiment un homme tant qu'il a pas creusé de tombe.

— C'est pas moi qui l'ai creusée, celle-là.

Léonard ne souriait plus.

— Je compte sur toi, dit-il.

Joseph retint ses mots. Il ramassa quelques poignées de terre lourde, retira les impuretés, puis se mit à la pétrir pour en faire une grosse boule compacte. Léonard le vit faire, mais ne posa pas de questions. Ils finirent de combler la tombe en silence, puis aplanirent la surface en la tapotant de l'envers de leur pelle, et se recueillirent ensuite une dernière fois, appuyés sur le manche de l'outil, comme s'il était essentiel à leur équilibre. Et ils rentrèrent.

Le soir, bien que la grand-mère n'eût plus mangé depuis longtemps avec sa mère et lui, Joseph ne put détacher son regard de l'espace où elle s'était tenue pendant tant d'années, là, sur cette chaise en paille effrangée. C'était comme si un coup de vent l'avait soufflée, son existence privée de toute signification à partir du moment où elle avait quitté la table, que ses yeux n'avaient eu qu'à se fermer naturellement, enfin soulagée de se laisser aller sans résistance dans la nuit éternelle. Un vide immense s'ouvrit devant Joseph, et ce vide le fit brusquement éclater en sanglots sous le regard impuissant de sa propre mère. Il se leva alors, demeura un instant immobile avant de quitter la pièce, et elle ne bougea pas.

Avant d'aller se coucher, Joseph entra dans la petite pièce carrée que sa mère avait fait aérer, qui sentait toujours la mort, la vieillesse, et un peu la rose séchée et le bois ciré. Les tréteaux sur lesquels avait reposé le cercueil étaient encore en place. On aurait dit que les murs, les meubles et le plancher avaient absorbé le temps, qu'il avait été en quelque sorte aboli par le mystère d'une disparition.

Planté sur les lattes de bois disjointes, en ce lieu mémorable, Joseph se souvint des paroles de Léonard concernant les âmes bienveillantes, et il se mit à prier avec ferveur pour que sa grand-mère trouvât le chemin qui la mènerait jusqu'à celui qu'elle avait passé une immense part de sa vie à regretter. Cet homme, qui en s'évanouissant au milieu d'un éclair, avait cassé toutes les horloges en emportant le secret du temps. Une vague de mélancolie submergea Joseph. Il pensa à la mort qui scellait le destin des hommes, cet espace consacré, un cimetière d'horloges, et, en cet instant, ses souvenirs ne servaient qu'à faire bouger des aiguilles cassées. Le destin, pour lui, se résumait à observer une aiguille figée, rien de plus. Alors, il replia les deux tréteaux et les glissa le long de l'armoire, en attendant d'aller les ranger dans la remise, le lendemain. Puis il sortit en emportant le coffret.

Joseph traversait la cour, portant un baquet en bois rempli de petit lait à la surface duquel flottaient des bouts de pain rassis. La cloche de l'église de Saint-Paul résonna dans la vallée, faisant tinter le silence gelé de la nuit passée. Il s'arrêta pour compter les huit coups, puis se remit en marche dans le prolongement de l'étable, avec le seau qui cognait régulièrement sa jambe. Il atteignit bientôt une petite porte aux pentures torturées et l'ouvrit. Des grognements montèrent aussitôt, et il s'avança dans un étroit couloir sombre, dépassa à main droite un renfoncement où l'on faisait cuire les pommes de terre et les topinambours pour les bêtes, dans une grosse marmite chauffée au feu de bois. Tout au fond, il y avait une auge en ferraille, longue et cabossée, protégée par un lourd montant en bois. Joseph vida le contenu du seau dans l'auge, puis il releva un verrou, tira le battant en arrière, de sorte à libérer l'accès à la pitance, et fit glisser le verrou dans un œillet en fer forgé. Deux porcs se précipitèrent, se mirent à bâfrer en se disputant, éclaboussant la soue, faisant trembler le battant à grands coups de tête. Ils engloutirent la mixture à une vitesse vertigineuse, puis Joseph repoussa le montant et le verrouilla. L'auge était aussi nette que si on l'avait décapée à la paille de fer. Le jeune homme observa un moment les cochons par-dessus le battant, couchés l'un contre l'autre, comme deux sphinx pouilleux, repus, grognant à peine désormais. Puis, il se retourna et se dirigea vers la sortie, le seau vide à la main. Une silhouette immobile se découpait dans l'embrasure de la porte baignée par une lumière fébrile. Il la reconnut immédiatement et s'approcha d'un air soucieux en pressant le pas.

— Qu'est-ce que tu fais là ? dit-il à voix basse.

— Je voulais te présenter mes condoléances, répondit Anna.

— Merci, c'est gentil.

Elle pencha légèrement sa tête de côté.

— J'aurais aimé venir à l'enterrement, dit-elle.

— C'est pas grave, restons pas là, suis-moi, dit-il.

Une fois dehors, Joseph jeta un regard inquiet vers la maison, et déposa le seau à terre. Anna le suivit jusqu'à une arrière-cour où de rares herbes desséchées attristaient le sol galeux percé d'ornières. Contre le mur se trouvait un tas de pierres que le père de Joseph n'avait jamais enlevé, datant de l'époque où il avait lui-même creusé la nouvelle cave, par souci de commodité. Par-delà une clôture grillagée sur laquelle de petits escargots endormis pendaient tels des flotteurs sur un filet de pêche, l'espace se prolongeait en une prairie recouverte de givre. Et, plus loin encore, s'étalait une forêt couronnant le sommet désolé du puy Violent.

Anna prit les mains de Joseph dans les siennes. Il se raidit à ce contact, regardant tout autour de lui. Elle resserra son étreinte.

— Tu as peur que ta mère nous voie ? dit-elle.

— C'est pas ça…

— Tu préfères que je m'en aille ?

Anna recula d'un pas sans lâcher les mains de Joseph, et il l'attira maladroitement à lui.

— Reste, dit-il.

— Je ne veux pas te mettre dans l'embarras, mais je ne pouvais pas attendre, tu comprends.

— Laisse, t'as bien fait.

Le regard de Joseph glissa sur les épaules de la jeune fille, pour s'en aller se perdre sur la prairie où un couple de bergeronnettes marchait, telles des mécaniques remontées, de crottin en crottin à la recherche de vers.

— Elle te manque, dit-elle.

— Maintenant, on n'est plus que deux à la ferme.

— Je suis désolée…

— Je sais pas où ça va s'arrêter, dit Joseph, comme s'il n'avait pas entendu la remarque d'Anna, puis il laissa passer un moment, avant de reprendre. Elle a pas eu une vie facile, tu sais.

— Ton grand-père !

Joseph accusa le coup.

— J'imagine que ceux qui t'ont raconté l'histoire devaient avoir le sourire en même temps, dit-il.

Anna n'ajouta rien sur le moment. Elle débarrassa son visage de toute expression de compassion, comme si elle eût été capable de matérialiser le couple en une seule image, et qu'elle n'eût souhaité partager cette image avec personne.

— Je me rends compte maintenant que je la connaissais pas si bien que ça, dit Joseph.

— Qu'est-ce qui te fait penser une chose pareille ?

— Des gens qui parlent plus facilement des morts que des vivants, mais je leur en veux pas. Chacun fait ce qu'il peut, je suppose.

Joseph se tourna vers la façade arrière de la maison. Un lierre grimpait sur le mur, et ses feuilles ressemblaient à des traces de palmipède s'éloignant vers le toit. Il désigna de la main une fenêtre aux volets ouverts.

— C'était sa chambre, elle est morte dans son lit… j'étais là, dit-il.

Anna fixa la fenêtre en plissant les yeux. Elle se concentra pour réduire son champ de vision à l'ouverture vitrée surmontée d'un linteau légèrement arrondi, qui lui fit penser à une marelle.

— C'était ce qu'elle voulait, dit-elle sans l'ombre d'un questionnement.

— C'est ce que tout le monde voudrait, je crois bien.

Joseph décrocha ses yeux de la fenêtre, et son regard retourna se river à la jeune fille.

— Tu veux pas t'asseoir un moment ? dit-il.

— Et ta mère ?

— T'en fais pas pour elle.

Joseph se dirigea vers le tas de pierres, entraînant la jeune fille. Ils s'assirent, elle, un peu plus en hauteur que lui. Au loin, la montagne formait un tremplin qui aurait projeté quelques nuages filandreux dans le ciel.

— Tu as encore tes grands-parents, toi ? dit-il.

— Ceux d'ici sont morts depuis longtemps, je ne sais même pas quand.

— De l'autre côté, je voulais dire ?

Anna saisit un caillou et l'emprisonna dans sa main.

— Ils ne s'entendent pas avec mes parents, dit-elle.

— Et avec toi ?

— Je ne les vois plus.

— C'est idiot, dit Joseph d'un air offusqué.

Anna soupira, lâcha le caillou et se frotta la paume.

— Ce sont des gens bourrés de préjugés, dit-elle.

— Des préjugés ?

— Ils n'ont jamais accepté que ma mère épouse mon père, étant donné ses origines. Ils considèrent qu'ils appartiennent à une classe supérieure.

— T'y es pour rien, toi.

— Pour eux, je suis le fruit d'une union illégitime, dit-elle sur un ton douloureux.

— S'ils te connaissaient, ils changeraient d'avis, c'est sûr.

— Ils n'en ont sûrement pas envie.

— Ça doit pouvoir s'arranger avec le temps.

— Je ne crois pas, mais ce n'est pas grave.

Anna souffla sur une mèche de cheveux, qui décolla de son front, resta suspendue un instant, portée par le flot expiré, et se reposa au même endroit.

— Je n'étais pas venue pour te parler de moi, dit-elle.

— Et moi, j'aime bien quand tu le fais…

Mathilde apparut subitement à l'angle de la maison. Elle se figea en voyant les adolescents, se tenant droite, dévisageant durement Joseph, ignorant la jeune fille. Il se leva aussitôt en fixant sa mère d'un air affolé. La bouche de Mathilde s'affaissa alors en une moue dédaigneuse.

— Léonard va arriver avec son tombereau pour ramasser les topinambours et t'auras même pas encore coupé les fanes comme je t'ai demandé, dit-elle sèchement.

— J'y vais de suite.

— Tu devrais déjà y être.

— T'inquiète pas.

— Oublie pas de prendre les paniers.

Anna se leva à son tour et s'avança vers Mathilde.

— Bonjour, madame, dit-elle d'un ton affable.

Mathilde observa longuement la fille des pieds à la tête, comme si elle venait seulement de prendre conscience de la présence d'une mauvaise herbe inconnue au milieu d'autres. Ses yeux ressemblaient à deux petits morceaux de lave prêts à gicler de leurs orbites creusées par la fatigue. Puis, elle tourna les talons et disparut.

— Fais pas attention, dit Joseph, une fois que sa mère fut partie.

Anna força un sourire.

— Ce n'est rien, dit-elle.

— Elle a beaucoup de soucis.

— Je comprends, je ne vais pas te mettre en retard, on se verra plus tard.

— D'accord.

— Demain, au même endroit que d'habitude ?

— Je me débrouillerai.

Tout en traversant la cour, Anna sentit un regard peser sur ses épaules, et elle se retourna vers la façade de la maison. Derrière la fenêtre, une silhouette l'épiait, sans intention de se cacher.

Joseph ne se risqua pas à s'allonger, de peur de s'endormir. Assis sur son lit, il attendit que s'éteignent les bruits dans la maison. Sa mère n'avait pas fait la moindre allusion à la jeune fille pendant qu'ils ramassaient les topinambours, pas plus lors du souper. Leurs regards se fuirent avec application.

Cela faisait plusieurs semaines qu'il n'avait pas sculpté. Le calme était installé dans la maison, il en ressentit l'irrépressible besoin, même après une harassante journée de travail. Il sortit par la fenêtre, et rejoignit la cave désaffectée, avec dans sa poche la glaise récoltée au cimetière.

Posés sur des madriers, les animaux d'argile étaient au spectacle, griffant les pierres claires de la flamme sombre de leurs ombres. Un mille-pattes diaphane était perché sur un liteau supérieur du garde-manger suspendu à une solive, peureux et curieux à la fois, il se tenait à moitié dans le vide, entre le clair et l'obscur, tâtonnant l'espace de ses longues pattes translucides qui le faisaient ressembler à un de ces petits peignes dont se servait parfois la grand-mère pour domestiquer ses cheveux au-dessus des oreilles.

La bestiole hésita encore une poignée de secondes, palpant l'air de ses antennes graciles, puis se replia dans la pénombre en ondulant, chaque paire de pattes bousculant la suivante avec la fluidité d'une rangée de dominos qui s'effondre.

Joseph se souvenait de son tout premier essai. Il s'était agi de reproduire une simple coquille d'escargot. Un exercice dépourvu de complexité, avait-il alors pensé. Cette tentative l'avait mis face à l'espace infini qui existait entre la simplicité apparente transmise par son regard et la complexité à lui être fidèle en gestes. Il avait eu beau s'obstiner, les solutions n'étaient pas venues. Il n'avait préalablement pas assez observé, étudié, si bien que la coquille avait fini par ressembler à une montagne biscornue cerclée par un sentier tortueux, et pas vraiment à la merveille d'architecture qu'était le modèle. Pour autant, l'expérience n'avait pas été vaine et, depuis ce moment, aucune autre ne le serait à ses yeux. Il avait retenu la leçon. La coquille était toujours là pour lui rappeler que la facilité était un leurre, en toute chose, qu'il fallait beaucoup travailler, afin de parvenir à un résultat ne menant pas à la honte.

Cette nuit-là, le projet initial de Joseph était de rendre hommage à sa grand-mère avec la terre du cimetière qui l'avait accueillie. Il croyait cela possible. Il torsada des brins de fil de fer pour leur donner la forme approximative d'une croix. Concentré comme jamais, il se mit ensuite à pétrir longuement l'argile, domptant ses doigts, cherchant une inspiration parfaite. Une sorte d'instinct s'empara de lui, dirigeant ses gestes avec une étonnante précision vers la construction de proportions qui n'avaient rien à voir avec celles d'une vieille femme usée par les épreuves de la vie, mais avec des formes entrevues, effleurées, ou imaginées, qu'il parvenait à rendre fidèlement.

Les heures défilaient. La flamme de la bougie se débattait au milieu de fientes cireuses. La fièvre en lui, Joseph poursuivait son œuvre dans la clarté déclinante. Rien ne comptait plus que la forme finale, cette obsédante représentation de son désir qui lui collait aux mains et à l'âme.

Quand la lueur ne fut plus réduite qu'à un frêle morceau de tissu amusé par un courant d'air et qu'elle finit par se noyer dans la cire liquide, Joseph continua pourtant de souligner maintes fois les courbes de la statuette dans l'obscurité, comme un aveugle guidé par une mémoire obsessionnelle, et de l'hommage, il passa à la grâce sans le moindre effort.

— *Parle pas si fort.*
— *Comme ça, ça ira ?*
— *Chut.*
— *Je te trouve beau.*
— *Dis pas de bêtises…*
— *Je voudrais t'embrasser.*
— *On peut pas ici, tu le sais bien.*
— *Tu en as envie, aussi ?*
— *On peut pas, je te dis.*
— *Ce n'est pas ce que je te demande.*
— *Oui.*
— *Dis-le encore.*
— *Oui, j'en ai envie.*
— *Suis-moi, je connais un endroit.*
— *Je sais pas.*
— *Ça ne sert à rien de résister.*
— *D'accord, mais…*
— *Je n'insisterai plus, c'est promis.*
— *Jamais plus ?*
— *Jamais.*
— *Ça te ressemble pas.*
— *On ne peut pas aller contre ce qui doit être.*

Durant les jours qui suivirent, il se remit à pleuvoir à seaux. Dans la cuisine, sur un coin de table, Anna était plongée dans un grand livre. Par moments, elle relevait les yeux et se récitait mentalement ce qu'elle venait de lire, avant de s'immerger de nouveau dans l'ouvrage. Irène se tenait debout, à l'autre extrémité de la table, épluchant des légumes pour le repas du midi en la regardant faire discrètement. Sa tâche terminée, elle posa son couteau sur le plateau roué d'impacts, s'essuya les mains sur un repli de sa robe, puis s'approcha de la jeune fille, et se planta devant elle en secouant la tête comme quelqu'un de triste pour un autre, non pas pour un événement malheureux qui serait arrivé à cet autre, mais plutôt dans le but de le préserver de quelque chose d'inutile et d'évitable.

— Qu'est-ce que c'est ? dit Irène en désignant le bouquin du menton d'un air méprisant.

— Un livre d'histoire, répondit Anna sans lever les yeux.

— T'en as amené beaucoup dans tes valises, des livres ?

— Je dois continuer d'apprendre.

— Moi, je crois que tu t'es chargée pour rien.

Anna dégrafa son regard du livre, fixant les mains et la robe tachées d'Irène, ne montant pas plus haut.

— Je ne voudrais pas prendre trop de retard pour plus tard. C'est important, d'étudier.

— Plus tard, répéta pensivement Irène.

Elle laissa passer un moment, crocheta ses mains au dossier d'une chaise, puis reprit :

— Si j'ai un conseil à te donner, c'est de penser à l'après quand il arrivera… Le présent, y a que ça qui compte.

— Il faut quand même bien préparer l'avenir.

Irène se raidit, si bien qu'on aurait cru que ses membres ne faisaient qu'un avec les montants patinés de la chaise. Ses lèvres tremblèrent un moment avant qu'elle ne parvienne à parler.

— L'avenir, tu dis… y penser, c'est se préparer à des choses qui risquent de pas arriver.

— J'ai des projets.

— J'imagine que c'est pas à moi de faire ton éducation, mais, si c'était le cas, je te dirais que tout ce que t'as besoin de savoir pour vivre ici, tu l'apprendras en regardant et en écoutant. Y a rien que tu trouveras dans tes livres qui te servira. Lire, écrire et compter, voilà ce qui est important, le restant encombre la tête pour rien.

— Maman dit que la culture élève.

Irène se mit à ricaner.

— Je suppose qu'on parle pas de la même culture, elle et moi. Une porte s'ouvrit. Hélène entra dans la pièce d'une démarche lascive, presque flottante, une enveloppe dans sa main. Irène retourna aussitôt à l'autre bout de la table, sans un mot. Hélène vint déposer un baiser sur le front de sa fille, machinalement, sans véritablement prêter attention à ce qu'elle était en train de faire. Elle regarda la fenêtre et la pluie qui tombait de l'autre côté, puis, la lettre dans sa main, soupira et la glissa dans une poche. Ensuite, elle s'assit en face d'Anna, retourna le livre, et parcourut les pages d'un œil distrait. Quelque chose de fugace traversa son regard blasé, comme si, depuis le moment où elle était entrée dans la pièce, elle avait cherché à secouer une vision désagréable pour la faire tomber, se débarrasser d'une ombre, et qu'elle n'y parvenait toujours pas. Alors, elle replaça le livre devant sa fille, et ramena ses mains sur la table dans une attitude résignée.

— C'est bien, mon ange, dit-elle.

Irène ne perdait rien de la scène, et ses gestes nerveux trahissaient son agacement.

— Faudra aller vous occuper de nourrir les volailles, moi j'ai pas le temps, dit-elle.

— Il pleut, répondit Hélène d'une voix neutre.

— Les bêtes mangent quand même.

Anna replia son livre.

— Je vais y aller, dit la jeune fille.

Hélène sourit tristement. Dans ses yeux, il y avait comme de la pluie qui ruisselait quelque part à l'intérieur.

— Continue tes devoirs, c'est plus important, dit-elle.

— J'avais justement terminé.

— Laisse, j'y vais.

Puis Hélène sortit sous la pluie, sans se vêtir davantage.

Dès lors, les mouvements d'Irène redevinrent plus fluides. Au bout d'un moment, elle s'adressa à la jeune fille :

— Va dire à ton oncle qu'on va manger !

— Pourquoi ne pas l'avoir demandé à ma mère avant qu'elle ne sorte.

Un sourire narquois traversa le visage d'Irène.

— C'était pas encore prêt, dit-elle.

— Où est-il ?

— Pas ici, on dirait... et traîne pas, faut aussi mettre la table.

Anna rangea son livre dans la chambre, puis elle enfila un manteau et partit à la recherche de Valette. Dehors, un ciel sombre se frottait aux arbres. La pluie roulait sur les lauzes et chuintait en s'écoulant au sol. La jeune fille jeta un coup d'œil dans la remise, sans résultat, puis se dirigea vers l'étable. Le battant supérieur de la porte était entrebâillé. Elle passa sa tête à l'intérieur, et ses cheveux gouttèrent sur les pierres lisses. Ses yeux enfin habitués à l'obscurité, elle découvrit Valette en contrebas, assis sur un tas de foin, occupé à caresser le chien de sa main mutilée, une bouteille dans l'autre. Anna voyait ses lèvres bouger, mais elle ne percevait rien de ce qu'il disait, ni même s'il parlait vraiment, tant le bruit de l'averse était assourdissant. Alors, elle tira vivement le battant en arrière pour manifester sa présence. Valette pivota vers l'entrée en repoussant violemment le chien de son pied. L'animal se précipita vers la sortie, et l'homme cracha dans son sillage sans l'atteindre. Le chien vint poser ses pattes sur la porte, oreilles rabattues en arrière de sa maigre tête osseuse, et se mit à barbouiller les mains d'Anna de sa langue parsemée de taches brunes, frétillant de contentement.

— Qu'est-ce que tu veux ? cria Valette.

— Irène m'envoie vous chercher pour que vous veniez manger.

— On t'a pas appris à frapper avant d'entrer quelque part ?

— C'est à cause de la pluie…

— Tu parles ! Tu m'espionnais plutôt ?

— Non, je vous assure.

Pressée de partir, Anna ouvrit la porte pour laisser sortir le chien, puis la referma. Avant qu'elle n'ait le temps de s'éloigner, Valette se leva d'un bond et se dirigea vers la sortie d'une démarche chaotique.

— Attends ! lança-t-il.

Anna se retourna, comme électrocutée. Valette se tenait maintenant à moins d'un mètre d'elle, la bouteille en main, et ses yeux brillaient de tout l'alcool qu'il venait d'ingurgiter.

— Quoi ? demanda-t-elle fébrilement.

Valette baissa les yeux sur sa main broyée.

— Je te dégoûte, pas vrai ? dit-il.

La jeune fille se crispa, hésitant à répondre. La pluie battait son visage, mais elle ne la sentait pas.

— Non, dit-elle après deux ou trois secondes.

— Je ferais pareil à ta place.

Anna ne dit rien, et il lança sa main en avant.

— Allez, fous le camp, maintenant, dit-il.

La jeune fille obéit sans se faire prier. Après quelques pas, elle entendit la bouteille se fracasser sur la porte, et la voix de Valette buter contre un rideau de pluie.

La pluie avait cessé. Les toits s'égouttaient en jetant des notes éparses, comme les sons émis par un orchestre accordant les instruments.

Faute de ne pouvoir dormir, Valette s'était levé aux aurores pour rejoindre l'étable et nourrir les bêtes. Le veau n'avait pas l'air de vouloir téter sa mère. C'était une jeune femelle, une vêle âgée de deux mois environ, qui baissait la tête et la relevait sans cesse, en agitant la cordelette qui formait un nœud coulant autour de son cou. Valette l'observa un moment, puis se pencha, saisit une tétine à pleine main et fit venir un jet de lait épais sur la litière souillée.

« Qu'est-ce qu'y a qui te convient pas ? » dit-il.

Valette tira fermement sur la corde, et colla le museau de l'animal sur le pis gonflé. La vache releva une patte postérieure, et le sabot heurta bruyamment le sol en retombant. « C'est plein de bon lait tout frais, là-dedans, il te faut quoi de plus ? » Étranglée par la corde, la vêle renâcla, gardant sa bouche fermée. Elle parvint à se dégager d'un violent coup de tête, qui manqua de faire basculer Valette en arrière.

« Ah, tu veux jouer au plus malin, mon salaud… Tu gagneras pas ! » dit Valette en resserrant encore le nœud coulant. La vêle beugla de douleur, fit naviguer sa tête en tous sens pour tenter de se donner du mou. Valette se redressa, décrocha la corde nouée à la chaîne de la mère, et tira dessus pour faire avancer la bête qui paralysa son train arrière. Valette pestait. Il contourna l'animal et se plaça derrière sans lâcher la corde, puis saisit la queue et la tordit, comme s'il voulait la briser. Les pattes de la vêle se détendirent à la manière de ressorts. Elle rua et se mit à trotter jusqu'à une stalle accolée au mur de l'étable, comme un petit étalon sauvage, dérapant sur les pierres glissantes, et s'encastra dans le réduit crasseux. Une fois l'animal cloîtré, Valette releva un genou et le plaqua sur la croupe de la vêle afin de l'immobiliser, puis attrapa une barrière posée contre le mur et la fit glisser dans des encoches. La bête récalcitrante était désormais bloquée au-dessus des jarrets, incapable d'avancer, ou de reculer.

Valette se dirigea ensuite vers la porte, et regarda discrètement au dehors. Satisfait, il tira le verrou intérieur, puis revint auprès de la vêle contrainte. Elle s'agitait, voyant l'homme seulement de son œil droit, avec l'iris brun qui allait et venait dans le blanc, comme s'il eût voulu se faire la malle. S'il y avait eu une pointe dépassant d'une planche de la cloison, pas sûr que l'animal aurait hésité à le crever pour se soustraire à la vision.

Surplombant le dos soyeux, Valette se délecta un moment de la panique de la bête, puis il coiffa sa gueule d'une muselière en cordage et se mit à lui gratter vigoureusement la croupe au niveau de la jointure de la queue. La vêle dressa instinctivement son appendice en l'air, comme un geyser, découvrant une vulve pâle et l'anus entouré de résidus croutés. Valette s'écarta et la vêle se mit à pisser, et chier une boue jaunâtre. Pendant que la bête finissait d'expulser par saccades l'urine qui brillait dans la maigre lueur provenant des meurtrières, Valette jeta un coup d'œil aux vaches couchées face à leur têtière, ruminant paisiblement sans se soucier de lui ni de quoi que ce soit d'autre que le lent reflux de l'herbe broyée, dont elles perfectionnaient la digestion.

« C'est bien, maintenant on va voir si des fois tu préférerais pas un autre genre de tétine », dit-il en se replaçant à l'arrière de la stalle. Sans plus attendre, il dégrafa sa ceinture, déboutonna sa braguette, fit glisser son pantalon et son caleçon au niveau des chevilles en se trémoussant.

Valette commença à se masturber. « Bouge pas, tu vas comprendre qui est le maître, ici ! » dit-il d'une voix tremblotante. Une fois dur, il agrippa la queue, la plaqua d'une main sur le dos de l'animal, et de l'autre guida son sexe et l'enfonça lentement entre les lèvres pâles qui débordaient de la vulve. La vêle émit un beuglement étouffé, tortillant son arrière-train pour essayer de se dégager, et son front cognait contre le mur à chaque bourrade, précisément à l'endroit où de petites cornes tendres commençaient déjà à pousser. Concentré sur son affaire, Valette donnait de grands coups de boutoir au creux de la vaste chair molle.

« Défends-toi, ma jolie, c'est que meilleur ! » dit-il en soufflant. Puis, se sentant venir, il se retira et aspergea de sa semence la robe terreuse de l'animal.

« Toi au moins, t'iras rien répéter », dit Valette en se penchant sur le dos de l'animal pétrifié. Il saisit ensuite son sexe amolli, à la manière d'une tétine, expulsa encore quelques gouttes de sperme qui s'accrochèrent au montant de l'entrave comme d'épaisses gouttes de rosée, et il se rhabilla. Puis, il tapota la croupe de l'animal en lui disant que c'était une brave bête et qu'ils recommenceraient tant qu'elle serait bien à hauteur.

Plus tard, après avoir garni les râteliers, Valette saisit un tabouret et un seau, et retourna auprès de la vache au pis engorgé. Il la fit lever en appuyant la pointe de sa chaussure contre le flanc. Assis sur le tabouret, il se mit à la traire, front appuyé contre la panse démesurée, pendant que le pis se vidait et que le lait résonnait en giclant sur le métal froid.

Au matin, Joseph se rendit à la rivière pour relever la dizaine de cordes qu'il avait posées la veille au soir, avant qu'il ne fasse trop froid. Il retira la première sans succès, détacha les fragments de vers de terre, sortit un bouchon en liège d'une poche, piqua l'hameçon dessus, enroula la corde et le fil de pêche autour, puis fourra la monture dans sa veste. Alors qu'il remontait la troisième corde, il crut avoir accroché une racine en sentant une résistance molle au bout. Une anguille de belle taille se mit à se débattre à l'approche de la surface, mais elle était tellement épuisée par une nuit de combat, qu'elle n'eut pas la force de résister bien longtemps. Une fois sur la berge, Joseph l'assomma à l'aide d'une branche, avant de décrocher l'hameçon. Une précaution qu'il prenait toujours, depuis que son père lui avait raconté l'histoire d'un pêcheur qu'on avait retrouvé mort étouffé au bord de la rivière, avec la queue d'une anguille qui dépassait de sa bouche, fouettant le sol comme la grosse langue noire d'un démon. Le malheureux pêcheur voyait mal et, alors qu'il approchait son visage pour repérer l'hameçon, le poisson avait pénétré dans sa bouche, croyant probablement trouver une issue. Le type avait sûrement tenté de retirer la bestiole, mais tout le monde sait qu'il n'y a rien de plus visqueux qu'une anguille. La panique avait dû faire le reste.

Joseph coupa une branche de saule en conservant une ramification secondaire à un bout, et l'effila à l'autre extrémité avec son couteau. Il transperça la tête de l'anguille au niveau des ouïes et laissa glisser le corps serpentiforme et flasque jusqu'à l'ergot. Plus tard, il attrapa une deuxième anguille, qui rejoignit la première au bout de la gaffe.

Une fois qu'il eut relevé toutes les cordes, il rentra chez lui. Parvenu sur le seuil, il ouvrit la porte de la maison, se glissa à l'intérieur, et traversa la pénombre en direction de la cheminée dans laquelle se consumait le feu, là où se tenait sa mère, agenouillée devant le foyer. Il l'interpella fièrement, soulevant à bout de bras la branche sur laquelle pendaient les anguilles.

— T'as vu ça ! dit-il.

Mathilde était occupée à trier des graines de légumes dans des petites boîtes en métal alignées sur le sol. Elle posa ses deux mains sur ses cuisses en faisant mine de se relever, mais ne se leva pas.

— Je vais m'en occuper, dit-elle sans se joindre à l'enthousiasme de son fils.

— Continue, je vais le faire.

— D'accord, dit-elle en ramenant son buste en avant.

— Qu'est-ce que tu fais ?

— L'inventaire des graines que la grand-mère récupérait d'une année sur l'autre.

De sa main libre, Joseph attrapa le billot suspendu par une lanière à une pointe fichée dans une poutre, puis le posa sur la table et libéra les anguilles dessus.

— Il va falloir qu'on s'occupe du jardin, le printemps prochain, dit Mathilde d'une voix atone.

— J'aidais souvent grand-mère.

— Elle faisait tout le temps attention à la lune, je crois bien.

— Léonard doit savoir ces choses-là.

— On apprendra bien, nous aussi.

Mathilde prit une nouvelle boîte. Joseph leva les yeux sur elle. Il reconnut la belle écriture de sa grand-mère sur une étiquette, se souvenant qu'elle conservait des fruits après la récolte et les laissait sécher pour récupérer les graines. Mathilde ouvrit le sachet que contenait la boîte. Elle décolla les graines en donnant quelques pichenettes, puis regarda à l'intérieur d'un air dubitatif.

— Elle te voulait quoi, cette fille ? demanda-t-elle.

Joseph savait que la question viendrait tôt ou tard, mais il ne s'y attendait pas en cet instant.

— C'est la nièce des Valette, dit-il, comme s'il se défendait d'une faute.

— Je sais qui elle est.

— Elle voulait me présenter ses condoléances pour grand-mère.

— Elle avait pas l'air de vouloir que ça.

Joseph sortit son couteau de sa poche. Il se mit à trancher la tête d'une anguille, puis incisa la peau, du haut jusqu'à la base de la queue.

— Qu'est-ce que tu veux dire ? questionna-t-il sans presque desserrer les dents.

— Qu'on présente pas ses condoléances à quelqu'un qui nous est rien… et en se cachant en plus.

— Elle se cachait pas.

Mathilde jeta vivement le sachet dans la boîte.

— Me mens pas, s'il te plaît, dit-elle.

— Je savais que ça te plairait pas de la voir.

— On n'a pas le temps pour les amusements.

Joseph découpa l'anguille dépecée en tronçons qui ressemblaient à de petits rôtis, puis il posa le couteau sur le billot en défiant sa mère du regard.

— Tu me reproches quoi exactement ?

— Pas la peine d'élever la voix, je te reproche rien, je te dis juste de faire attention.

— À quoi je devrais faire attention ?

— Valette nous déteste.

— Je me fous de vos histoires. Anna, elle est même pas au courant.

— Si elle l'est pas, elle tardera pas… Ces histoires, comme tu dis, je te rappelle qu'elles te concernent aussi.

Joseph saisit le manche du couteau.

— Qu'est-ce que tu veux que je fasse ? demanda-t-il.

— Je te l'ai dit…

— Que je la voie plus, c'est ça ?

— C'est pour ton bien.

— Je suis plus un gamin.

— T'as encore des choses à apprendre. Si Valette sait que vous vous fréquentez, je doute qu'il voie ça d'un bon œil.

— J'en fais mon affaire, de Valette.

Le visage de Mathilde s'empourpra.

— Dis pas de bêtises !

— C'en n'est pas, il a qu'à venir…

— Valette, c'est un enragé. Je crois qu'il est né avec la rage en lui… jamais satisfait de ce qu'il a, dit-elle en s'emportant.

— On parle pas d'un bout de terrain, quand même.

— Je suis pas sûre qu'il fasse une différence.

— Pourquoi tu me dis pas franchement que c'est d'abord à toi que ça plaît pas.

Mathilde se laissa aller en arrière, comme si une masse invisible venait de la repousser violemment. Elle soupira et son corps revint à l'équilibre.

— Elle est pas d'ici, dit-elle.

— Alors, c'est ça…

— Un jour elle repartira.

Joseph fixait sa mère d'un regard farouche. À l'évidence, les mots qu'elle venait de prononcer ne sonnaient pas comme une prédiction, mais comme un souhait. Des mots qui ramenèrent Joseph à ses gestes, à leur temporalité, leur inutilité, tout le contraire du sentiment qui lui grignotait le cerveau.

— T'auras qu'à terminer, dit-il sèchement.

— Jamais tu m'as parlé comme ça.

— Fallait pas m'y forcer.

— Si ton père était là…

Joseph retira vivement le couteau du billot, l'essuya sur son pantalon, le plia et le fourra dans sa poche.

— Il est pas là, alors, lui fais pas dire ce qu'il peut pas dire, rétorqua-t-il.

Puis Joseph quitta la pièce sans laisser à sa mère le temps de trouver un moyen de poursuivre la conversation, l'abandonnant à un silence dont elle ne saurait que faire, au milieu des boîtes rutilantes.

Joseph en voulait à sa mère. Au fond, il savait qu'elle avait parlé dans le but de le protéger, mais il n'avait nullement besoin d'être protégé. Son seul souhait était qu'on le laissât tranquille, qu'on ne lui donnât surtout pas de leçons qui conduiraient à museler les élans de son cœur.

Durant la nuit, il rêva de son père. Un de ces rares moments passés en sa compagnie, instants bénis entre tous, au cours desquels Joseph avait le sentiment d'escamoter son enfance.

Ce matin de juin, sa mère dort encore quand son père le réveille à l'aube. Il tartine du fromage blanc sur une tranche de pain de seigle et la tend au gamin, en lui disant de la manger entièrement pour prendre des forces, qu'il en aura besoin. « On va où ? » demande le gamin du haut de ses huit ans. « Tu verras bien, mange ! » répond son père en posant ses deux poings sur la table et en fronçant exagérément les sourcils.

Ils se rendent dans la remise, le fils sur les talons du père. Victor jette plusieurs mauvais chiffons dans un vieux sac à grain, attrape une petite hache et donne le tout à son fils, sans plus d'explications. Puis, il décroche une échelle fixée au mur par deux pitons et passe un bras entre les barreaux du milieu, de sorte à bien répartir la charge sur l'épaule. Il fait rebondir l'échelle plusieurs fois pour trouver le meilleur équilibre, pendant que Joseph l'observe en se retenant de poser les questions qui le taraudent.

Dehors, des martinets tourbillonnent dans un ciel neuf, comme des cerfs-volants aux trajectoires brisées par de soudaines bourrasques de vent, et leurs cris plaintifs ressemblent aux raclements d'un ongle sur du verre. Des odeurs d'humus moisi et de champignons se promènent en avant-garde de la forêt, mélange printanier fait de promesses fécondes. Tout en marchant, Victor jette de fréquents regards amusés à son fils pour s'assurer que le mystère continue de faire son œuvre.

Ils traversent une zone humide, plantée de peupliers trois ans plus tôt afin de l'assécher au mieux, le seul endroit où la végétation est disposée en lignes droites. Joseph avait aidé à la plantation, tenant le scion d'aplomb avant que son père ne recouvre de terre les racines. Il se souvient, que, dans les trous creusés à l'avance, il y avait souvent des crapauds et des reinettes piégés, et même une fois, quatre jeunes putois, que le gamin avait trouvés adorables. Le seul arbre qu'ils n'avaient pas planté ce jour-là. Victor était revenu plus tard pour régler l'affaire à sa manière, à l'insu de son fils. Il n'avait pas enterré les putois vivants, mais les avait sortis l'un après l'autre en leur passant un nœud coulant autour du cou, et les avait pendus à la branche basse d'un chêne. Ils avaient longtemps gigoté, puis Victor avait jeté les petits corps flasques dans le trou et planté l'arbre. Les peupliers avaient plus que doublé de taille depuis.

— Qu'est-ce qu'on va faire, dis-moi, s'il te plaît ? demande de nouveau Joseph d'un air suppliant.

Son père s'arrête, se penche sur son fils dans une attitude sentencieuse. Les espaces entre les barreaux apparaissent au gamin comme une série de photographies encadrées, des visions figées de la nature.

— On va chercher des oiseaux, dit-il, comme s'il livrait à son fils le plus grand des secrets.

— Des oiseaux ?

Victor se remet en marche. Joseph accélère le pas pour se porter à sa hauteur, levant la tête sans regarder où il met les pieds.

— Quels oiseaux ? dit-il.

— Des étourneaux.

Joseph trébuche et se rattrape de justesse à une souche desséchée.

— Avec une échelle et une hache ?

— Et des chiffons, dit Victor en forçant son visage à la gravité.

— T'aurais pas plutôt dû prendre ton fusil ?

— Y a plus efficace qu'un fusil, dit Victor en tapotant un montant de l'échelle.

Ils s'enfoncent dans la forêt. Victor ralentit le pas, zigzaguant entre les fûts des arbres, scrutant le sol, comme un chien de chasse flairant un pied.

— Tu cherches quoi ?

Victor porte un doigt à ses lèvres.

— Arrête de faire du bruit, c'est une affaire sérieuse qu'on a à mener, dit-il.

Au bout d'un moment, Victor s'immobilise devant une zone d'un mètre carré environ, jonchée de fientes fraîches, lève les yeux en suivant le prolongement du tronc d'un chêne moribond presque entièrement dépourvu d'écorce et de feuilles sur les branches. Il plaque ensuite l'échelle sous un trou du diamètre d'une boîte de conserve d'un kilo, et s'agenouille devant son fils.

— Ils doivent être à point dans ce nid. Passe-moi la hache et un chiffon, dit-il en parlant tout doucement. Et regarde bien comment je fais.

Victor escalade les barreaux jusqu'au trou, colle une oreille au tronc, puis regarde vers le bas en faisant un clin d'œil à Joseph. Ensuite, il bouche le trou avec le chiffon et se met à cogner gentiment l'arbre au-dessous, utilisant l'emmanchement de la hache pour explorer la zone qui sonne mieux le creux. Il entame alors le bois à petits coups précis, faisant basculer le tranchant vers le haut et vers le bas pour faire gicler les copeaux. De temps à autre, un couple d'étourneaux vient tournoyer autour de Victor, et se retire en silence. Lorsqu'il estime l'ouverture suffisamment large, Victor suspend la hache à l'un des barreaux et passe sa main à l'intérieur du trou. D'en bas, Joseph entend des pépiements affolés. Son père ressort déjà sa main, avec dedans un petit oiseau qui se débat comme un beau diable. Il cogne sèchement la tête du volatile à l'un des montants de l'échelle, et le laisse chuter à terre aux pieds de son fils. Victor extirpe ainsi cinq jeunes étourneaux juvéniles, prêts à quitter le nid sous peu, les assommant l'un après l'autre. Il palpe méticuleusement la cavité une dernière fois pour s'assurer qu'il n'y en a pas un autre, puis se penche vers le sol en criant :

— Qu'est-ce que t'attends pour les mettre dans le sac ?

Joseph regarde les petits corps mous gisant aux pieds de l'échelle, avec leurs cous déplumés, qui ne lui apparaissent pourtant pas comme de pauvres victimes. Au contraire, l'enfant lève les yeux sur son père, éprouvant une admiration sans bornes pour celui qui vient de lui livrer un tel secret.

Victor récupère le chiffon, le laisse choir. Il descend les barreaux avec le tranchant de la hache qui repose sur son avant-bras. Une fois sur la terre ferme, il s'appuie contre l'échelle, et désigne le sac du manche de la hache.

— À une semaine près, ils étaient partis du nid. Ç'aurait été rudement dommage, ils sont gras comme des pâtés. Avec des pommes de terre, c'est aussi bon que des grives ou des merles, quand ils sont jeunes.

Ils pillent trois autres nids. Au dernier, Victor s'occupe des préparatifs, bouche le trou qu'il vient de ménager dans le tronc, puis dit à Joseph que c'est son tour, qu'il a suffisamment observé pour être prêt. Il descend de l'échelle et fait monter son fils, se positionnant derrière lui afin de l'assurer. Une fois en haut, Victor tire sur le chiffon qui bâille comme une langue dépassant d'une bouche. « Vas-y ! » dit-il, avant de retirer entièrement le morceau de tissu.

Bien qu'apeuré, le gamin passe une main dans le trou, et la retire aussitôt en sentant remuer les boules de plumes chaudes qui s'agitent au contact de ses doigts. Victor saisit alors son poignet et guide sa main à l'intérieur, sans la lâcher.

— Ils vont pas te manger, dit-il.

Refoulant ses craintes et, par-dessus tout, désireux de gagner la fierté de son père, Joseph referme ses doigts sur un étourneau et l'amène au jour. L'oiseau se tortille, et son petit bec cerclé de jaune jette des cris stridents. « Tiens-le bien, pour pas qu'il s'échappe ! » dit Victor attentif, qui maintient toujours le poignet de son fils. D'un geste vif, il l'aide à assommer l'oiseau sur un montant taché de sang. Après deux ou trois coups assénés, l'étourneau se tait, et ses muscles s'affaissent dans la mort. Joseph le lâche sans le regarder tomber.

— Allez, je te laisse faire tout seul pour les autres, dit Victor.

Joseph se réveilla au moment où son père lui dit ces mots : « Je te laisse faire tout seul… », et il ne put se rendormir.

Melchior chenu, courbé en avant pour gravir la ravine et rejoindre le chemin, faisant peine à voir dans son pantalon trop large et sa veste trop grande. Des vêtements maintes fois ravaudés par Lucie, dont il ne se serait séparé pour rien en ce monde, une part de lui dont l'odeur lui rappelait le suint et le tabac froid, pour ce que sa propre mémoire olfactive en retenait, habitué qu'il était à cette autre senteur, mélange de vieux bois humide et de chair desséchée. De vieille écorce. Silhouette prenant la lumière, hormis la partie supérieure de son visage, si bien que l'on aurait pu croire son chapeau suspendu en l'air, ou plus exactement posé sur l'ombre qui courait d'une oreille à l'autre en épargnant les profondes lézardes sur son front, accordées aux plis de sa veste. Coudes pliés, puisqu'il portait une offrande dans un panier tressé de ses mains, fait de branches de saule sélectionnées en sève montante. Progressant sur le chemin bordé de grandes ronces chargées de mûres ressemblant à de petits jabots ensanglantés, démarche saccadée, son bâton au pommeau sculpté glissé dans sa ceinture pour le retour, et qui soulevait l'arrière de sa veste comme la rapière d'un mousquetaire. Concentré et fier de livrer ce présent, ni victuailles, ni encens, ni pierres précieuses, un simple chiot sevré, suffisamment autonome pour être donné.

Au temps où le pissenlit se dispersait en fibres cotonneuses portées par le vent d'altitude usé en brise fragile, portées par le silence. Au temps où les fleurs de silène se flétrissaient en minuscules goitres maladifs. Léonard émergea du chemin et s'arrêta un moment, regardant les bâtiments, assailli par un sentiment parfaitement identifiable, une brutale remontée du temps dont il ne pourrait s'affranchir qu'après avoir rencontré quelqu'un. Il plaqua une main sur la tête du chiot, et il aurait pu la broyer comme une noix si seulement il l'avait voulu. « Tu vas être bien traité, ici », dit-il. Puis il s'approcha de la maison et entra sans frapper, à la manière de quelqu'un rentrant chez lui, aussi naturellement que cela.

Mathilde était seule. Léonard posa le panier sur la table, prit le chiot à l'aide d'une seule main, et le posa au sol. L'animal tremblait sur ses pattes, comme s'il lui fallait réapprendre à marcher au beau milieu de cet environnement inconnu, hostile pour un temps, privé à jamais du secours de sa mère. Mathilde s'avança vers lui et s'accroupit.

— Il est beau, dit-elle froidement.

— C'est Joseph qui l'a choisi.

— J'espère qu'il aura du cœur à l'ouvrage.

— Il fera ce qu'on lui commande, j'imagine.

Le chiot enfouit sa tête dans les plis de la robe de Mathilde en émettant un bruit de succion, et elle entreprit de le caresser.

— Je vais m'en occuper comme il faut, dit-elle.

— J'en doute pas, et Joseph aussi s'en occupera bien.

La main de Mathilde s'immobilisa sur le pelage du chiot, regard dans le vague.

— Faudrait qu'il trouve du temps pour ça, dit-elle.

— Pourquoi tu veux qu'il en trouve pas ?

— Y a pas mal de choses qui l'occupent en ce moment.

Léonard hésita.

— C'est sûr que c'est pas le travail qui manque, dit-il.

— Je parlais pas de ça.

— Ah !

Mathilde leva des yeux éteints sur Léonard.

— Vous êtes au courant, pas vrai ? demanda-t-elle.

— Au courant de quoi ?

— Cette fille.

Léonard posa sa main sur l'anse du panier, étouffa un soupir du mieux qu'il pouvait, laissa passer un moment.

— Elle a pas l'air de le rendre malheureux, dit-il.

— On dirait que vous savez pas de quoi on parle, tout de suite.

— De ton fils.

Mathilde se releva, abandonnant le chiot. Elle plaqua ses mains sur la table en fixant Léonard. De petits os saillaient au-dessus de sa poitrine, comme des traverses.

— Si c'était que de lui ! dit-elle.

— Tu lui reproches quoi, au juste ?

— Je voudrais pas qu'il lui arrive plus de malheur qu'il en a déjà… et à moi non plus, d'ailleurs.

— C'est la seule raison ?

— Je vous aime bien, Léo, et je vous suis reconnaissante pour tout ce que vous faites, mais c'est de mon fils qu'il s'agit, et j'entends bien l'élever comme je veux.

Léonard hocha la tête.

— Je voulais rien dire contre ça, dit-il.

— Quoi, alors ?

— C'est ma foi vrai que je suis pas le mieux placé pour parler de ces choses-là, mais, à un moment, faudrait un peu se souvenir de ce qu'on a découvert sans qu'on nous l'enseigne, dit Léonard sur un ton calme.

— Vous me conseillez de laisser faire, c'est ce que je dois comprendre ?

— J'ai aucun conseil de cette nature à donner. Je crois qu'au fond tu sais très bien que personne peut rien contre ce qui lui arrive, et que c'est pas facile à accepter pour toi.

Mathilde jeta un coup d'œil au chiot qui avait rampé jusqu'à sa jambe en furetant, puis fixa de nouveau Léonard, espérant qu'il lui tende une clé qu'il ne possédait pas, une clé qu'elle était la seule à détenir, une clé de nature à ouvrir cette porte qui la forcerait à ne pas devenir la pire des mères pour un fils. Elle ferma les yeux et, durant une seconde, son visage sembla totalement nu, puis elle se pencha et prit le chiot dans ses bras, comme si elle berçait un jeune enfant.

— On va bien s'occuper de toi, dit-elle.

Léonard sourit en regardant le chiot qui s'endormait déjà et qui ne tremblait plus.

— Il boira sûrement du lait pendant quelque temps, mais maintenant qu'il a de bonnes petites dents il peut goûter à autre chose, dit-il.

Léonard saisit le panier et sortit. Mathilde s'approcha du pas de la porte sans brusquer le chiot endormi dans ses mains, et regarda le vieil homme qui s'était arrêté dans la cour. Il glissa son bâton sous l'anse, et le positionna en travers de ses épaules, de sorte que le panier ressemblait maintenant à une hotte dans son dos. Puis, avant-bras ballants par-dessus le bâton, il s'éloigna à la manière d'un crucifié libre de soulever la poussière.

On passa de l'été à l'hiver par un mince trait d'union teinté d'ocre et de rouge. Le froid s'installa, la neige se mit à tomber début novembre, et on se recroquevilla derrière les murs, car il n'y avait plus guère que cela à faire, courber l'échine, attendre que ça passe.

Fragiles humains.

Qui enduraient la neige scarifiée de traces, pareille à une vaste carte dessinée à l'encre sympathique.

Enduraient les redoux, comme des mensonges auxquels ils avaient fini par ne plus croire.

Enduraient les tempêtes et le froid.

Enduraient la pâle lumière et le coût supplémentaire de chaque effort, bien plus qu'en plein été.

Enduraient les hordes de vent venues du nord, s'abritant auprès de grands feux de bois, attendant patiemment que le ciel se vide de ses humeurs, et que s'allongent enfin les jours.

Enduraient, tels des premiers hommes au fond de leur caverne, occupés à construire des mots dans leur tête et à écrire leur histoire à l'aide de tisons éteints, à chercher dans le regard d'un autre une bonne raison d'être là, à chercher une réponse aux seules questions qui vaillent : Pourquoi suis-je au monde et qui peut permettre une telle folie ?

Enduraient le silence et la solitude dans la prison d'hiver.

Enduraient la sagesse du monde, espérant la débâcle des étangs.

Enduraient un destin commun, pétris de résignation.

Fragiles humains, qui enduraient comme ils avaient toujours enduré.

Enduraient aussi la guerre au travers de lettres tachées de boue, et dans de grands silences dressés en église où ils entraient contre leur gré, sans jamais faillir.

Fragiles humains.

Qui endurèrent.

Debout dans la lueur instable d'une lampe tempête, ils regardaient le veau trempé, que sa mère venait de mettre au monde, plongeur hagard au sortir des eaux matricielles, perdu en cet univers démesuré, lentement révélé.

— Merci du coup de main, dit Léonard.

— C'est normal, répondit Joseph.

— Tu peux y aller, si tu veux, je vais me débrouiller, maintenant.

Joseph se tourna vers Léonard.

— J'ai quelque chose à te demander, dit-il.

— Je t'écoute.

— On se demandait, l'autre jour, maman et moi, comment on doit tenir compte de la lune, pour le jardin.

Léonard leva une main devant lui, sans quitter le veau des yeux, comme s'il demandait le calme à un auditoire.

— C'est pas compliqué, si tu veux avoir de beaux légumes, faut semer quand elle est vieille et repiquer quand elle revient.

— C'est tout ?

— C'est tout.

— Elle a autant de pouvoir que ça, d'après toi ?

Le vieil homme prit un air exagérément outré.

— J'ai lu dans l'almanach que la lune peut faire aller un océan dans un sens et puis dans l'autre, alors, je suppose qu'elle s'amuse aussi de tout ce qui contient de l'eau, comme de nous autres, d'ailleurs.

Joseph réfléchit quelques secondes. Le veau tenta de se mettre sur ses pattes et retomba lamentablement, et sa mère le poussa avec son museau pour lui venir en aide.

— Pourquoi elle fait pas bouger les étangs ? dit-il.

— Elle s'occupe que de ce qui est naturel, et un étang, c'est pas naturel… Prends les cheveux, par exemple, t'amuse pas de les couper en lune nouvelle, si tu veux pas qu'ils poussent deux fois plus vite.

— Je m'en souviendrai.

Léonard retira son chapeau et caressa son crâne sur lequel une poignée de cheveux blancs duveteux se battaient en duel.

— Ça fait un moment que je m'en soucie plus pour moi, dit-il en souriant.

— Tu nous aideras pour ça aussi ?

— Évidemment, que je vous aiderai.

Un silence s'installa. On entendait distinctement les respirations des animaux et leurs mouvements pesants.

— Heureusement qu'on t'a, dit Joseph.

— Je croyais que t'allais encore me remercier, dit Léonard en clignant d'un œil.

— Tu vois, j'ai retenu la leçon… Bon, je file.

— T'as raison. De mon côté, je vais aider ce gaillard à prendre son premier repas.

En entrant dans la maison, Joseph fut surpris de trouver sa mère assise à table, perdue dans ses pensées.

— Ça va ? demanda-t-il.

Mathilde montra une enveloppe décachetée sur la table de la cuisine, comme s'il s'agissait d'une chose banale, comme si elle s'efforçait de la présenter comme telle.

— Ton père nous a écrit, dit-elle.

Joseph fixa l'enveloppe un long moment, puis s'assit à table, près de sa mère. Il toucha le papier et retira aussitôt sa main.

— Tu veux pas la lire ? dit-elle.

Il les avait toutes lues jusqu'à présent, mais celle-ci le paralysait plus que les autres. Lire les mots ne lui faisait pas peur. Ce qui le perturbait au plus haut point en cet instant, c'était de découvrir l'ombre projetée de son père sur le papier jauni, et qu'elle disparût à jamais sous ses yeux.

— C'est pas ça, dit-il.

Elle poussa l'enveloppe dans sa direction sans la regarder, le regardant lui.

— Tout va bien, dit-elle.

— Raconte-moi ce qu'y a dedans, alors, je préfère.

— Tu es sûr ?

— Oui.

Mathilde ramena la lettre devant elle.

— Des recommandations pour qu'on s'occupe bien de la ferme, comment emblaver au mieux les basses terres au printemps, de pas garder plus de bêtes qu'on pourra en nourrir l'hiver prochain, et de vendre les autres pour faire un peu de sous.

— S'il pense déjà à l'hiver prochain, c'est qu'il a pas l'intention de revenir de sitôt.

— Ça dépend pas de lui.

— Tu l'as apprise par cœur, cette lettre… on dirait qu'y a que des conseils dedans ?

Mathilde attendit un moment avant de répondre. Elle repoussa la chaise en arrière, et se leva. Ses bras, qui s'étaient baladés tout le temps qu'elle avait parlé, revinrent se positionner le long de son corps, et ses mains pendaient désormais comme deux nageoires hors de l'eau.

— Il pense bien aussi à nous, dit-elle.

— Tu lui as écrit pour grand-mère ?

— Je crois pas qu'avoir une peine supplémentaire l'aiderait.

— Faudra bien à un moment.

— Il sera temps… un jour.

Elle demeura debout, s'efforçant de peser chacune de ses paroles, comme si elle les amidonnait d'une assurance feinte qui ne trompait pas Joseph. Depuis le début de la conversation, il n'avait pas détaché son regard de l'enveloppe, avec l'écriture penchée aux majuscules déliées qui se perdaient autour des mots comme du fil de clôture. Toutes choses tracées de la main de son propre père, au-dessous du tampon des armées françaises, avec la semeuse qui jetait des poignées de graines invisibles sur le papier terni. Ce père, vivant donc.

— Et de lui, il en parle, à un moment dans sa lettre ? demanda-t-il.

— Il dit que l'hiver là-bas est pas pire qu'ici.

— S'il le dit, alors.

La bouche de Mathilde s'élargit en un rictus qui n'avait rien d'un sourire, et on aurait pu penser qu'elle cherchait à laisser filer quelque chose entre ses dents aussi lentement que possible.

— On a aucune raison d'en douter, dit-elle.

Joseph tourna la tête de côté et leva les yeux sur sa mère, profil de tissu et de chair indistinctement liés l'un à l'autre.

— Il veut peut-être pas qu'on s'inquiète, dit-il.

Allongée à la verticale, comme ficelée à un poteau, Mathilde se mit à se balancer imperceptiblement, tel un gourmand amusé par un courant d'air, puis elle posa une main sur le dossier de la chaise.

— On va faire tout ce que ton père demande, ajouta-t-elle d'une voix ferme.

Joseph se leva à son tour et jeta un dernier regard à la lettre.

— Je vais chercher du bois.

— Il en reste encore pour un moment, tu viens juste de rentrer.

Joseph fit celui qui n'entendait pas. Il se dirigea vers la porte, l'ouvrit, se retourna les yeux baissés, hésita un instant sur le seuil, comme s'il n'avait plus l'intention d'affronter le froid et la nuit, puis sortit.

Mathilde se mit à lisser sa veste en laine de haut en bas pour assécher les paumes de ses mains, face à la porte qui venait de s'ouvrir et de se fermer, maintenant seule avec la lettre de Victor sur la table, avec ses mots, avec sa voix dans les mots, avec lui entier, ou plutôt une image de lui écrivant les mots.

Joseph était parti se coucher. Mathilde enveloppa dans un linge propre le levain qu'elle venait de préparer, et le déposa dans un paillon. Elle retourna ensuite nourrir le feu pour la nuit, puis se mit à retirer les petits morceaux de pâte coincés entre ses doigts, et les jeta dans les flammes dansantes qui éclairaient son visage par en dessous, changeant sans cesse ses expressions. Vision majestueuse et tragique à la fois, que cette silhouette abîmée dans la contemplation du feu et, au-delà du feu, dans les images torturées qui se promenaient sur la plaque en fonte, pendant que le bois sec sifflait et craquait comme une articulation soumise à rude épreuve.

Du vent s'engouffra dans le conduit de la cheminée, faisant s'effilocher les flammes orangées et sauter quelques braises sur le plancher, tels des artifices en fin de course. Mathilde recula d'un pas et laissa les petites particules charbonneuses aux têtes incandescentes s'éteindre en crépitant et fumant exagérément.

Une vague d'émotion enfla à l'intérieur de son corps. Elle lutta un court instant pour l'endiguer, puis se laissa aller. Elle savait que Victor ne reviendrait pas de sitôt. Les pensées qui l'assaillirent alors lui auraient certainement valu, en d'autres temps, d'être brûlée vive en place publique par la très sainte Inquisition. Le prix de sa douloureuse liberté de femme était une guerre et, en même temps, cette liberté nouvelle était comme l'expression d'un instinct de survie, une intime façon de supporter les responsabilités qui lui incombaient. Rien de plus, car plaire à sa conscience était un luxe qu'elle ne pouvait se permettre.

Il n'était pas question d'effacer Victor de son existence pour se préserver du pire, mais simplement de le remplacer un temps, d'enfouir au mieux la sourde culpabilité de ne plus être à la remorque d'un mâle. Désormais femme de trait qui trimait tout le jour dans les champs et, le soir venu, se repliait à la ferme pour encore trimer, devenir mère, et plus épouse. Cela, depuis le moment où elle s'était assise d'autorité en bout de table, du côté du tiroir à pain dont elle avait sorti une tourte de seigle qu'elle avait maladroitement coupée, distribuant ensuite les tranches épaisses, sans que personne trouvât rien à redire. Avec la certitude que tout ce qu'elle entreprendrait alors serait de nature à tromper le destin que son propre père avait fourré entre les cuisses de sa propre mère.

Bien sûr, le découragement arrivait parfois avec la fatigue, mais l'urgence du matin reprenait le dessus, balayant les doutes pour un temps face à l'étendue sauvage d'une journée à vivre, puisqu'il s'agissait bien de cela, vivre sans se soumettre à la volonté d'un homme, pas plus qu'à ses silences corrompus par l'égoïsme. À elle seule, deux corps distincts, un pour la femme, un pour la reine. Des noces qu'elle n'était pas encore prête à célébrer.

Bien sûr, l'absence et l'incertitude étaient insupportables. Bien sûr, les larmes reviendraient lui crever les yeux sans prévenir. Mais, pour l'heure, elle faisait face à cet immense défi, et plus rien ne serait comme avant, que Victor revienne, ou pas.

Ils se rejoignirent dans le fenil. Anna monta la première dans la barge, empruntant l'échelle en bois appuyée contre le mur de foin. Joseph la regarda escalader les premiers barreaux, sans bouger. Elle s'arrêta à mi-ascension, se retourna et se pencha, demandant à voix basse ce qu'il attendait pour la rejoindre, avec un sourire qui en disait long sur ce qu'elle savait de lui. Puis il grimpa, tête baissée.

Accroupis dans le foin, face à face, attentifs aux bruits, ils se regardaient avec gravité, une gravité que l'on voit parfois dans le regard de celui qui s'excuse d'une chose qu'il n'a pas encore commise, quand il sait qu'il la fera tôt ou tard, incapable de se maîtriser. Sans le vouloir vraiment. D'une main, Anna ramena ses cheveux en arrière, utilisant seulement deux doigts, comme Joseph ne l'avait vu faire par aucune autre fille auparavant. Ce n'était pas un geste destiné à occuper le temps, c'était un geste machinal empli de grâce, et aussi d'une sorte d'aura primitive. Un geste garni de silence, qui mettait le jeune homme à la torture. Un silence à combler pour ne pas s'effondrer.

— Tu te souviens de la première fois qu'on est allés à la pêche ? dit-il d'une voix mal assurée.

— Bien sûr que je me souviens.

— Tu m'as fait un cadeau ce jour-là.

Elle ne dit rien, lâcha ses cheveux et des mèches retombèrent sur son front, puis elle inclina légèrement la tête de côté en guise d'interrogation.

— C'est ton tour de fermer les yeux, dit-il, et on aurait pu croire que de minuscules bestioles se baladaient sur ses cordes vocales pendant qu'il parlait.

Anna posa ses mains de part et d'autre de ses hanches, puis ferma les yeux. Dans son aveuglement, elle perçut le froissement d'un vêtement et, par-dessus, elle entendait la respiration laborieuse de Joseph. Puis il prit sa main, la retourna paume en l'air avec une infinie douceur, et y déposa un objet. Tenant encore sa main.

— Tu peux ouvrir les yeux, maintenant, dit-il.

Elle n'en fit rien, chercha à deviner ce qu'était cette chose lisse et biscornue en promenant ses doigts dessus.

— Merci, dit-elle.

— T'as encore rien vu.

Anna ouvrit les yeux. Un petit écureuil en terre était assis dans le creux de sa main, frêle corps totémique empanaché d'une queue touffue. Le regard de la jeune fille passa de la statuette à Joseph, puis revint au point de départ.

— Il est très beau, dit-elle.

— Je l'ai fait pour toi.

Joseph s'était souvenu d'une promenade qu'ils avaient faite tous les deux dans la forêt, de l'émerveillement d'Anna à la vue de deux écureuils se poursuivant d'arbre en arbre, l'un était roux et l'autre marron. Subjuguée par le spectacle de ces deux êtres totalement adaptés à leur environnement aérien, elle avait avoué n'avoir rien vu d'aussi majestueux de toute sa vie, et même lorsqu'ils perdaient l'équilibre à tour de rôle, une branche semblait se placer exactement sur leur passage. Anna avait saisi la main de Joseph, cette main dans laquelle reposait désormais la statuette. Ils n'avaient alors plus bougé, accordés eux aussi à cette nature, jusqu'à ce que les écureuils aient disparu en caquetant, et il n'était plus rien resté qu'un ballet d'ombres et de lumières orchestré par le bruit du vent dans le feuillage.

— Ce que ça doit faire d'être là-haut, avait-elle dit, la tête toujours levée vers la cime des arbres.

Depuis ce jour, Joseph s'était juré de sculpter un de ces farfadets de la forêt, espérant secrètement que ce cadeau renfermerait les chutes vertigineuses et les acrobaties des animaux, et aussi le contact de leurs mains.

Anna se remit à balader un doigt sur les contours de la statuette, la scrutant sous toutes les coutures, découvrant bientôt les initiales de Joseph gravées sous les pattes postérieures.

— Léo pense qu'il faut laisser une trace de ce qu'on fait, dit Joseph en s'excusant presque.

— Tu l'as montré à Léonard ?

— Bien sûr que non.

— Ce n'est pas la première fois que tu sculptes ?

— Non, j'ai plus beaucoup de temps en ce moment, mais ça, j'y tenais.

— Tu as beaucoup de talent, Joseph.

— Exagère pas, quand même.

— Je n'exagère pas, je le pense, tu dois avoir une âme d'artiste.

— Personne m'a appris, à part Léo, qui me donne parfois des conseils. Je sais pas d'où ça me vient. Quand je m'y attelle, plus rien n'a d'importance, c'est comme si je fabriquais un souvenir que je voudrais pas voir disparaître pour garder à l'intérieur toute l'émotion que j'ai ressentie à un moment.

Anna posa une main sur la joue de Joseph.

— Tu te souviens ? demanda-t-il.

— Tu as sculpté le plus beau des souvenirs.

Joseph laissa passer un silence, puis il joignit les mains d'Anna, comme s'il voulait lui apprendre le geste parfait de la prière.

— Jamais il sera à la hauteur de celui que tu as sculpté pour moi, dit-il.

— Il y a d'autres choses que tu aimerais sculpter... des choses dont tu n'as pas encore le souvenir ?

Il sembla alors à Joseph, que l'espace entre les choses dont parlait Anna, et aussi celles dont elle ne parlait même pas, était rempli d'eux.

— Plein, dit-il en relevant les yeux sur elle.

Ils s'embrassèrent, d'abord timidement, ensuite avec passion, embrassant plus que leurs lèvres, embrassant le flou abyssal du mystère des corps, éclaboussés de bulles de silence dans lesquelles s'envolaient leurs souffles et s'amenuisaient leurs craintes.

Anna quitta la bouche de Joseph, puis se laissa aller en arrière, cherchant à capter son regard et, comme il fuyait sans cesse, elle fit voyager ses mains sur son visage. Ils demeurèrent ainsi un long moment, puis s'agenouillèrent, tels deux pénitents épuisés par une longue marche, ou s'y préparant. Joseph ne savait plus que faire, bourgeon protégé par une pellicule de glace. Anna savait, elle.

— Regarde-moi, dit-elle.

Joseph releva la tête, regard battu, un peu de biais, semblant demander pardon. Il n'y eut bientôt qu'elle dans ses yeux, et au-delà de son regard, dans son sang aussi. Et dans ses yeux à elle, on pouvait sans nul doute déceler une farouche détermination de femme et plus le moindre éclat d'enfance à l'intérieur.

— Parle-moi, dit-elle.

— Je peux pas, dit-il dans un souffle.

Elle retira sa robe en la faisant passer par-dessus sa tête. Des brindilles dorées s'envolèrent, quelques-unes retombèrent dans ses cheveux. Une odeur de lait se cramponnait à l'air. Joseph aperçut le fin duvet sous ses bras. Elle s'allongea. Jusqu'à cet instant, le corps d'Anna n'avait été, pour Joseph, qu'une planète lointaine observée dans l'œilleton d'un télescope, et là, sur ce lit de foin chauffé à blanc, elle lui proposait de traverser l'espace en piétinant le son et la lumière, pour découvrir ses seins couleur de coquille d'œuf aux mamelons bruns durcis, son ventre tendu, et la frontière de coton sur laquelle s'attardait maintenant son regard conquérant et inquiet.

— Viens, dit-elle.

— Tu es tellement belle.

— Je veux sentir ta peau contre la mienne.

Il enleva son chandail, puis s'allongea sur le dos auprès d'elle : maintenant ils étaient reliés l'un à l'autre par leurs hanches et leurs épaules, à la manière de siamois.

— Aide-moi, dit-il implorant.

Elle bascula de côté, poursuivant son mouvement. Ses cheveux balayèrent le visage de Joseph, et elle se plaça à califourchon sur lui. Ils n'étaient désormais plus seulement liés par un ou deux morceaux de peau, mais soudés dans leur chair et le charme profond de leur chair, et leurs désirs étaient également faits de chair.

— Regarde-moi, dit-elle encore.

Le visage de Joseph était toujours enfermé derrière un rideau de cheveux, et son esprit était comme un cheval tournant autour d'une piste sous un chapiteau.

— Je peux pas faire autrement que te voir, dit-il.

— Tu en as envie ?

Joseph aurait voulu répondre qu'il avait le sentiment d'avoir attendu ce moment toute sa vie sans le savoir, mais ne put prononcer qu'un pauvre oui. Elle prit alors ses lèvres avant qu'il ne songe à fermer les yeux. Elle le guida, et il la suivit, obéissant à son désir, surpris d'avoir accès à une forme de connaissance d'elle, de se découvrir lui-même dans cette connaissance.

Ils firent l'amour pour la première fois dans l'herbe piétinée, entre de larges murs de pierre, sous les tentures poussiéreuses des toiles d'araignée, sous des poutres tordues et ridées, bercés par une musique de chaînes, de sabots et les respirations des bêtes provenant de l'étable. Ils firent l'amour dans cette forme de paix qui délivre les âmes, comme pour sceller un secret dans un autre secret, comme pour être ce secret, et nullement ses détenteurs.

Mathilde regardait Joseph avec insistance.

— Tu m'écoutes pas ? demanda-t-elle.

Il releva la tête en acquiesçant, comme un vulgaire pantin.

— Quoi ?

— C'est bien ce que je pensais, t'as rien écouté de ce que j'ai dit.

— Si…

— Quelque chose qui va pas ?

— Tout va bien.

— On le dirait pas.

Joseph saisit une tranche de pain, se mit à en arracher des petits morceaux, et les jeta dans la soupe. Mathilde le regardait faire d'un air interdit.

— Tu trouves qu'y en a pas encore assez ? dit-elle.

— Y en a assez, dit Joseph machinalement, cessant d'émietter son pain.

— Alors, pourquoi tu en rajoutes par-dessus celui que j'ai mis à tremper ?

— J'en rajoute plus.

— Tu sais même pas ce que tu fais… tu peux m'en parler, si c'est quelque chose qui te tracasse ?

Joseph attrapa sa cuillère à pleine main.

— Je suis pas tracassé, à la fin, dit-il avec un énervement à peine contenu dans la voix.

— On croirait pourtant que tu penses à quelque chose qui t'empêche de penser au reste, dit-elle d'un air moqueur.

— N'importe quoi !

Mathilde fit glisser ses avant-bras sur la table, de part et d'autre de son assiette, jusqu'à ce que ses coudes viennent buter contre le rebord.

— Je t'ai pas vu de l'après-midi, t'étais passé où ?

— Je… chez Léonard.

— T'en as mis du temps.

— Je lui ai déneigé sa cour.

— Ah, c'est pour ça, je comprends mieux pourquoi tu es tellement fatigué.

Mathilde regarda son fils sans rien dire, puis se mit à manger, baissant les yeux lorsqu'elle emplissait la cuillère, les relevant sur lui dès qu'elle avalait la soupe, ne le regardant alors pas comme une mère regarderait son enfant, mais plutôt comme quelqu'un face à un étranger qui se serait perdu, puis retrouvé là, assis à sa table, à laisser refroidir sa soupe. Ce genre d'étranger dont elle aurait voulu tout savoir sans rien demander.

— Tu feras ce que je t'ai commandé ? dit-elle.

— Je fais toujours ce que tu me demandes.

— J'en aurai besoin pour demain matin, d'accord ?

— Demain.

— Et t'iras où, demain ? demanda Mathilde d'un air blasé.

Du dos de la cuillère, Joseph appuyait sur les bouts de pain qui flottaient à la surface de la soupe, et qui disparaissaient alors, avant de remonter comme de petites éponges sales.

— C'est bien ce que je disais ! t'as rien écouté. Je veux que tu ailles chercher de la farine, du sel, du sucre et du café à l'épicerie. Tu retiendras, cette fois ?

— T'inquiète pas.

— C'est pas de ça que je m'inquiète.

— Je t'assure que ça va.

— Tu parles !

Joseph déposa sa cuillère au bord de son assiette.

— Je vais aller me coucher, je crois bien, dit-il.

— T'as rien mangé.

— T'en fais pas, je me rattraperai demain, j'ai dû prendre un peu froid.

Joseph se leva en souriant tristement. Mathilde le fixait durement, plus du tout comme si elle avait affaire à un étranger, mais bien à ce fils, espérant qu'il lui avoue ce qu'elle savait déjà, ce qui était de nature à empêcher un homme de manger. Cette déplorable maladie capable de le détourner des pensées utiles.

— Au fait, Léonard est passé cet après-midi, il cherchait après toi ! dit-elle, sans aller plus loin.

Dehors, la neige éparpillait les rayons lunaires qui parvenaient à pénétrer par les interstices des volets, figeant toute chose dans un épais halo. Joseph s'allongea sur son lit, se remémorant l'enchaînement des caresses qui les avait menés à l'étreinte. Fermer les yeux, ou les garder ouverts n'y changeait rien, bien qu'en désordre les souvenirs étaient là. Il se sentait grandi, grâce à cette fille découverte au détour d'un chemin alors qu'il n'attendait rien. Il n'attendait rien, comme habité d'un mystère qu'il voulait continuer de percer, devenu quelqu'un d'autre, en devenir aussi de ce qu'il avait encore à découvrir, cette vaste étendue révélée, ce bonheur éclatant et si peu assouvi. Ce moment durant lequel il aurait tout donné pour connaître ses pensées, savoir ce qu'elle désirait, le moment de la découverte de son corps, ne sachant rien de plus que ce que lui dictait son piètre instinct, cet instinct qu'il avait refoulé tant bien que mal pour ligoter au mieux ses gestes maladroits. Il l'avait laissée faire.

Quand elle prend sa main pour la guider, le dresser en quelque manière, pendant qu'il la regarde en cherchant désespérément une imperfection à laquelle se raccrocher. La certitude de ne jamais connaître beauté aussi parfaite, même s'il n'a pas le moindre motif de comparaison, sinon le corps de sa propre mère. Mais c'est sa mère. Il se demande comment deux corps de femme peuvent être si semblables et si différents à la fois. Lui qui se sent perdu face à la beauté d'Anna, en rien digne d'elle, étriqué dans ses gestes, dans son désir, incapable de les relier l'un à l'autre en une forme salvatrice d'adoration.

Quand elle le rassure, puis qu'elle se tait, tout à son corps en marche. Que montent ses cris étouffés, dérivant entre surprise et douleur. Lui, attentif aux plaintes de la jeune fille, aux tensions dans son corps qui lui fouettent le sang. Lui, qui retient la douleur, demande si elle veut qu'il s'arrête. Elle, qui le supplie de continuer, l'excluant ainsi de cette douleur, pendant qu'un plaisir illégitime enfle à l'intérieur de son ventre à lui, incapable de vivre pleinement ce plaisir, voulant atténuer le mal qu'il fait, le prendre, et elle, ne souhaitant rien d'autre que coule enfin le sang, afin de mener à son terme la grande affaire libératrice.

Lorsque le sang vient, Anna se détend brusquement, rejette la tête en arrière comme une morte, et c'est un peu ce qu'il advient, la mort de quelque chose d'aussi ténu que ce qui relie la nuit au jour, le temps nécessaire à éveiller un corps dans un seul cri où résonnent les puissances.

Joseph se retire, la soulage du poids de son corps. La terreur flotte dans ses yeux lorsqu'il découvre le sang sur les cuisses laiteuses mélangé à sa semence. Anna se redresse et s'assoit, puis prend le visage torturé de Joseph entre ses mains, lui dit que ce n'est rien, que c'est normal, qu'il est le premier, le seul. C'est normal, le sang. Joseph n'écoute pas. Répond simplement qu'il est désolé, qu'il n'a pas voulu ça. Elle approche son visage plus près encore du visage désemparé de Joseph, souffle sur ses lèvres en disant qu'elle n'a pas eu mal, au contraire, qu'elle est maintenant femme, et qu'elle le lui doit. Puis elle l'embrasse, et dans ce long baiser il y a la forme la plus absolue de sentiment, de sincérité et de grâce offertes. Encore un mot à inventer. Leurs lèvres toujours nouées, elle se met à pleurer. Joseph sent les larmes ruisseler sur sa peau. Anna le retient de quitter ce baiser, et retient aussi ses larmes dans lesquelles se trouve la seule réponse qu'elle peut donner à toutes les questions qu'il brûle de poser.

Longtemps après les larmes, ils s'allongent sur le foin aux senteurs fumées et sucrées, se tenant par la main, silencieux et immobiles comme des pierres insensibles à la marche du monde. S'endorment au creux de la lumière.

Tout en marchant, Joseph se demandait lequel de ses ancêtres avait eu l'idée folle de venir s'installer dans la montagne, s'il avait seulement réfléchi aux efforts que cela impliquait, si c'était un choix et, si tel était le cas, dans quelle mesure ce choix avait été un jour acceptable.

Il rajusta sa lourde écharpe en laine et abaissa la visière de sa casquette pour se préserver des flocons qui semblaient tous converger vers ses yeux. Il portait un sac de jute plié sous son bras, les mains enfoncées dans ses poches pour les protéger au mieux du froid.

La neige avait entièrement recouvert les traces, si bien que l'on ne savait plus s'il s'agissait encore d'un chemin. Alentour, les bois étaient prostrés, comme si, au-delà de la seule végétation, la neige eût recouvert l'âme de la forêt. Excommuniée par la brume, une corneille approcha entre les arbres en croassant, puis se posa sur une branche en agitant les ailes, et se tut, jetant un regard torve à la silhouette embuée qui se traînait sur le sol.

Joseph pensa à son père qui avait envoyé une lettre dans laquelle il disait de ne pas s'inquiéter, qu'il tenait le coup, qu'il tiendrait le coup. Et si sa mère croyait à ses mots rassurants, pourquoi ne pas y croire lui aussi ? De quel droit… Et puis, il y avait Anna avec qui il défrichait de nouveaux territoires à coups de caresses et de mots bénis. Anna qui venait de lui donner la grâce et le coup de grâce dans le même temps, sur une litière de foin frais, qui l'avait mené à de suprêmes confins, là où il n'y a plus rien, et aussi l'espoir de tout.

En arrivant au village, Joseph remarqua que l'on avait récemment déneigé l'accès principal. Les flocons s'empilaient les uns sur les autres dans les flaques boueuses en un vain sacrifice. Au même moment, la malle-poste quittait le bourg, tirée à grand-peine par un cheval étique aux yeux vitreux, qu'on aurait dit en route vers la mort. Joseph s'écarta pour laisser passer l'attelage, fit un signe de tête au conducteur emmitouflé dans une couverture, et l'homme releva des yeux hagards sur lui.

Joseph regarda la malle-poste s'éloigner dans le bruit de succion produit par les roues sur la neige fondue, qui crachaient des gouttelettes dans leur sillage, comme de la salive gâtée de jus de chique. Il se questionna sur la responsabilité de ce pauvre hère, à la charge qu'il avait de charrier les nouvelles dans un sens et dans l'autre, dans quelle mesure son sort paraissait plus enviable que s'il se fût trouvé au front. Se demanda s'il se posait seulement la question de cette responsabilité, si pour lui, ce n'était pas autre chose que de transporter et livrer des sacs de grain, et d'en charger d'autres, où qu'il s'arrête. Et lorsque le bruit se tut, que l'arrière de l'attelage fut réduit à une boîte d'allumettes brinquebalant sur la route, Joseph se détourna de la vision et des pensées engendrées par elle, et il traversa le foirail désert pour rejoindre l'épicerie.

Il tapa ses semelles sur le seuil balayé, secoua la neige accumulée sur sa veste et sa casquette. Puis il entra, faisant tinter une clochette accrochée à la porte.

À l'intérieur, l'épicière rangeait des boîtes de conserve sur des étagères chichement *limandées*. Elle nota quelque chose sur un calepin, puis se retourna en marmonnant un bonjour. Abandonna sa tâche dans un soupir, se dirigea vers le comptoir et passa de l'autre côté en faisant basculer une planche sur deux charnières bruyantes. La voyant si frêle dans son corps, mais pesante dans chacun de ses gestes, Joseph se dit que, peut-être, une des lettres que contenait la malle-poste lui était destinée, qu'elle l'avait peut-être déjà lue, ou qu'elle attendait encore.

— Sale temps, dit-elle.

— Ç'a pas l'air de vouloir se calmer, on dirait.

— Quatre jours que ça tombe, je crois bien.

— On compte plus.

— T'as du courage de sortir.

Joseph posa son sac sur le comptoir.

— Faut bien.

— Comment vous allez, là-haut ?

— On tient.

L'épicière plongea un regard soucieux par-dessus l'épaule de Joseph, comme si quelqu'un ou quelque chose d'incongru venait d'apparaître dans son champ de vision, puis elle exécuta le signe de croix.

— C'est bien le moins qu'on doive à ceux qui se battent pour la patrie... tenir le coup, je veux dire, dit-elle, comme si elle parlait à l'apparition.

— J'imagine, dit Joseph en regardant son sac.

— N'empêche, je sais pas ce qu'on va devenir, si les prix continuent à grimper. Bientôt, plus personne aura plus les moyens d'acheter ce que j'ai à vendre, et moi de m'approvisionner. C'est déjà difficile.

— On aura toujours de quoi survivre, ici.

L'épicière haussa les épaules.

— Survivre, tu dis.

— C'est pas donné à tout le monde, d'après ce que vous dites.

Elle poursuivit, sans prêter attention à la remarque de Joseph.

— Paraît qu'en ville, y a des files devant les boulangeries et les épiceries, qu'ils sont même obligés de distribuer des tickets de rationnement pour que tout le monde ait un peu de quoi manger.

— Ah bon !

L'épicière se mit à fixer son client. Tout autour de l'iris cendreux de ses yeux, Joseph pouvait nettement distinguer de petites veinules prêtes à éclater, ressemblant à des radicelles gorgées de sang.

— Qu'est-ce que tu voulais ? dit-elle, comme si elle sortait d'un mauvais rêve.

— Trois livres de sucre, quatre de sel et dix de farine... et aussi du café, si vous en avez encore.

— Là-bas, sur l'étagère, sers-toi, je te prépare le reste.

Joseph alla chercher quatre paquets de café, et revint les poser sur le comptoir. L'épicière pesa le sucre, le sel et la farine dans le fléau d'une Roberval, puis ensacha les ingrédients à part. Quand elle en eut terminé, Joseph rangea les provisions dans son sac, pendant qu'elle détaillait la note à haute voix. Joseph paya, et la commerçante s'empressa de ranger l'argent dans un tiroir en comptant la monnaie, toujours à haute voix, puis elle retira des pièces rangées par valeur dans de petits compartiments, les enferma dans une main, et posa l'autre sur le sac.

— J'ai entendu quelque chose qu'il vaudrait mieux que vous sachiez, ta mère et toi, dit-elle d'un ton grave.

— Quoi ? demanda Joseph intrigué.

— Il paraît qu'ils vont passer dans les fermes pour réquisitionner des bêtes, vu que les soldats ont plus assez pour se nourrir.

Elle avait dit « ils », comme elle aurait parlé de mauvais génies prêts à jeter des sorts.

— Comment vous le savez ? demanda Joseph.

— C'est le type de la malle-poste qui me l'a dit.

— Il est sûr de ça ?

— Il avait l'air bien renseigné.

L'épicière ouvrit sa main et tendit la monnaie. Joseph refit le compte dans sa tête, fourra les pièces dans sa poche, et attrapa le sac.

— Vous avez des nouvelles, de votre côté ? dit-elle.

— Non, dit Joseph sans réfléchir.

— L'hiver, les lettres mettent plus de temps à arriver, dit-elle d'un air absent.

— Sûrement.

La commerçante fit de nouveau basculer la planche du comptoir pour retourner à sa tâche initiale.

— Tu diras bonjour à ta mère pour moi, dit-elle tout en relisant ce qu'elle avait inscrit sur son carnet.

— D'accord.

Il faisait encore plus froid quand Joseph sortit de l'épicerie. Le ciel semblait plaquer un supplément de misère gelée sur les maisons silencieuses. Les flocons se faisaient plus rares et plus gros, tournoyant comme des cendres immaculées arrachées à un lointain brasier.

Joseph quitta le village, rejoignit le chemin enneigé qui laçait la forêt, changeant fréquemment son sac d'épaule. Il s'arrêta à mi-chemin pour souffler un peu, mais le froid était si vif, qu'il repartit presque aussitôt. Un troglodyte l'accompagna quelques instants, traversant le chemin plusieurs fois dans un sens et dans l'autre, se posant sur des brindilles déneigées par le vent, gonflant démesurément son plumage ébouriffé, agitant sa courte queue, comme s'il voulait égayer la marche épuisante de Joseph, ou plus simplement, lui faire comprendre dans sa langue stridente, qu'ils n'étaient en rien différents, et que survivre, justement, était leur lot à tous.

Assise sur une chaise, Mathilde plia le sac à grain qu'elle venait de rapiécer, puis le posa au sol sur le tas de ceux qu'elle venait de réparer et qui ressemblaient à d'épaisses crêpes de sarrasin préparées à l'avance pour quelque grande veillée.

Joseph entra. Il posa les provisions sur la table, quitta sa veste et sa casquette raidies par le gel, et les suspendit au dossier d'une chaise qu'il transporta près du feu. Il retira ensuite ses chaussures trempées, les bascula, gueule dirigée vers l'âtre, puis se tint face aux flammes dont la chaleur picorait déjà ses pieds, ses mains et la peau de son visage. Quand les morsures se faisaient trop vives, il s'éloignait de temps à autre en grimaçant, et se rapprochait de nouveau afin d'acclimater son corps au feu.

— Y avait du café ? demanda Mathilde sans lever les yeux.

— J'en ai pris quatre paquets, comme tu voulais.

— Je vais en faire, t'es tout gelé.

Mathilde plia le sac, comme s'il s'agissait d'un vêtement. Elle se leva ensuite pour déballer les provisions, rangea la farine dans la maie, puis le sel, le sucre et le café dans le buffet. Joseph se retourna vers sa mère, laissant planer ses mains au-dessus des flammes.

— L'épicière a dit qu'ils allaient venir chercher des bêtes dans les fermes pour nourrir les soldats, dit-il.

Mathilde se figea devant les portes ouvertes du buffet, avant de les repousser, laissant ses deux mains plaquées sur le bois.

— Toutes les fermes ? dit-elle.

— J'en sais rien. J'imagine qu'ils font pas de détail.

— Manquait plus que ça, dit-elle en secouant la tête.

— Ils ont le droit ?

D'un pas traînant, Mathilde revint à la table, tenant un paquet de café. Elle l'ouvrit avec précaution, saisit un grain, le déposa dans sa paume et le fit rouler avec un doigt.

— *L'intérêt supérieur de la nation*, c'était marqué sur le livret militaire de ton père… on n'aura pas notre mot à dire.

— Tant qu'il neige, ils risquent pas de monter jusqu'ici.

— Il neigera pas toujours.

Joseph ferma les yeux pour mieux rassembler ses pensées.

— Je pourrais conduire les génisses au buron du Bélier, pour pas qu'ils les trouvent, et je les redescendrais une fois qu'ils seraient passés… qu'est-ce que t'en penses ? dit-il.

Une ride oblique apparut et se creusa entre les yeux de Mathilde.

— Faut bien qu'ils mangent, dit-elle sèchement.

Joseph jeta un bref regard à sa mère enfoncée dans la pâle lueur, silhouette courbée sur le paquet, presque statufiée, si ce n'était le clignement régulier de ses paupières agacées par les coulées de fumée provenant de la cheminée.

— C'est sûr, mais il leur resterait quand même les vieilles… nous aussi, faut bien qu'on vive, dit-il.

— Elles mangeraient quoi, là-haut ?

— Le foin que je leur porterais avec la mule de Léonard.

— On sait pas quand ils viendront.

Mathilde se dirigea vers la cheminée, attrapa le moulin posé sur l'étagère fixée au linteau, à côté d'un dégradé de boîtes qui ne contenaient rien.

— Alors, qu'est-ce que t'en dis ? demanda Joseph.

Ils se frôlèrent.

— Faut bien qu'ils mangent, répéta-t-elle doucement.

Elle s'en alla remplir le moulin de café, s'assit, le cala entre ses cuisses, et se mit à moudre, tournant la manivelle par saccades, comme si un marionnettiste inexpérimenté actionnait son bras à l'aide de cordelettes invisibles.

On était le vingt-quatre décembre, et ce fut certainement le jour le plus triste de l'année. Ce soir-là, il n'y eut pas de messe de minuit à Saint-Paul, et le jour de Noël non plus. Partout dans les fermes muées en archipels encerclés par une neige piégeuse, on pria la venue du Christ ressuscité en sommant le Père de ne pas oublier ses autres enfants essaimés en terre hostile, et de garder ceux d'ici de toutes les formes du malheur.

La soirée fut baignée de peu de mots. Mathilde récapitula les tâches du lendemain. Elle n'allait jamais plus loin que le lendemain. Joseph la découvrait chaque jour un peu plus forte, plus dure aussi, ne se plaignant jamais, capable de prendre des décisions tranchées, colmater au mieux l'absence de Victor, tout en prenant un soin discret de ne pas laisser d'empreintes qu'il n'eût reconnues à son retour.

Mathilde emplit deux assiettes d'une éternelle soupe de pain et d'oignon. Elle en poussa une sur la table, devant son fils, puis elle s'assit face à lui, comme elle le faisait désormais à chaque repas, depuis la mort de la grand-mère. Elle souffla à trois reprises sur le breuvage fumant.

— Cette fille, tu la vois toujours ? dit-elle d'une voix douce.

Joseph resta un long moment à contempler la soupe, les gouttes grasses qui s'agglutinaient autour du pain.

— Je préfère pas en parler, finit-il par dire.

— Alors, c'est que tu la vois toujours.

Joseph saisit sa cuillère à pleine main, appuya le manche sur la table, comme s'il eût voulu en traverser le plateau massif.

— Faudrait plus que je quitte la ferme, c'est ça que tu voudrais ?

Mathilde demeura calme. Elle souffla de nouveau sur sa soupe fumante, et sa bouche s'élargit en un large sourire.

— Tu me fais penser à ton père. Il a jamais su renoncer, quand il a une idée dans la tête.

— T'essaies de me dire quoi, au juste ? demanda Joseph en s'emportant.

Le sourire disparut sur le visage de Mathilde.

— Tu as grandi, et j'ai pas voulu le voir.

Elle s'interrompit pour avaler de la salive, puis reprit.

— Pour moi, tu resteras toujours ce que t'as été, mais tu l'es plus vraiment…

— Et alors ?

— Il faut bien que je m'y fasse.

Joseph reposa la cuillère sur la table, fixant sa mère, et la surprise débordait de ses yeux.

— Je veux faire de peine à personne, dit-il.

— Je sais, mais ce que je peux deviner, d'autres peuvent le deviner, c'est ce qu'il faut que tu comprennes aussi.

— D'autres ?

Elle agrippa les rebords de son assiette, la porta à ses lèvres, mais ne but pas.

— Valette… Fais attention à lui, dit-elle avant de boire.

— Je te promets.

Ils soupèrent en silence. Après avoir terminé leur soupe, ils frottèrent des gousses d'ail sur des croûtons de pain, qu'ils recouvrirent ensuite de lard, et mangèrent, toujours en silence.

Plus tard, Mathilde posa ses coudes sur la table, prit son visage entre ses mains, ferma les yeux et se mit à somnoler. Joseph n'osait bouger, de peur de la réveiller, écoutant sa respiration régulière, hypnotisé par la vue de cette femme laborieuse redevenue mère, avec ses longs cheveux dans lesquels disparaissaient les pointes de ses doigts épaissis par le travail et à la pulpe drapée de cal. Ses longs cheveux noirs qu'elle continuait de brosser chaque matin après sa toilette, se penchant d'un côté et de l'autre, tirant sur un peigne en écaille, afin de les dénouer dans la douleur. Il la trouvait belle, somnolente, ainsi vêtue de silence et de fatigue. Il la trouverait toujours belle, pensa-t-il. En un pareil moment, il aurait voulu commander au parquet de se taire, au balancier de la pendule d'arrêter son va-et-vient obsédant, au bois d'agoniser en silence dans la cheminée, et à son père d'apparaître enfin à la porte, pour les découvrir paisibles et confiants. Attendant son réveil. Père et fils liés par cette attente.

Joseph remonta le temps jusqu'à l'enfance, quand sa mère venait se coucher en chien de fusil contre lui pour l'aider à s'endormir, un bras passé autour de son corps malingre, comme si elle voulait le fourrer de nouveau dans son ventre. Il luttait alors pour ne pas sombrer dans le sommeil. Se sentait protégé, invulnérable. Redoutait de la sentir se décoller de lui, de voir sa silhouette floutée quitter la chambre sur la pointe de ses pieds nus, sans se retourner. L'enfant se retrouvait dans l'obscurité imparfaite, repoussant des ombres venimeuses et des présences imaginaires. Joseph, qui, un soir, à l'aube de ses cinq ans, avait mis un nom sur une ombre singulière, celle qui l'envelopperait tôt ou tard pour le ravir au monde des vivants, cette ombre démesurée qu'aujourd'hui encore il avait à combattre certaines nuits. Ce qu'une chouette lui avait confié depuis le rebord de la fenêtre, que le corps d'une mère était aussi fait pour protéger son fils des forces du néant.

Il tendit une main par-dessus la table pour gifler l'ombre ennemie qui commençait à enfler dans la pièce. Mathilde se réveilla sans heurt. Elle se frotta les yeux, et regarda son fils penché sur le plateau griffé en chêne.

— T'es pas encore au lit ? dit-elle.

— Je voulais pas te réveiller.

— T'aurais pas dû me laisser m'endormir.

— C'est que t'en as besoin…

— Allez, file !

Joseph disposa son verre et ses couverts dans son assiette.

— Je vais t'aider, dit-il.

— File, je te dis, j'en ai pas pour longtemps.

Il se leva, et s'en alla déposer son assiette dans une cuvette en fer-blanc.

— Maman ?

— Oui, dit-elle d'une voix lasse.

— Merci.

Mathilde passa une main dans ses cheveux, et la garda contre sa nuque, comme si elle voulait cacher quelque chose ou plutôt empêcher cette chose de sortir.

— Si jamais ton père est pas rentré au printemps, il faudra faire comme il dit et sûrement demander de l'aide pour les gros travaux.

— On y arrivera, et puis y a Léonard.

— Léonard est vieux.

— Je travaillerai autant qu'un homme, et même deux s'y faut.

— J'en doute pas.

C'était la première fois que Joseph entendait sa mère se projeter de la sorte, et une tristesse infinie s'empara de lui, sans qu'il voulût en connaître la raison.

— J'adore quand tu tiens mon visage entre tes mains.

— Tu n'as plus peur ?

— J'arrête pas de penser à toi.

— Et c'est bon ?

— Ce qu'y a de meilleur, mais faut quand même faire attention.

— Ne t'inquiète pas, personne ne viendra nous chercher ici.

— Qu'est-ce que t'es en train de faire, là ?

— Laisse-toi aller…

— Facile à dire.

— J'ai envie de sentir ta peau contre la mienne.

— Je sais pas si je suis prêt.

— Fais-moi confiance.

— C'est pas ça.

— Rien d'autre n'a d'importance, viens.

— D'accord.

— C'est bien.

— Aide-moi, alors.

C'était le deuxième jour de février.

Dans la remise, Valette prit une ficelle, fit une floque en s'aidant de sa main valide et de ses dents, puis passa son pouce droit à l'intérieur de la boucle et serra autant qu'il le pouvait. Il plaqua ensuite son pouce et la paume de sa main rognée contre le manche d'une masse de cinq kilos posée sur la table. Irène le regardait faire, réfrénant des élans de pitié trahis par de petits soubresauts des muscles de ses bras.

— Tu veux pas que je t'aide ? dit-elle.

Valette leva un regard noir sur elle.

— Je suis pas manchot à ce que je sache.

Il enroula plusieurs fois la ficelle autour de sa main, puis l'arrêta à l'aide d'un double nœud. Il laissa ensuite pendre la masse en bout de bras, secoua pour tester la solidité du lien, avant de déverser sur sa femme tout le mépris que contenaient ses yeux.

— Va chercher la petite ! dit-il.

— C'est pas à elle de faire ça.

— Discute pas, fais ce que je te dis ! Tu seras plus utile ici à tout préparer… et puis sa mère a sûrement pas assez de cran.

Irène hésita, regard farouche et suspicieux, désormais dénué de pitié, posé sur cet homme qu'il aurait été tellement plus aisé de haïr.

— T'es encore là ? dit-il.

Irène ouvrit la porte, et un vent glacé s'engouffra dans la remise. Elle sortit en laissant la porte ouverte. Valette la regarda s'éloigner, et un sourire étira son visage, comme une large encoche dans du bois sec.

Les trois femmes entrèrent bientôt à la queue leu leu. Triste procession. Valette se tenait de l'autre côté de la table, et on ne distinguait pas sa main lestée, tout juste le haut du manche de la masse, qui lui faisait comme une attelle fixée au poignet. Il dévisagea Anna, puis, d'un geste de la tête, désigna une bassine émaillée et un couteau à lame fine posés sur la table.

— Prends ça et suis-moi, dit-il.

Comme Irène ne bougeait pas, Hélène fit machinalement un pas en avant.

— Pas toi, dit-il.

Valette ne laissa pas le temps à Hélène de répondre. Il reprit, avec une moue qui n'avait rien de cordial :

— T'inquiète pas, elle risque rien, je vais bien m'en occuper.

Le regard las d'Hélène passa de Valette à sa fille.

— Y a plus de temps à perdre, dit-il.

Valette poussa la bassine en avant. La lame du couteau crissa contre l'émail. La jeune fille n'avait pas la moindre idée de ce qu'on attendait d'elle, mais elle saisit la bassine dans une main, le couteau dans l'autre, et suivit Valette dehors.

Ils longèrent les bâtiments. Leurs pieds s'enfonçaient dans la neige à chaque pas avec un craquement, comme un bruit de tissu qu'on déchire. Ils atteignirent le pignon nord, et s'arrêtèrent devant une porte faite de planches disparates. Du lisier suintait sous la base rongée, et derrière on entendait les grognements rauques d'un animal repu. La neige commençait tout juste à recouvrir un imposant plateau en bois garé devant la porte, muni d'un essieu central et de deux roues en bois que Valette avait fait rouler jusque-là et qui ressemblait à une grande brouette sans montants. À l'avant du plateau, il avait bricolé un mécanisme constitué d'un double réseau de cordages terminé par deux crochets, que l'on pouvait étirer ou rétrécir grâce à un jeu de poulies actionnées par une manivelle en ferraille. D'un pied, il le fit basculer en arrière, comme s'il se fût agi de la planche d'une guillotine destinée à recevoir le condamné.

Valette fit pivoter un anneau sur la porte, libéra la clenche, puis se tourna vers Anna.

— Tu refermes derrière moi et, quand je te dirai d'entrer, tu viens de suite avec ton attirail.

Anna regarda Valette d'un air ahuri.

— T'as compris, c'est pas trop compliqué ce que je te demande ?

— Oui.

— Bon, j'vais lui faire sa fête.

Valette pénétra dans la soue. Anna referma la porte aussitôt. Le porc vint renifler les jambes de pantalon de Valette, secouant ses oreilles ramenées sur son front, aux allures de visière ridicule, et son groin luisant était couvert de résidus crasseux et de blessures. Valette attrapa une brassée de paille fraîche provenant d'un cageot posé sur la poutre surplombant l'auge et l'étala dans un coin. Il guida ensuite l'animal vers la litière propre en lui parlant, comme s'il s'agissait d'un vieil ami. La bête suivit. Valette leva lentement la masse au-dessus de sa tête, attendit que le porc s'immobilisât, puis il lui asséna un coup en plein sur le front. Les pattes avant de l'animal cédèrent, il tenta de se redresser, patina un instant, avant qu'un second impact le cloue définitivement au sol.

— Ouvre ! cria Valette.

Anna obéit immédiatement. Elle découvrit le porc allongé sur la paille, encore agité de soubresauts, qui tentait de gueuler mais qui n'y arrivait pas, le crâne recouvert de morceaux de cervelle mélangés à des bris d'os et au sang. Valette s'interposa. Il tendit son bras au bout duquel pendait la masse.

— Coupe la ficelle !

Anna hésita. Elle tendit le couteau en avant, et s'interrompit, ne sachant comment s'y prendre pour ne pas blesser Valette.

— Dépêche-toi, nom de Dieu !

Elle glissa la pointe de la lame sous la ficelle avec précaution, et Valette tira son bras en arrière d'un coup sec. La ficelle se déroula, et la masse tomba en rebondissant sur le sol fangeux dans un bruit sourd, laissant apparaître le moignon exsangue. Sans attendre, il prit le couteau des mains d'Anna et s'agenouilla près du cochon agonisant.

— Approche-toi avec la bassine, dit-il.

Anna s'agenouilla à son tour. Valette repoussa la tête du porc sur le côté avec sa cuisse et cala le récipient contre le cou de l'animal.

— Tiens bien la bassine à deux mains, pour pas qu'elle se renverse… Surtout, tu flanches pas, dit-il sans relever les yeux.

Anna ne répondit pas.

— T'as pas peur, au moins ? Parce que c'est pas le moment.

Anna se mit à fixer une pointe à chevron fichée dans une poutre, là où pendait un insecte en train de se débattre dans une toile poussiéreuse. Une grosse araignée se tenait en retrait, observant la proie en délaçant ses pattes les unes après les autres, comme si elle était en train de les aiguiser avant la curée.

Valette planta la lame du couteau dans la gorge du cochon. Il fit une large entaille à la base du cou et remonta jusque sous la mâchoire inférieure, sectionnant l'artère au passage. Le sang jaillit dans la cuvette. Anna eut un mouvement de recul en voyant le liquide chaud qui éclaboussait ses mains par saccades. Elle ferma les yeux. Une odeur de métal froid pénétra ses narines. Valette ne cessait de l'observer en coin, et ses yeux rougis par l'alcool ressemblaient à des joints usés en caoutchouc.

— Flanche pas, répéta-t-il.

Valette abandonna le couteau sur la paille. À genoux chassés, il vint se placer derrière la jeune fille, buste contre dos, puis posa ses mains ensanglantées sur les avant-bras d'Anna et les fit coulisser jusqu'aux mains. Il se pencha ensuite en avant pour lui parler à l'oreille d'une voix douce, qui glaça la jeune fille, pendant que le sang continuait de s'écouler faiblement de la gorge du porc, comme le trop-plein d'une source.

— Là, c'est bien, faut surtout rien perdre, tant que ça coule encore, dit-il.

Le souffle de Valette s'enfonçait dans la chevelure d'Anna. Son haleine puait l'ail et l'alcool, et son corps le rance. Prisonnière de Valette, elle avait envie de fuir, d'aller se soulager dans la neige et le froid, et la vue du sang n'était rien au regard de cette infernale promiscuité.

Le ruisselet de sang finit par tarir. Valette relâcha sa prise en s'attardant sur les poignets d'Anna badigeonnés de sang, puis se redressa en poussant un long soupir de contentement.

— Je dois reconnaître que t'es plutôt courageuse pour une fille de la ville. Porte ça aux femmes pour faire les boudins, et fais attention à pas te casser la figure en route. Le sang, c'est précieux.

Anna se releva en tremblant. Valette ouvrit la porte, et elle sortit, aussitôt accueillie par une bourrasque de neige. Elle se mit à progresser d'une démarche fébrile, bras tendus afin de voir où elle mettait les pieds, empruntant les traces laissées à l'aller, les mains gantées de sang séché. Elle serrait les mâchoires pour ne pas éclater en sanglots, implorant la folle tension de retomber dans son corps, et le liquide d'un noir épais se balançait à l'intérieur de la bassine.

Valette ramassa le couteau. Il sortit en nettoyer la lame souillée avec une poignée de neige, et le déposa sur le plateau. Un fin grésil cinglait son visage et faisait battre ses paupières. Il dévida la corde du plateau, tirant sur les crochets, et retourna dans la soue. Il incisa ensuite les pattes du cochon entre les tendons, bien au-dessus des ongles, inséra les crochets à l'intérieur des coupures. Puis, il retourna au plateau pour hisser l'animal à l'aide de la manivelle. Une fois le cochon positionné, il enflamma un fétu de paille, et le promena sur la peau, s'aidant du couteau propre pour racler les soies calcinées, en attendant que les femmes arrivent.

Quand elles l'eurent rejoint, elles l'aidèrent à tirer le plateau jusqu'à la remise. Ils suspendirent ensuite le porc à une poutre roussie munie de deux anneaux rouillés, tête en haut, tirant la masse inerte par à-coups, comme des sonneurs aux ordres de Valette. Une fois suspendu et arrimé, le cadavre se balança un court instant. Valette ressortit. Il revint peu après en traînant une brouette, qu'il positionna sous la carcasse. Il planta alors la lame du couteau sous la gorge béante, et éventra le cochon en descendant jusqu'au pénis tirebouchonné. Des entrailles violacées et puantes dégoulinèrent de l'entaille, tels de gros furoncles purulents. Valette les fit tomber dans la brouette, tirant à lui les intestins boursouflés de fientes à divers stades de formation, coupant toujours avec précision. Lorsqu'il en eut terminé, avec la brouette il prit la direction du tas de fumier, accompagné du chien affamé qui sautait comme un cabri autour des viscères fumants.

Au retour, Valette s'arrêta devant la maison. Il entra se servir deux généreuses rasades de gnole, puis revint dans la remise. Là, il s'essuya les mains sur un chiffon, se roula une cigarette, et la fuma tout en aiguisant des couteaux de différentes tailles et une machette sur un fusil. Observant Irène en train de retirer les dernières soies fixées à la couenne, grâce à un racloir et de l'eau bouillante qu'elle demandait à Hélène de verser régulièrement d'une voix rogue, Valette grimaçait en rejetant des buissons de fumée par le coin de sa bouche. Ses petits yeux, agacés par les volutes, se détournèrent des deux femmes pour se poser sur Anna, prostrée face à la carcasse glabre et immobile, fendue par le milieu.

Trois jours durant, la communauté des Grands-Bois s'employa à ne rien perdre du cochon, le transformant en pâtés, boudins, jambons, saindoux et toutes sortes de viandes. Durant tout ce temps, Anna fit en sorte de ne jamais s'éloigner de sa mère, tant le souvenir des mains de Valette sur sa peau et le souffle fétide dans son cou l'emplissaient d'un immense dégoût et d'une immonde terreur.

Irène se réveilla en sursaut, le souffle coupé. Assise sur le lit, elle étendit la main et toucha l'épaule de Valette qui cessa de ronfler le temps de se tourner sur le côté. Ce contact la ramena définitivement à la vie auprès de ce mari, dans l'obscurité de la chambre. Pour autant, la véritable obscurité se trouvait dans ce rêve qu'elle venait de vivre, dans cette nuit pilonnée par un horrible cauchemar, dont elle se souvenait dans les moindres détails, comme si les viscères du porc venaient seulement de lui révéler l'avenir. Irène avait vu Eugène allongé dans la boue. Un drôle d'ange aptère, penché au-dessus de son corps mourant, lui tenait la main et semblait lui parler. Son enfant ne reviendrait pas de la guerre.

Gamine, Irène avait appris à recueillir les signes, remplissant ainsi son cerveau malléable de vérités incontestées, qui toutes affirmaient que rien ne se passait sans raison, que Dieu décidait de tout au final. Ici plus qu'ailleurs, le bon Dieu ne laissait le choix à personne de ne pas croire en lui, et précisément il ne décidait rien à la légère, libérant à confesse les âmes de l'ivraie diabolique. C'était entendu, dès la naissance, le Très-Haut avait un but pour chaque être humain et faisait en sorte qu'il le menât à bien. En cela résidait l'ultime dévotion, traverser un monde dévoyé pour rejoindre tôt ou tard un royaume des cieux tant convoité. Depuis son rêve de mort, Irène savait ce qu'Il attendait d'elle pour que se réalisât son destin, quoi qu'il pût lui en coûter.

Elle ferma alors les yeux. Elle n'entendait plus les ronflements de Valette, simplement consciente de sa propre respiration, cet effort démesuré qu'elle mettait à faire entrer un peu d'air dans ses poumons, quand l'en extraire n'en présentait inexplicablement aucun. Elle n'irait pas contre sa destinée, demeurerait à sa place, avec ce qu'il faudrait de lutte, et Il l'aiderait à y parvenir.

Penchée en avant, les mains posées sur ses cuisses, dans ce lit berceau où elle avait mis Eugène au monde, et même failli en mourir, dans cette pièce où chacun de ses cris était incrusté à l'intérieur des murs et du bois, elle sut qu'elle n'avait pas souffert en vain, que nul ne souffrait en vain, et que lui non plus ne souffrait pas pour rien. Puisqu'il mourait, là-bas, couvé par une étrange forme sans visage.

Elle n'était pas femme à demander des comptes à Dieu. Cela lui suffisait amplement d'en demander aux hommes, toujours en silence, se préservant ainsi de tout blasphème. Tout comme les femmes, les hommes sortaient eux aussi du ventre d'une mère en gémissant, mais ils se prenaient pourtant à se croire plus grands que des hommes dès qu'ils avaient quelques muscles à fourbir contre plus faible, tellement puissants quand ils frottaient leur sexe bandé entre des cuisses pour y enfouir leur éternelle gloire, la révélation dans une simple giclée de foutre cheminant à contre-courant du mystère inoubliable des femmes. Les hommes, qui avaient besoin de boire entre deux ruts pour échapper à leur propre pesanteur, se donner du courage, si pesants, même dans leur sommeil. Ces hommes, qui ne portaient pas les enfants, qui ne les porteraient jamais.

Irène se leva sans réveiller son mari. Elle en avait terminé avec sa nuit, avec le rêve dans sa nuit. Se sentait presque soulagée, marchant dans la cuisine, drapée d'une longue chemise de nuit collée à sa peau par la sueur s'écoulant entre ses seins faméliques et le long de sa colonne vertébrale. Elle pinça le tissu rêche entre deux doigts et le tissu se recolla aussitôt lorsqu'elle le relâcha.

De l'autre côté de la fenêtre aux volets clos, la lune était de retour, pleine et grasse, et sa lumière entrait par les embrasures, révélant le monde auquel appartenait Irène, les meubles austères et tous les ustensiles sédimentés dans la pièce. Point crucial, elle se plaça dans cette lumière de sorte à tourner le dos à ce monde matériel, mains jointes au-dessus de sa tête, puis elle s'agenouilla, pleura et pria.

Irène s'avança dans l'église déserte, entre les bancs de bois, dans la froide lumière. Elle s'immobilisa près de l'autel, sous la plus haute voûte, raide comme un tronc, puis pencha sa tête en arrière. Elle vit les chérubins potelés qui flottaient à l'envers sur les pierres, et l'un d'eux avait une jambe rongée par l'humidité. Ils se souriaient.

Irène bascula en avant, s'agenouilla face à l'autel, puis ouvrit ses mains et les amena sur son ventre pour tenter de dissiper son malaise grandissant au revers de son rêve. Telle une sainte devant le tombeau du Christ, hésitant à l'ouvrir au risque de découvrir le fils transpercé, hésitant aussi à laisser la porte fermée sur le grand mystère de la foi. Hésitante, mais prête à tous les sacrements, à tous les sacrifices, prête à oublier la souffrance éternelle figée dans une attitude de cire, à oublier les représentations émaillées de la Passion selon Saint-Jean, et aussi les flammes désinvoltes consumant des fagots de cierges piqués sur des planches de fakir. Elle marchanda alors son âme à Dieu, afin qu'il lui vînt une nouvelle fois en aide, persuadée qu'il lui répondait quand une ombre traversa la nef avant de disparaître par un vitrail. Elle, qui avait toujours plus parlé au Fils qu'au Père, qui avait tout accepté de lui sans jamais vraiment comprendre comment on pouvait sacrifier un fils pour sauver tous les autres, se prit d'une folle espérance. Elle dit une longue prière, répétée la nuit passée sur le sol battu de la maison, une prière inventée de toutes pièces, qu'elle livra dans toute la splendeur de son espoir naissant. Femme souriant au seul maître des lieux, mains jointes désormais, comme deux portes sacrées emprisonnant l'espoir. Il ne l'abandonnerait pas. Elle sentait déjà quelque chose frémir dans les plus lointains horizons de sa chair, Le sentait frémir. Il ne l'abandonnerait pas, Il ne l'abandonnerait jamais.

Puis elle s'en retourna, posant et retirant ses chaussures cloutées sur les dalles creusées par tant d'eucharisties, silhouette dolente, comme dépossédée d'une forme de douleur. S'en fut par la route et les chemins, peinant à traîner ce corps d'enfant qui ne la quitterait plus, cet enfant que personne ne lui prendrait.

Hélène et Anna étaient parties se coucher. Valette fumait une cigarette en observant les volutes qui s'éparpillaient en direction du plafond comme des myséliums en croissance, pendant que sa femme allait et venait dans la cuisine, ne la regardant pas, tirant consciencieusement sur sa cigarette en pensant à la fille d'un frère qui ne lui était plus rien.

Une fois qu'elle en eut terminé, Irène jeta un bref coup d'œil à son mari. Il mâchouillait désormais le mégot éteint, le faisant aller du coin au centre de sa bouche avec sa langue. Puis elle versa un demi-seau d'eau dans une cuvette.

— Tu viens pas te coucher de suite, dit-elle sèchement.

Il ne répondit rien, cracha le mégot par terre et cracha de nouveau, une salive brune cette fois. Irène hocha la tête de dépit. Elle transporta la cuvette jusqu'à la chambre et la posa sur le plancher avant d'allumer la lampe. Ensuite, elle ouvrit les deux battants de l'armoire, en sortit un gant de toilette et une serviette propres, puis se dévêtit. Se courbant nue pour accrocher la serviette au montant d'une chaise tout près, elle vit se dessiner un reflet maladroit sur le fer-blanc de la cuvette. Se redressa, glissa sa main à l'intérieur du gant, et vint s'accroupir au-dessus de la cuvette afin de laver méticuleusement son entre-jambe en regardant droit devant elle le mur parcouru de lézardes, pliant les genoux, frottant le crin épais de son sexe rougi. Ses ablutions intimes terminées, elle tendit le bras, attrapa la serviette et s'essuya longuement, puis replia le linge en deux pans égaux, le suspendit au dossier de la chaise, et plaqua le gant humide par-dessus. Elle enfila ensuite une chemise de nuit et retourna à l'armoire, ouvrit un tiroir d'où elle sortit une courte branche de buis, bénie en son temps aux Rameaux, ceinte d'un cordon doré, et elle l'embrassa en balbutiant des mots tellement rapprochés qu'ils en étaient inaudibles, *je vous salue Marie, pleine de grâce vous êtes bénie entre toutes les femmes et Jésus le fruit de vos entrailles est béni…*, puis remit la branche à sa place, repoussa le tiroir et ferma les portes de l'armoire, comme elle l'aurait fait d'un reliquaire.

Avant de se coucher, elle épia un instant les bruits de la maison. Elle rejeta ensuite le drap et la couverture en arrière, grimpa sur le lit en posant un genou après l'autre et s'allongea sur le dos, attendant.

La lampe brûlait quand Valette entra dans la chambre, surpris de trouver sa femme alitée, les yeux grands ouverts, aussi figée qu'une plaque gravée sur une pierre tombale.

— T'es malade ? dit-il.

— Non, dit-elle sans bouger.

— C'est pas ton habitude de te coucher si tôt.

— Tu vois.

— T'as pourtant pas l'air dans ton assiette.

Elle fit rouler ses yeux vers lui, des yeux immenses et vides de toute expression.

— Viens te coucher et éteins, dit-elle.

Il se déshabilla, gardant son caleçon et son tricot de peau, éteignit la lampe, puis s'allongea à son tour en lui tournant le dos, un bras sous la tête. Irène laissa le silence se répandre, et se mit à parler d'une voix enrouée :

— Prends-moi !

— Quoi ?

— Prends-moi ! répéta-t-elle, cette fois clairement.

Il bascula sur le dos.

— Tu veux que…

— Tout de suite, j'te dis.

— Qu'est-ce qui t'arrive ?

— Arrête de poser des questions et viens sur moi, bon sang, je ferai ce qu'y faut.

Valette ne bougea pas.

— Ça fait des semaines que tu te refuses, et ce soir tu me parles comme si t'avais subitement le feu.

— De quoi tu te plains ? dit-elle agacée.

Elle releva sa chemise de nuit jusqu'au pubis, plia les jambes et les écarta sans desserrer son regard.

— Tu te décides, ou j'ai plus qu'à m'endormir.

Valette bandait, malgré lui. Il retira son caleçon, se mit à quatre pattes, puis se glissa entre les cuisses de sa femme et cracha dans sa main pour s'enduire le sexe de salive. Il voulut remonter la chemise de nuit plus haut pour faire sortir les seins, mais elle le repoussa, saisit sa verge gonflée dans une main et la guida entre ses lèvres sèches. Quand il la pénétra violemment, elle se mordit les lèvres au sang, se retenant de crier. Il se mit à aller et venir à grands coups de reins. « T'arrête pas, c'est bien », dit-elle, « c'est bien », répétait-elle.

Valette jouit dans un râle au bout d'une poignée de secondes, et s'effondra aussitôt après sur sa femme, comme sur une vulgaire paillasse. La brève saillie terminée, du pied, Irène fit rouler la masse inerte à bas d'elle avec un grand soupir. Puis elle resserra les cuisses, aussi fort que possible pour empêcher la semence de s'écouler au dehors, rajusta sa chemise de nuit, posa ses deux mains sur son ventre, et ferma les yeux au milieu de la nuit noire.

Elle lui permettrait de recommencer autant de fois que nécessaire. Elle n'était plus de première jeunesse, mais n'avait pas encore quarante ans. Ce qu'elle avait tiré de son ventre une fois pourrait bien en sortir une seconde. Elle retournerait prier à l'église pour cet accomplissement, irait aussi voir quelqu'un qui pourrait l'aider à mettre toutes les chances de son côté. Rien d'autre ne compterait plus que cette promesse faite à elle-même. Certes, elle avait conscience de ne pouvoir remplacer Eugène, mais en superposant une vie nouvelle sur une autre enfuie, elle espérait l'effacer un peu et, ainsi, peut-être, survivre à son absence. Elle pensa alors à la Vierge Marie rencognée dans une niche de l'église, à l'enfant Jésus dans ses bras, et elle lui parla dans sa tête, comme à une sœur.

D'un côté de la cheminée il y avait un coffre qui servait aussi de banc, et de l'autre il n'y avait rien. Lucie tricotait, assise sur le banc. Léonard laissa tomber une brassée de bois sur la grande pierre grise devant l'âtre, jeta deux bûches dans le foyer, puis frotta les manches de sa veste pour en faire tomber les résidus d'écorce et de mousse séchée.

À soixante-dix ans, Lucie ne sortait presque plus de la maison, sinon avec ses deux cannes fabriquées par Léonard, à cause de ses hanches ravagées par l'arthrose et aussi du poids excessif de tout son corps. Ainsi avachie, elle ressemblait à un énorme crapaud à l'affût d'un insecte passant à sa portée, ou de quelque autre éventualité sortie des flammes. Ses lèvres lippues tremblaient un peu et, de ses petits yeux vifs, elle suivait un chemin de mailles en tenant des comptes précis dans sa tête.

— Y a quelqu'un pour toi, dit-il au bout d'un moment.

La vieille femme n'eut pas la moindre réaction. Le rythme des aiguilles s'accéléra. Léonard se cala contre le manteau de la cheminée et bourra une pipe en regardant brûler le bois.

— Je peux lui dire de s'en aller, si tu veux, dit-il.

— Qui ? demanda-t-elle, sans quitter son ouvrage des yeux.

— La femme de Valette.

La vieille posa ses aiguilles en croix sur ses jambes, jeta un coup d'œil à la porte, puis regarda Léonard avec défiance.

— J'y vais, dit-il.

Léonard tira sur sa pipe et sortit. Un courant d'air refoula à l'intérieur la fumée qui demeura suspendue une fois la porte refermée, comme un brouillard odorant. Lucie se leva pesamment, souleva le couvercle du coffre et attrapa une pelote de laine. Quand elle se rassit, Irène était déjà entrée. Elle ne s'avança pas plus loin que le coin de la table, visiblement mal à l'aise.

— Bonjour, dit-elle en fixant le sol.

La vieille femme ne répondit pas. Elle jeta un regard dur à Léonard qui se tenait en retrait, comme un majordome décrépit attendant un ordre.

— Laisse-nous, dit-elle.

La porte claqua de nouveau. Lucie désigna du menton une chaise. Irène s'assit avec empressement, laissant reposer ses avant-bras sur ses cuisses. La vieille se remit à tricoter comme si de rien n'était, puis s'interrompit brusquement au bout de quelques secondes, tendant alors une aiguille en direction d'Irène.

— Pourquoi tu veux en faire un autre ? dit-elle abruptement.

Irène eut un mouvement de recul.

— Un autre ?

— Un petit, c'est bien pour ça que t'es là ?

Irène se figea, et on ne voyait que ses grands yeux ouverts sur son visage livide.

— Comment…, parvint-elle seulement à dire.

La vieille femme sourit, apparemment pas mécontente du petit effet produit par sa prédiction. Sa lippe sembla se décrocher du reste de sa bouche en même temps qu'elle se penchait en avant vers les flammes.

— C'est moi qui pose les questions, ma petite, et c'est pas toi.

Les mots sifflaient en sortant de sa bouche édentée, à cause du trop-plein d'air. Le foyer éclairait maintenant distinctement son visage. Son menton était piqueté de longs poils blancs torsadés et luisants, et ses grosses joues gélatineuses frémissaient lorsqu'elle parlait, et après qu'elle eut fini elles tremblaient encore.

Irène décolla son dos du dossier de la chaise.

— Vous pouvez m'aider, ou pas ? dit-elle.

— Je t'ai déjà dit que c'est moi qui pose les questions, si t'as pas encore compris ça, va-t'en de suite.

Lucie attendit un moment pour vérifier que l'autre avait bien saisi.

— Pourquoi tu laisses pas la nature décider ? dit-elle.

— La nature, elle a jamais été trop de mon côté, jusque-là.

— Valette est au courant que t'es là ?

Irène hésita avant de répondre.

— Non !

— Il est même sûrement pas au courant de ce que t'as l'intention de faire, pas vrai ?

— Ça me regarde.

— Maintenant que t'es chez moi, ça me regarde aussi un peu.

— Je dis pas le contraire.

— Encore heureux.

Irène regarda la vieille d'un air contrit.

— Alors !

— Si je me souviens bien, t'as déjà failli y rester quand Eugène est né.

— C'est du passé.

— Du passé qui peut revenir, surtout que l'âge arrange rien.

— Je suis décidée à prendre le risque.

— Tu sais très bien que, si ça se passe mal, ça me retombera dessus. Valette c'est pas un tendre.

— Il le saura jamais.

Lucie prit un temps. Elle posa un regard éteint sur les flammes qui dansaient tranquillement.

— Tout finit par se savoir, ici, dit-elle.

— Je peux te signer un papier pour pas que t'aies d'ennuis.

Un rictus bouscula le visage de la vieille, comme si elle venait d'encaisser une gifle.

— Tu dis que tu veux me signer un foutu papier. N'importe qui jurerait que c'est un faux, pour tout le monde je suis qu'une rebouteuse.

— J'ai fait attention à ce que personne me voie, je t'assure.

— C'est pas compliqué de lire en toi, un vrai livre ouvert que t'es.

— Ça risque rien, avec lui…

— Tais-toi !

Irène se pencha en avant et démaria ses mains.

— Tu as raison, il sait pas que je veux un autre petit.

— Vous devez bien faire ce qu'il faut pour.

— Un homme, ça prend, ça cherche pas plus loin, et le mien il est pas du genre à se poser des questions quand y a pas lieu…, lui encore moins qu'un autre.

La vieille femme hocha la tête en triturant ses aiguilles.

— Ça fait un sacré moment qu'on m'a pas demandé une chose pareille, dit-elle.

— Je t'en prie, dit Irène, la voix empâtée de salive.

Lucie laissa de nouveau passer un moment, puis elle désigna un pan de mur.

— Tu vois cette étagère, au-dessus du buffet ? dit-elle.

Irène pivota dans la direction indiquée.

— Je la vois, dit-elle.

— Passe-moi le deuxième cahier en partant de la gauche.

Irène se leva, s'en alla attraper un cahier à la couverture râpée et revint le tendre à Lucie. La vieille commença à le feuilleter, passant son index sur sa langue avant de tourner chaque page. Une fois qu'elle eut trouvé ce qu'elle cherchait, elle se mit à suivre les lignes de la pointe du doigt. Puis elle leva les yeux sur Irène, et, d'une voix sentencieuse, elle dit :

— T'es prête à faire tout ce que je vais te dire ?

— Je demande que ça.

— C'est pas une garantie, mais y en a plus d'une pour qui ça a marché.

— Je t'écoute, dit Irène impatiente.

La vieille femme récita une recette à base de divers ingrédients. Elle la répéta en ralentissant son débit.

— Tu veux pas noter tout ce qu'y faut, tu te rappelleras ? dit-elle.

— Y a pas de danger que j'oublie…

— La racine de *clandestine* est essentielle.

— Je sais où en trouver.

Lucie referma le cahier. Elle renversa une main ouverte sur la couverture, comme le fait une mendiante à la quête, puis elle ajouta :

— Avant, faut quand même que tu saches si t'es encore fertile.

— Je sais que je le suis, dit Irène, comme si une guêpe venait de la piquer.

— Y a qu'une façon de savoir, ma petite.

— Dis-moi ?

— T'auras qu'à éplucher une gousse d'ail et la fourrer où tu sais avant de te coucher. Si au matin t'as le goût dans la bouche, c'est que t'es prête.

— Je le ferai.

— Bon, j'aurai aussi des choses à dire quand tu seras partie.

— Tout ce que tu voudras…

La vieille femme leva une main en l'air pour faire taire Irène.

— Pour que ça marche, tu dois rien me cacher.

— Je te cache rien, dit Irène avec un léger tremblement dans la voix.

— T'es bien sûre ? dit Lucie en fermant le poing et en le ramenant aussitôt dans son giron.

— Oui, j'en suis sûre.

Lucie observait Irène, comme si elle attendait quelque chose qui ne venait pas.

— T'en sais peut-être plus long que moi, ajouta Irène, visiblement agacée par le silence.

— Allez, va !

Irène ne bougea pas.

— Combien ? dit-elle.

— Il sera temps d'en reparler quand tu seras grosse, si jamais tu l'es.

— Merci.

— Range ça, dit la vieille en tendant le cahier.

Irène se recroquevilla sur elle-même, prit appui sur ses cuisses avec ses mains, et se leva. Elle replaça ensuite le cahier sur l'étagère, puis sortit sans un mot.

Lucie ne détourna pas son regard des aiguilles à tricoter. Elle entendit la porte claquer. Secoua alors la tête d'un côté et de l'autre en se parlant tout bas, puis saisit de nouveau les aiguilles, qui se remirent à cliqueter, accordées aux crépitements du feu dans la cheminée.

Lucie croisait toujours les fers enrubannés d'un fil de laine écrue. La lueur dispensée par les hautes flammes badigeonnait son visage, ses mains et les aiguilles dans ses mains, de teintes chaudes, et la quasi-totalité de son corps semblait au repos, comme si toute l'énergie qu'elle était capable de mobiliser ne pouvait qu'alimenter les extrémités virevoltantes qu'étaient ses doigts. Un châle dont elle ne saurait que faire.

Léonard s'assit d'un côté de la table, pas en bout comme à son habitude, la cheminée à sa droite. Il posa son chapeau à l'envers sur le plateau, et pencha la tête en avant. Ses mains, partiellement repliées, ressemblaient à des souches arrachées, aux troncs sectionnés au niveau des manches de drap noir. Il fit glisser ses pieds sur le sol, et ses talons se bloquèrent dans l'espace creusé entre deux dalles, avec un bruit de clenche qui claque sur une gâche, puis il releva la tête, défit le dernier bouton de sa veste et passa le plat de sa main sur son visage, de haut en bas. Inspira.

— C'est pas tous les jours qu'on voit un Valette par ici, dit-il.

Lucie laissa traîner un silence, puis, sans tourner la tête, elle dit :

— Ça veut rien dire.

— Tu trouves ?

— Elle était pas là en tant que Valette.

— C'est quand même ce qu'elle est.

— Elle peut pas être tenue pour responsable de son homme.

— Elle vit avec.

La vieille leva les yeux de son ouvrage. Elle contemplait le feu.

— Tu l'aurais pas laissée entrer, toi, dit-elle.

— J'aurais fait ce que j'avais à faire…

— Ce bon Léo aurait pas secouru une âme en peine, c'est le monde à l'envers, ajouta-t-elle d'un ton moqueur.

— Sa peine, c'est le cadet de mes soucis… j'oublie rien.

Lucie se tourna vivement vers son mari, et elle le regardait comme s'il venait de dire une absurdité.

— Au fond, est-ce qu'on connaît les gens avec qui on vit ? demanda-t-elle.

— Si on fait un peu attention à eux.

— Et moi, je crois que tu dérailles de trop, là.

Léonard hocha la tête, désignant une chaise vide.

— Elle te voulait quoi ? questionna-t-il.

Lucie ne répondit pas.

— Quelqu'un est malade ? demanda-t-il.

— Tu sais très bien que je te dirai rien.

— Quand même, j'en reviens pas que t'aies accepté.

— T'en sais rien, de ce que j'ai accepté ou pas, s'emporta Lucie.

Léonard se leva. Il se dirigea vers l'étagère sur laquelle reposaient des cahiers, puis repoussa le dos du deuxième en partant de la gauche.

— J'aime bien que les choses reviennent exactement à leur place, dit-il en s'attardant sur le rayonnage.

Lucie accéléra le mouvement de ses doigts conduisant les aiguilles et le fil. Léonard revint s'asseoir à la même place, visage terne, vierge de toute expression, les mains repliées l'une sur l'autre, embringuées dans un lent frottement rocailleux.

— On n'est pas plus avancés qu'au début, pas vrai ? dit-il.

— Tu parles à qui, là ?

— La fin approche pour tous les deux.

Léonard effleura le bord de son chapeau avec un doigt.

— Tu te souviens pas… de ce qu'on se disait au début ? dit-il.

— Au début de quoi ?

— Fais pas semblant.

Les aiguilles arrêtèrent de s'entrechoquer.

— Ç'a pas duré bien longtemps, dit-elle.

Léonard repoussa vivement le chapeau, qui glissa sur la table, hors de sa portée.

— On s'est dépêchés de vivre… après, dit-il.

— Arrête avec ça !

Il releva brusquement la tête, nuque raide, regard fixé au bahut sur lequel était posée une boîte renfermant deux dents de lait.

— Chacun de notre côté, on était pressés d'arriver à la fin, dit-il.

— Arrête, je te dis, j'ai plus envie de t'écouter…

— Ça change rien que t'aies envie ou pas.

— C'était ce qu'on avait de mieux à faire, que ça se termine au plus vite. Tu sais très bien que les promesses pèsent pas lourd dans notre maison.

— De n'importe quelle manière, on pouvait pas s'en sortir, c'est ce que t'es en train de me dire ?

— Non, on pouvait pas.

— On n'a peut-être pas tout essayé.

Incapable de se concentrer, Lucie posa son ouvrage sur ses cuisses, et lança un regard plein de mépris à son mari.

— Il est trop tard aujourd'hui, ça sert à rien de regretter, dit-elle.

— Parce que t'as décidé ça toute seule, dit Léonard en élevant la voix.

— Je cherche pas à faire revenir ce qui existe plus, moi.

— Vas-y, crache ce que t'as à dire, qu'on en finisse une bonne fois pour toutes !

— Tu crois que je suis aveugle ! Tout ce que t'as l'impression de faire pour les Lary, c'est pour toi que tu le fais en vrai.

Un rictus déforma la bouche de Léonard, mais rien ne sortit sur le moment.

— Tu te crois meilleure que moi, j'imagine, finit-il par dire.

— Meilleure, je le suis sûrement pas, mais au moins je mens pas plus à moi qu'aux autres.

— Je fais de mal à personne, à ce que je sache.

— T'es sûr de ça ?

Léonard déplia ses mains, comme s'il eût voulu les comparer, ou plutôt se convaincre de leur utilité, puis les replia en se raclant la gorge.

— Je me pose pas la question, dit-il d'une voix faible.

— Tu devrais peut-être.

— Pour quoi faire ?

Lucie ne quittait plus son mari de ses yeux brûlant de colère.

— Sors d'ici et regarde autour de toi, y a rien à retenir et personne retiendra rien.

Léonard serrait les mains à s'en faire exploser les phalanges, et une multitude de petites crevasses brunes zébraient les osselets.

— Et la terre, notre terre, elle restera, elle, dit-il.

— La terre, c'est là où on finit tous, mon pauvre vieux, un point c'est tout…

— D'autres la retourneront après nous, ils en prendront soin, tout comme on l'a fait.

— D'autres…

Lucie s'interrompit. Son regard changea brusquement, toujours dirigé vers son mari, mais ne le voyant plus, voyant le vide à travers lui.

— Pas ceux qu'on voudrait, que tu la vendes ou que tu la donnes, ta terre…, pas ceux qu'on voudrait, dit-elle.

Visage plongé dans l'ombre, la femme égrenait un épi de maïs face à Joseph. Elle était assise, jambes écartées, afin de recevoir les grains sur le pan tendu de sa robe, tenant fermement l'épi qu'elle dépeçait du pouce, avant de jeter au sol la rafle inutile, pendant que les gouttes dorées et solides s'accumulaient sur la toile de son vêtement.

Joseph ne se rappelait plus de qui il s'agissait, où la scène avait eu lieu, ni à quel moment précis de son enfance. Se souvenait simplement de la tension brûlante qui l'avait irradié, lorsque son regard attiré s'était glissé sous le pan de la robe, entre les cuisses de la femme, ne lui révélant qu'un corridor obscur, une image fantasmée dont il s'était nourri quelquefois, seul dans son lit, enfoui sous un édredon pesant comme un corps.

La vision de la femme égrenant le maïs, visage perpétuellement dans la nuit, une émotion qu'il n'oublierait jamais, cette femme qu'il avait un temps soupçonnée d'être sa propre mère, et qui était bien plus que ça.

Désormais, la vision s'était estompée, laissant place à celle d'Anna, qui jouait de ses charmes, comme un papillon sorti du cocon s'en va colorer le ciel. Une faim charnelle les portait l'un vers l'autre. Joseph n'en croyait toujours pas ses yeux. Lorsqu'ils étaient ensemble, ils ne parlaient jamais de leur vie à Chantegril, ou aux Grands-Bois, des pressions différentes qu'ils subissaient. Ils n'avaient pas de temps à perdre. Trop impatients de recevoir la beauté dans un même appétit.

Ils auraient pu se contenter de se regarder, laisser leurs visages refléter leur bonheur. Ils auraient pu faire cela éternellement, et Joseph s'en serait tenu à cette éternité-là, mais Anna finissait toujours par avancer sa main la première pour libérer les faims en un sublime blasphème, révéler son désir à ce garçon qu'il fallait encore convaincre de sa fortune. Habitants alors d'un monde à eux seuls, un monde impertinent, qu'ils exploraient en même temps qu'ils le créaient.

— Je suis bien avec toi.

— Moi aussi, je suis bien…

— Tu connais des prières ?

— Oui, j'en connais.

— Une belle prière, je veux dire.

— Pourquoi tu me demandes ça ?

— Ça serait bien que t'en dises une.

— Plus tard…

— Alors, dis-le-moi encore !

— Quoi ?

— Que tu m'aimes, on dira que c'est la plus belle des prières.

— Je t'aime.

— Arrête pas.

— Je t'aime…

— Arrête jamais.

Elle marchait dans la neige épaisse, se servant de ses bras comme d'étais, s'appuyant tantôt à droite, tantôt à gauche sur la brume figée, et son souffle semblait faire fondre l'air en creusant un tunnel par où elle s'engouffrait. La frange qui dépassait de son bonnet avait gelé, et les cheveux sur son front ressemblaient à de petites arêtes enchevêtrées prêtes à se briser. Cheminant ainsi, elle pressait souvent une narine, puis l'autre, se mouchait pour en expulser une morve claire sur la neige avant qu'elle ne se transforme en stalactites, plissant aussi les yeux pour offrir le moins de prise possible aux particules givrées qui s'envolaient à la moindre bourrasque, légères comme du pollen. Ahanant, peinant à chaque fois qu'elle retirait un pied de la couche de poudreuse, elle cherchait des repères connus pour se donner du courage, la sensation d'une progression qui ne serait pas vaine, cette mission assignée de porter au plus vite les nouvelles enfermées dans sa sacoche en cuir, et même éperdument, au regard de la sage patience du monde en dormance.

Jeanne avait repris le flambeau en décembre, à la mobilisation de son mari, parti rejoindre au front leurs trois fils. En ce jour, la dernière lettre de sa tournée était pour les Valette. Au mieux, deux heures de marche étaient nécessaires pour rejoindre les Grands-Bois depuis le village, et encore, sans faiblir. En temps normal, il fallait trente minutes à vélo pour monter là-haut, et pas la moitié pour en redescendre. À un moment, elle voulut couper par la passe du Bélier pour gagner du temps, s'enfonça jusqu'à mi-cuisse après quelques pas, et rebroussa chemin pour retrouver un peu de stabilité.

Enfin parvenue à la ferme des Valette, Jeanne rajusta la courroie de la sacoche, comme un soldat vérifiant sa tenue avant une revue d'effectifs. La cour était décapée sur deux mètres de large, des piles en pierres chapeautées de neige jusqu'à la porte d'entrée. Des cristaux de verglas brillaient sur le sol, telle une étroite et maigre banquise, et de hautes congères s'élevaient de part et d'autre à hauteur de hanche. Puis, Jeanne s'avança prudemment vers la maison, prenant garde de ne pas glisser.

Elle frappa à la porte. Irène lui ouvrit presque immédiatement. Les deux femmes se saluèrent pour la forme. Irène toisait la factrice fourbue, comme si elle voulait la renvoyer sans ménagement d'où elle venait, petite messagère engoncée dans ses vêtements trempés jusqu'à la taille. Jeanne releva le rabat de la sacoche, d'où elle sortit la lettre qu'elle tendit aussitôt à Irène, et l'autre la regarda un moment sans bouger et dit :

— T'aurais pu attendre qu'il fasse meilleur temps pour monter.

— J'ai l'habitude, et puis ç'a pas l'air de vouloir s'arranger.

— Tu veux pas entrer te réchauffer un peu ?

— Non, il me tarde de retourner chez moi. Une autre fois, je dis pas.

— Comme tu veux.

Impatiente, Jeanne secouait la lettre à bout de bras.

— Tiens, c'est pour vous !

Irène regarda la lettre et la saisit d'un geste nerveux. Elle demeura ensuite sur le seuil, dans le froid, à observer la factrice s'en aller et, à mesure qu'elle s'éloignait, il lui semblait que les congères se refermaient sur la silhouette pour la châtier.

Debout sur une marche, Irène lut et relut l'adresse inscrite sur l'enveloppe, cette écriture méconnue. Au plus profond de son corps, elle connaissait le contenu de la lettre, s'y était préparée. Pensait s'y être préparée. Mais, sentant son sang gicler dans ses veines à violentes saccades, elle comprit qu'on ne se préparait jamais vraiment au malheur et que, même, au contraire, en tentant de s'y préparer, on entretenait seulement un espoir factice, et que, précisément, tuer un espoir était la pire des choses à laquelle se confronter, bien pire que de se retrouver face à la mort. Elle jeta un dernier regard à la cour vide, puis entra dans la maison et referma la porte derrière elle.

Lentement, calmement, elle se dirigea vers le bahut pour prendre un couteau dans le tiroir. Ouvrit l'enveloppe. Il y avait une feuille de papier jauni à l'intérieur. Elle la déplia, et lut.

Chers parents,

J'espère vous trouvé en bonne santé et que tout se passe bien à la ferme, que les mises-bas se sont bien passé et puis tout le restant. Il y a pas grand-chose à dire de ce qui se passe ici, à part qu'on mange pas aussi bien qu'aux Grands-Bois. Je vous reviendrai pas grossi, c'est sûr et sertin. Ce qui me chagrine un peu en ce moman, c'est que j'ai perdu un bouton de ma veste, ça paraît peut-être rien pour vous autres, mais moi, ça me chagrine quand le froid se faufile par l'ouverture. Maman, si tu pouvais m'envoyé un ou deux boutons, des gros rond en fer, avec du fil solide et une aiguille. Y en a bien qui en fon plus rien de leurs boutons, mais c'est pas une raison pour les démunir, pas vrai ! Je sais pas quand j'aurai ma première permission, on nous a annoncé qu'on y aurait droit biento, si ça se trouve, je suis déjà en route pendant que vous lisez ma lettre et que tu pourra me recoudre mon bouton.
Je vous embrasse

Eugène.

Irène retourna la lettre à l'envers, et lut encore.

Madame, Monsieur,

J'ai l'honneur de vous faire connaître que votre fils, Eugène, est tombé glorieusement au champ d'honneur, frappé d'une balle au ventre après avoir donné le plus bel exemple de bravoure.

Avec mes sincères condoléances, daignez agréer, Madame, Monsieur, l'assurance de ma respectueuse considération.

Lieutenant Cayrol

Irène replia la lettre, l'enfouit dans une poche de son tablier, puis jeta l'enveloppe au feu.

Irène souleva la plaque du fourneau, assomma les bûches à coups de tisonnier pour attiser le feu. Des cendres et une fumée épaisse s'échappèrent de l'ouverture, faisant disparaître les contours de la grosse poêle dans laquelle chantait un morceau de saindoux. Elle balaya les cendres éparpillées sur la cuisinière avec une aile de canard, puis elle replaça la plaque en fonte en la faisant glisser à l'aide d'une tringle métallique recourbée à une extrémité et tira la poêle dessus. Valette ne la quittait pas des yeux. Il sortit sa blague à tabac d'une poche et la posa sur la table sans l'ouvrir, une main de chaque côté, comme des parenthèses.

— C'est bien la factrice que j'ai vu passer, tout à l'heure ?

Irène releva imperceptiblement une épaule au-dessus de l'autre, avant de parler :

— Si tu l'as vue.

— Elle avait du courrier pour nous, alors ?

— Oui.

— Eugène ?

— Oui.

Les joues de Valette se creusèrent. Il se recula sur sa chaise et ramena ses mains vers le rebord de la table.

— Et tu me disais rien.

— J'allais le faire.

— T'attendais le déluge pour m'en parler ?

— Je me suis mise au travail et j'y ai plus pensé.

Le visage de Valette était cramoisi et ses yeux ressemblaient à d'épais crachats.

— Montre-la-moi, dit-il, en découpant bien chaque mot, sans desserrer les mâchoires.

Irène sortit la lettre de sa poche sans hésiter, la déplia et la posa sur la table face à son mari. En cet instant, il y avait une sombre volonté dans la pâle lueur de son regard, quelque chose allant bien au-delà de la détermination de ce simple geste.

— T'y as plus pensé, mais tu la gardes sur toi, dit-il en regardant les mots assis bien sagement sur les lignes. De larges rides se matérialisèrent sur son front et au niveau de l'arête du nez. On voyait le pouce survivant parcouru de rainures remplies de crasse, et l'ongle cabossé ressemblait à un étang à la berge envasée. Il jeta un bref coup d'œil à sa femme, repoussa la lettre vers elle d'un revers de main.

— Tu sais bien que je sais pas lire, dit-il.

Irène saisit la lettre sans la regarder et la fourra dans sa poche.

— C'est toi qui as demandé à la voir, dit-elle.

— Qu'est-ce qu'il raconte ?

— Qu'il va bien. Qu'il peut pas écrire autant qu'il veut, mais qu'on n'a pas à s'en faire pour lui… Il a juste besoin que je lui envoie des boutons pour sa veste.

— Je m'en fais pas.

Valette se détendit, ouvrit sa blague à tabac en s'aidant de l'auriculaire sectionné, et de son autre main il retira une feuille et la posa sur le rabat craquelé. Puis il fit glisser un peu de tabac dans la feuille et travailla un maigre andain en un seul aller et retour, avant de sceller la cigarette d'un coup de langue. Il retira les brins qui dépassaient de chaque côté, les fit tomber sur la table, les ramassa un par un et les remit dans la blague. Puis il sortit son briquet d'une poche de pantalon et alluma la cigarette. Il avala longuement la fumée, la faisant ressortir par le nez sans quitter sa femme des yeux. On aurait dit une créature mythologique sortie victorieuse d'un combat.

— Finalement, il est peut-être pas si empoté que ça, dit-il.

Irène fit le tour de la table pour ne plus se trouver dans le champ de vision de Valette. Peine perdue.

— Quand même, c'est pas juste, reprit-il.

— Qu'est-ce qui est pas juste, cracha-t-elle, comme si on venait de l'insulter.

— Que j'y sois pas. Il dit combien il a tué de boches ?

— Non…

— P'têtre qu'il a perdu le compte, tellement il en a flingué. Enfin, ça m'étonnerait quand même de lui, l'a jamais su saigner un poulet comme il faut.

Irène ne répondit rien, son corps était devenu une chose molle qui échappait à toute forme de volonté propre. Valette se leva, ramassa la blague à tabac et la fourra dans la poche de sa veste. Il posa la cigarette sur le rebord de la table, et la cendre tomba sur le sol. Il marcha jusqu'au bahut, ouvrit une porte haute, prit une bouteille d'eau-de-vie entamée, ainsi qu'un verre qu'il glissa sous une aisselle. Revint s'asseoir à la table. Poing serré autour du goulot, il fit naviguer le bouchon avec le pouce, avant de le faire sauter, et se servit largement. But d'un trait. Reposa le verre sans ménagement, et se resservit deux fois. Reprit sa cigarette éteinte, se leva, et s'en alla cracher dans le feu. Puis il ralluma la cigarette, fit disparaître ses mains dans ses poches de pantalon, tout en marchant jusqu'à la fenêtre. Dans la cour, le chicn s'amusait à soulever de la poudreuse avec son museau et l'avalait en secouant sa gueule en tous sens. Un jeu qui n'avait pas l'air de lui être vraiment agréable, et pourtant, il recommençait, comme en transe.

— Faudrait dégeler le bac des volailles, dit Valette.

— J'ai à faire, tout de suite.

— Elles sont où ? demanda-t-il, le regard toujours jeté de l'autre côté de la vitre.

— J'en sais rien.

— Tu leur diras de s'en occuper, alors.

— Pourquoi tu vas pas leur dire toi-même ?

Valette se retourna vivement. Ses yeux étaient désormais deux points noirs enfoncés dans leurs orbites, comme ceux d'un aveugle qui chercherait vainement à déchiffrer l'obscurité à partir de simples bruits.

— Tu disais quoi ? demanda-t-il en crochetant les doigts.

Irène secoua la tête de dépit, revint devant la cuisinière et fit naviguer le lard dans la poêle avec une palette en bois. Elle entendit le verre se remplir et se vider de nouveau, puis les pas lourds de son mari résonner, et la porte s'ouvrir et se refermer.

Elle se dirigea vers le bahut, en sortit une boîte à couture. Elle choisit deux boutons identiques, des gros ronds en fer, une aiguille et du fil, puis elle les plia dans du papier épais, qu'elle ficela, avant d'inscrire dessus l'adresse de son fils au front, puis posa le paquet sur le bahut, et retourna devant le fourneau. La palette avait glissé dans le gras fondu. Elle se brûla en la récupérant.

Ils vinrent par le chemin en fin d'après-midi, aux premiers jours du dégel. Trois hommes coiffés de calots, emmitouflés dans leurs longues capotes bistre qui descendaient à leurs guêtres, chaussés de lourds brodequins crottés, traînant cinq vaches encordées les unes derrière les autres en une triste procession. Mathilde les vit entrer dans la cour, les laissa venir à elle, se raidissant toujours plus au fur et à mesure de leur approche.

L'un d'entre eux parla sans la moindre aménité, sans même se présenter, comme si son uniforme suffisait à lui donner tous les droits. Mathilde ne discuta pas. Elle les conduisit résolument jusqu'à l'étable, d'un air grave et empesé.

Les soldats réquisitionnèrent les trois plus belles génisses, celles dont elle aurait tiré le plus d'argent à la fin du printemps. Ils seraient bien entrés un moment pour boire quelque chose, profiter de la compagnie de cette paysanne encore jolie, mais elle dit qu'elle avait du travail et de toute façon rien à boire qui les intéressât. Ils n'insistèrent pas. L'un d'eux signa un reçu sur le dos d'une des bêtes impassibles. Mathilde le regarda faire, les bras plaqués sur sa poitrine.

Joseph apparut alors à l'entrée de la cour, avec la mule tirant le tombereau. Il passa devant les hommes, les salua timidement d'un geste de la tête, et poursuivit son chemin sans rien dire, serrant le licou dans sa main. Ils le regardèrent avec des yeux inquisiteurs, et de la vapeur sortait de leurs bouches, comme des fumeroles émergeant des broussailles de leurs barbes. Celui qui passait pour le chef tendit le papier froissé à Mathilde, sans quitter Joseph des yeux.

— Attends ! cria-t-il.

Joseph continua d'entraîner la mule.

— Arrête-toi, je te dis !

Joseph stoppa net, se tourna vers sa mère. Il y avait le même affolement dans leurs regards. Le soldat s'approcha. Il fit le tour de la mule, comme un maquignon sourcilleux en prospection.

— C'est une belle bête que t'as là, dit-il.

— Elle est vieille, dit Joseph.

— Quand même capable de tirer une charrette à ce que je vois.

— C'est moins qu'une charrette, et encore, elle a du mal.

— C'est peut-être parce que tu lui donnes pas l'occasion de faire plus.

Joseph desserra sa prise autour du licou, puis serra plus fort encore en faisant mine de repartir.

— Je t'ai pas dit de t'en aller, dit le chef.

— Elle est pas à nous, dit Joseph.

Le soldat posa une main sur le bras de Joseph en interpellant ses compagnons d'un ton narquois.

— Hein, les gars, qu'il faut que tout le monde y mette du sien, si on veut la gagner, cette guerre ?

— Sûr, dirent les autres avec des airs conspirateurs.

— J'imagine que c'est pas une mule de plus ou de moins qui va faire la différence, alors que pour nous…

— C'est pas mon affaire, j'ai des ordres, coupa sèchement le chef.

Mathilde se précipita, avec ses bras décollés d'elle, qui auraient bien voulu en dire plus que ses pauvres mots.

— Emmenez tout ce que vous voulez d'autre, mais pas cette mule, dit-elle.

— On a déjà pris ce qui nous faisait besoin… à part cette mule, justement.

— Je vous en prie ! implora-t-elle.

— Elle est pas si vieille que ça, on dirait bien.

D'un geste ample du bras, le chef rameuta ses compagnons.

— Aidez-le à dételer, on a bien assez tardé, la nuit approche, dit-il.

La mule dansait d'une patte sur l'autre, retirant et reposant ses sabots avec une nervosité palpable, comme si elle voulait se défaire de son poids, et que ne pas y parvenir était en train de la rendre folle. Ses longues oreilles allaient d'avant en arrière, comme les manettes d'une machine actionnées par le vent.

Les soldats aidèrent Joseph à retirer les harnais, puis déposèrent les brancards sur le sol boueux. Joseph passa un bras autour du cou de la mule et elle faisait naviguer ses gros yeux globuleux dans leurs orbites pour ne jamais le perdre de vue.

Avant de retirer le mors, il dit :

— C'est pas bien ce que vous faites.

— J'ai pas dû bien entendre ce que t'as dit, tu devrais répéter, pour voir, dit le chef d'un ton menaçant en s'approchant de Joseph.

— Laissez-moi au moins ramener le tombereau à son propriétaire, qu'il dise au revoir à sa mule. Il y tient, vous savez.

Un sourire inquiétant se dessina sur la face du soldat, faisant remonter sa grosse moustache. Il ressemblait au Gnafron de Guignol.

— Tu m'as l'air assez costaud pour tirer la charrette tout seul, et tu sembles avoir la langue assez bien pendue pour raconter ce qui s'est passé à son propriétaire, dit-il.

L'un des hommes déroula la corde. Il la passa autour du cou de la mule et repoussa Joseph sans ménagement d'une main sur sa poitrine. L'animal fit une ruade, et le chef lui asséna un violent coup de poing dans le ventre. L'animal fléchit ses pattes arrière en jetant un cri de douleur. Sa tête allait et venait maintenant de haut en bas, comme si, à défaut de comprendre ce qui se jouait, elle priait tour à tour le ciel, la terre, ou quelque dieu animal de lui venir en aide, et sûrement pas Joseph.

— Allons-y, dit le chef impatient.

— Vous nous signez pas de reçu pour la mule ? questionna Mathilde.

Le sourire revint sur le visage du chef.

— Pour quoi faire, puisqu'elle est pas à vous, dit-il.

Ils repartirent par le chemin qui les avait vomis. La mule suivait les vaches résignées, sur ses pattes fébriles raidies par la peur.

Joseph et Mathilde les regardèrent s'éloigner, puis se dévisagèrent et, ne trouvant rien dans les yeux de l'autre de nature à atténuer leur impuissance, ils revinrent au triste convoi, attendant qu'il disparût au milieu de vapeurs crépusculaires.

Léonard encaissa la nouvelle en dodelinant de la tête. Il s'agenouilla pour replacer la grille sur le caniveau qu'il était en train de nettoyer au moment de l'arrivée de Joseph. Puis il se redressa en s'aidant d'un anneau fixé au mur et s'essuya les mains sur son pantalon en regardant la porte de l'écurie derrière laquelle ne se trouvait pas sa mule.

— Tu sais ce que je préférais le plus chez elle ? dit-il.

Joseph baissa la tête.

— Je suis désolé, Léo…

— Cette tache qu'elle avait sous le cou.

Léonard s'interrompit et se mit à se gratter le dessous du menton d'un seul doigt, comme s'il appuyait à répétition sur une gâchette.

— Juste là, je parie que tu l'avais pas remarquée, guère plus grosse qu'une pièce de monnaie, reprit-il.

— Je suis vraiment désolé, Léo !

— Arrête d'être désolé, t'y es pour rien.

Joseph fixait la grille, qui ressemblait à ses yeux à une lucarne de cellule aux barreaux rouillés donnant sur des enfers.

— J'aurais dû me méfier plus.

— Ça sert à rien de penser à ce que t'aurais pu faire.

— T'imagines pas comme je m'en veux…

— Tu leur as dit qu'elle était à moi ?

— J'ai dit qu'elle était pas à nous, c'est tout.

Léonard réfléchit un moment.

— T'es venu juste après qu'ils soient repartis ? demanda-t-il.

— Oui, de suite après.

— Ils t'ont dit où ils se rendaient ?

— Non.

— Ils ont pas pu aller bien loin avec les bêtes qui les ralentissent. Ils vont devoir manger et dormir sans tarder. Je vois qu'un endroit pour ça dans le coin.

— Ils sont peut-être montés directement à Salers, ou bien descendus à Fontanges.

— Combien ils traînaient de bêtes ?

— Sept, avec les nôtres… et ta mule.

Léonard rajusta plusieurs fois de suite son chapeau sur sa tête.

— Alors, ça m'étonnerait qu'ils aient fini de faire le tour des fermes, dit-il.

— Je comprends pas pourquoi ça t'intéresse de savoir où ils vont.

Le visage de Léonard s'éclaira brusquement. Il tendit une main vers Joseph et, du revers, se mit à cogner plusieurs fois la poitrine du jeune homme.

— L'auberge de la Place, à Saint-Paul, y a le champ de foire à côté pour parquer les animaux. C'est là qu'ils vont passer la nuit, à coup sûr.

— Ça change quoi ?

— Tu devines pas ?

— Tu penses quand même pas…

Léonard se renfrogna.

— Ils t'ont donné un papier qui atteste qu'ils ont réquisitionné ma mule ? demanda-t-il sur un ton péremptoire.

— Non, je te l'aurais donné.

— Alors, moi, j'appelle ça du vol.

— C'étaient des soldats.

— Porter un uniforme suffit pas à tout justifier, dit le vieil homme en haussant le ton.

Joseph avala de la salive.

— Maman dit que si, qu'ils ont tous les droits.

— Et toi, au fond, t'es d'accord avec ça ?

— Personne me demande mon avis.

— Moi, je te le demande.

— Que je sois d'accord ou pas, ça changera rien.

Léonard releva son chapeau plus haut sur son front.

— Tu me suivrais récupérer ma mule, cette nuit ? dit-il.

— T'es pas sérieux !

— Je l'ai jamais été autant, je crois bien.

— Tu me demandes trop, dit Joseph, désemparé.

Léonard se pencha en avant pour traquer le regard fuyant de Joseph.

— Tout à l'heure, tu te lamentais sur ce que t'aurais dû faire, et maintenant que je te donne l'occasion de réparer une injustice, t'hésites !

Léonard saisit le manche du louchet qui lui avait servi à curer le caniveau, et le mit sur une épaule. Il marqua un temps d'arrêt, comme s'il voulait ajouter quelque chose, puis se ravisa, visiblement dépité, et se dirigea vers l'appentis.

— Léo, attends !

Léonard se retourna. On aurait dit une girouette en train de se faire balader par un coup de vent.

— Quoi ? dit-il.

— C'est d'accord, je veux bien t'aider.

— Onze heures et demie ici… et sois pas en retard.

La lune piaffait derrière les nuages filandreux, nimbant la nuit d'une intense lumière irisée. Léonard ouvrait la marche, un falot à la main. Joseph le suivait en silence, attentif aux bruits surgis de la lande, puis de la forêt.

Lorsqu'ils parvinrent à une encablure environ de Saint-Paul, ils entendirent un premier meuglement, et bientôt un deuxième. Le vieil homme s'arrêta. La lueur flottait devant son visage, éclairant un large sourire.

— J'avais raison… t'es prêt ? demanda-t-il.

— Je crois.

— T'as pas peur au moins ?

Léonard approcha la lanterne de Joseph.

— Ça va aller, dit le jeune homme.

— T'inquiète pas, si jamais ça tournait mal, tu cours assez vite pour pas te faire prendre… M'attends pas, je me débrouillerai.

— C'est pas vraiment rassurant, ce que tu me dis là.

— Faut bien penser à tout, mais ça arrivera pas.

— Je te laisserai pas.

Léonard leva le falot plus haut et le balada devant le visage de Joseph.

— Tu feras exactement ce que je te demande.

— T'as dit que ça arriverait pas.

— C'est ça.

Ils se remirent en route et parvinrent bientôt à l'aplomb du rocher noir. Léonard souffla la flamme, puis déposa la lanterne au sol, en bordure du chemin. Ils descendirent ensuite par la ruelle principale bordée de maisons silencieuses, et contournèrent la masse imposante de l'église. Lorsqu'ils en eurent fait le tour, ils découvrirent l'auberge, dont la salle était encore éclairée. Tapis derrière un muret, ils entendaient les respirations bruyantes et les gesticulations des bêtes dans le foirail, à moins de vingt mètres d'eux. Ils attendirent que les lumières s'éteignent et patientèrent encore de longues minutes avant de s'approcher des animaux cloîtrés. Malgré l'obscurité, Léonard se dirigea vers l'enclos sans la moindre hésitation, là où on parquait les animaux les jours de foire. Il fit claquer sa langue de contentement en apercevant la tête de sa mule passée entre deux planches de la balustrade, comme si l'air était plus pur de l'autre côté. Quand elle le vit, la bête émit un cri grinçant et il s'empressa de la caresser pour la calmer, lui parlant tout doucement. Quelques pas en arrière, Joseph ne quittait pas des yeux les fenêtres de l'auberge, derrière lesquelles rien ne bougeait. Puis, sans attendre, Léonard guida la mule le long du corral jusqu'à la barrière et souleva la clenche.

— Fais le tour et entre dans l'enclos pour pousser tout ce beau monde vers la sortie sans accroc, dit-il à Joseph d'une voix étouffée.

— Je croyais que tu voulais juste récupérer ta mule.

— C'est ce que je veux, mais ils auraient tôt fait de faire le rapprochement avec toi, tandis que là ils penseront avoir mal refermé la barrière… Allez, dépêche-toi maintenant !

— T'as vraiment pensé à tout.

— Y a plus de temps à perdre.

Joseph contourna l'enclos et enjamba la balustrade. Du plat de la main, il tapota le dos d'une des vaches qui lui avait appartenu, et elle poussa les autres vers la barrière ouverte en balançant placidement la tête au rythme de son pas lourd et de son souffle épais.

Désormais libérées, les vaches semblèrent évaluer la situation un court instant, puis se mirent à coller au train de Léonard et de la mule. Joseph s'arrêta pour être certain qu'on ne les avait pas entendus, puis se remit en route. À la sortie du village, il avait refait son retard et rejoint le vieil homme.

— Je les disperse ? dit-il.

— Pas encore, dit Léonard.

— Si elles nous suivent, ils vont remonter les chercher vite fait.

— Justement, on s'en occupera quand on sera dans la forêt, comme ça les soldats mettront un moment à les rassembler, et ils penseront alors plus à une pauvre mule.

Ils dépassèrent le rocher noir, et le vieil homme ramassa le falot et l'alluma. Après quelques centaines de mètres parcourus sous les grands arbres, il demanda à Joseph d'égailler le troupeau. Au sortir de la forêt, la lune avait joué des coudes dans le ciel, éclairant maintenant la lande et le chemin caillouteux qui se déroulait devant le trio comme un ruisseau asséché.

— Léo ! dit Joseph.

— Quoi ?

— C'est juste, ce qu'on vient de faire, pas vrai ?

Léonard continuait d'avancer, ralentissant un brin l'allure.

— Y a pas plus juste que récupérer un bien volé par d'autres. Et puis, ma mule leur serait d'aucune utilité, je te rappelle qu'elle peut pas blairer les étrangers, dit-il en souriant à la nuit.

Ils marchaient de part et d'autre de la mule, s'enfonçant dans l'obscurité floutée par la lumière astrale qui les accueillait comme des héros, avec des sourires de gamins qui flottaient sur leurs visages, le sentiment d'un devoir accompli à l'insu d'un monde déréglé. Ils marchaient en silence, au pas de la mule, effleurés par les sons de la nuit, remplis d'une compassion flamboyante pour cette bête docile arrachée au bruit et à la fureur des hommes.

C'était plusieurs semaines après avoir reçu la lettre annonçant la mort d'Eugène. Dans la remise, Irène remplissait de lait caillé des moules en grès à l'aide d'une louche, pour fabriquer des fromages. Un premier coup la percuta au creux de son ventre, puis un deuxième, et puis d'autres. Pas de banales crampes d'estomac. Non, c'était lui qui bougeait, le petit. Qui se manifestait, aussi minuscule fût-il. Elle en était certaine. Avait préparé son ventre à encaisser, et aussi à accueillir. Parce qu'une femme servait à cela, de réceptacle du mauvais comme du bon. Encaisser la mort d'un fils et accueillir l'arrivée d'un autre. Puisque ce serait un fils. Jumeaux nourris de la même chair. Deux empreintes incrustées dans ses propres profondeurs, celle d'Eugène sur l'ubac, celle du fils en construction sur l'adret. Ce frère mort, qui survivrait en mémoire fossilisée, apprendrait à son double tout ce que la vie et la mort lui avaient enseigné.

La louche tomba sur le plancher. Le chien aux aguets se précipita pour la lécher. Irène appuya ses mains à plat sur la table, se concentrant sur sa respiration, et des gouttes brûlantes s'écrasèrent sur le plateau et sur ses mains, comme des clous. Son visage rayonnant clamait une réalité nouvelle dont elle ne douterait plus jamais. *Bénissez moi, Seigneur et je serai bénie entre toutes les femmes…* Sa vie se construirait désormais autour de cette réalité qu'elle garderait pour elle seule le plus longtemps possible, mais qui deviendrait un jour celle de tous aux Grands-Bois. Elle croyait jusque-là que son existence était une lente descente désespérée, et maintenant un enfant grossissait violemment dans son ventre, faisant voler en éclats cette antique certitude. Son corps réclamait la souffrance des mères, devenu à la fois un temple sacré et une sombre crypte au fond de laquelle se repaissait un petit être vorace, sans qu'Irène pût qu'imaginer à quoi pouvait bien ressembler ce douloureux festin.

Elle se mit à réfléchir aux précautions à prendre pour que le fœtus ne se décrochât pas avant terme. Valette n'aurait plus accès à elle. Il serait d'ailleurs le seul à qui elle apprendrait le miracle, afin qu'il ne la touchât plus. Elle se fermerait sur son trésor, prête à tout pour le protéger. Dès le lendemain, elle retournerait à l'église pour rendre grâce à Dieu d'avoir exaucé son vœu, et porterait un poulet à la vieille rebouteuse.

Irène s'apaisa lentement. Lorsque les spasmes eurent disparu, elle souleva sa robe, enjamba le seau de petit lait, écarta les pans de sa culotte fendue et se mit à uriner debout tout en fredonnant une berceuse d'une voix enfantine.

Quelle que soit la saison, l'étable était plongée dans la pénombre, malgré la lumière qui parvenait à y entrer par deux meurtrières et la porte ouverte qui se prolongeait en pente douce vers la sortie. Le sol, jonché de paille et de feuilles sèches, était constitué de petites pierres polies scellées par la crasse et les excréments, et se trouvait à environ un mètre cinquante sous la surface de la terre.

Irène demeura un long moment courbée devant l'entrée de l'étable pour accoutumer ses yeux à la pénombre. La silhouette de Valette, cisaillée au niveau du buste par le dénivelé, lui faisait penser à celle d'un fantôme incomplet, comme si la faible luminosité eût rebondi sur sa carcasse sans vouloir s'y accrocher, et que seule l'obscurité eût été sa digne compagne. Irène se sentait quelque peu rassérénée de ne pas le voir distinctement, et aussi qu'il fût en contrebas, pour ce qu'elle avait à lui dire. Elle passa la porte, s'arrêta à mi-pente, et posa une main sur la jambe de force d'un poteau de soutien. Valette était occupé à nettoyer les auges à eau du foin et des salissures accumulées à l'intérieur. Elle se racla bruyamment la gorge pour manifester sa présence. Valette continua, comme s'il n'avait rien entendu.

— Faut que je te prévienne, dit-elle d'une voix ferme.

Valette finit de curer l'auge qu'il avait entreprise, puis se pencha de côté pour apercevoir mieux sa femme.

— Que tu me préviennes de quoi ? dit-il.

Irène prit alors une longue inspiration.

— Je suis grosse.

Valette se baissa encore, tordant son bassin dans une attitude grotesque. Sa bouche était ouverte, béant comme celle d'une gargouille.

— Qu'est-ce que tu me chantes là ?

— On a fait un petit.

Il regardait maintenant la silhouette chantournée de sa femme, découpée sur la lumière du dehors, comme s'il ne l'avait jamais connue.

— T'es sûre de ça ? dit-il sans plus bouger.

— Sûre.

— Je croyais que c'était plus possible.

— Faut croire qu'y a pas de vérité en ce bas monde, dit-elle froidement, comme si on venait de l'agresser.

— Tu mens pas, au moins…

— Pour quoi faire, je mentirais ?

— J'en sais foutre rien.

— Faudra faire attention, maintenant !

— Faire attention à quoi ?

Irène regarda son mari, dernier des imbéciles à ses yeux.

— À ce qu'on le perde pas.

Valette se redressa. Il rejeta la tête en arrière d'un air blasé.

— J'y peux pas grand-chose, dit-il.

Elle posa machinalement ses deux mains sur son ventre, avança d'un pas, et de nouvelles ombres grignotèrent son visage.

— Tu me toucheras plus, dit-elle d'une voix sentencieuse.

— Ça doit pas encore risquer grand-chose, si je te prends.

Irène lança un bras en avant en désignant Valette du doigt. Il y avait de la haine dans son regard qu'il ne pouvait distinguer nettement, et quelque chose d'autre aussi, quelque chose de proche de la folie.

— Tu me toucheras plus, répéta-t-elle en prolongeant la haine de son regard au travers de sa voix.

Valette s'approcha d'une stalle, et la vêle s'agita entre les planches.

— C'est ce qu'on verra, dit-il en souriant.

— C'est tout vu.

Irène tourna les talons, et sortit en retenant son souffle.

Après qu'elle eut disparu, Valette demeura planté sur ses jambes, avec du foin pourri qui dégoulinait le long de sa main. Même s'il n'avait rien voulu montrer, la nouvelle l'avait saisi à la gorge, et un troupeau de pensées cavalait maintenant dans sa tête, comme des bêtes libérées au printemps.

Irène venait de lui déballer son affaire, comme elle aurait dit le temps qu'il ferait. Comment était-ce possible ? Il se souvenait qu'elle avait failli mourir pendant la grossesse d'Eugène, et pas qu'une fois. À l'époque, le docteur avait assuré qu'elle ne pourrait pas avoir d'autre enfant, et ajouté que c'était un vrai miracle que la mère et le nouveau-né aient survécu, qu'il ne comprenait toujours pas comment elle avait pu mener la maternité à son terme. Il y avait vingt ans déjà. Pourquoi maintenant, comment c'était possible ? se répétait Valette.

Sans compter qu'elle aurait moins de cœur à l'ouvrage et aussi de moins en moins de force. Ils n'avaient pas besoin de ça par les temps qui couraient. À moins que ce ne soit un coup tordu de sa part pour échapper à son devoir d'épouse, pensa-t-il un court instant. Mais il la connaissait trop bien pour savoir qu'elle n'aurait jamais agi de la sorte, trop franche à l'égard de tous, incapable de mentir, par crainte de se voir refoulée devant les portes du paradis. Si elle affirmait être grosse, pas de doute qu'elle en était certaine. Ça ne servait à rien d'imaginer autre chose. Il chassa alors les questions, et une fierté subite vint se pavaner sous son crâne. Il posa une main sur sa ceinture, pensant aux raclées dont aurait besoin le gamin quand il serait en âge d'apprendre l'évangile selon Valette. L'idée le démangeait. Il avait déjà dressé un fils, ça ne lui ferait pas de peine de recommencer ce genre d'éducation, bien au contraire.

Puis il se frappa le front du plat de la main en pestant. Quel imbécile il faisait ! Satanée bonne femme, qui lui avait rouvert ses cuisses dans le seul but de se faire engrosser, et qui les refermait maintenant sur son foutu bourgeon. À quoi ça rimait ? En plus, Irène n'accepterait pas qu'il la prît autrement, elle n'avait d'ailleurs jamais voulu essayer, affirmant que ce n'était pas chrétien de passer par là. Il avait tenté le coup un soir qu'il avait trop bu, mais elle s'était débattue comme une jument pas dressée et il n'avait pas pu enfoncer sa queue d'un centimètre dans le trou de son cul. Il faudrait peut-être réessayer. Il aviserait quand l'envie de se vider le prendrait. La rage ferait le reste. Ça ne tarderait sûrement pas.

La vision de la croupe d'Irène offerte ne l'excitait pourtant plus guère. Il pensait souvent à une autre croupe, toute fraîche, celle-là. Il se mit à balader ses doigts sur sa braguette, et se pencha en avant pour regarder la bosse qui s'était formée à son entrejambe.

— Bonne fille, j'aurais pas cru ça de toi, dit-il en gloussant.

En ce temps de renaissance, les hommes ne se penchaient pas sur la terre, c'était elle qui se penchait sur eux, qui les prenaient, même s'ils n'en voulaient rien savoir. La terre globale et primordiale, qui s'amusait de ces vassaux temporaires, de leur simple obstination à vouloir durer plus que leur vie en transmettant au mieux quelques arpents arides crachés par la roche mère.

La terre n'avait pas créé les obstacles pour que les hommes les surmontent et se rapprochent ainsi du Ciel, elle les avait créés pour rien, simplement parce que ça lui chantait. Et elle mentait alors, avec aplomb et majesté, sans volonté de mentir, acoquinée aux saisons, se gardant bien de convaincre la souche et le cadavre. La terre n'aimait pas, ne haïssait pas, ne pensait ni au mal, ni au bien. Ne pensait pas. Les hommes dessus, misérables colons dans leur habit de sueur, avec ce besoin de tout nommer, de ramener la terre à une compréhension factice. Les hommes, qui avaient tant besoin de trouver des explications à ce qui ne demandait rien, quand il aurait fallu écouter, regarder la terre se pencher, aimanter toutes les formes de vie, la moindre particule minérale, et même les oiseaux finissaient toujours par se poser et les poussières par retomber. Mère de tout, qui ne se souciait aucunement de son innombrable marmaille occupée à une conquête illusoire. La terre, et le vaste ciel au-dessus, muet lui aussi, que l'on interrogeait pourtant, à qui l'on faisait dire ce qu'on avait envie d'entendre.

La vie se réorganisa en même temps que la terre se réchauffait, que les verdures jetaient leur dévolu sur tous les horizons.

Léonard se tenait au bord du champ, observant attentivement un Joseph fermement accroché aux manchons de la charrue tirée par les bœufs, balloté en tous sens, avec la bride du milieu passée autour du cou, et ce mot gratté au fond d'une gorge archaïque qui claquait au bout de chaque sillon, ce mot que son père prononçait lui-même pour faire virer les bêtes. Comme souvent, le bâton reposait en travers des épaules du vieil homme, maintenu en place par ses bras ballants, flasques contrepoids qu'on aurait dit cloués.

Une fois qu'il eut constaté que Joseph s'en tirait plutôt bien, Léonard se mit à parcourir le guéret d'un pas chancelant. Il plantait régulièrement son bâton dans la terre travaillée, faisait naviguer la pointe, se courbait ensuite pour ramasser une motte et l'émietter dans le creux de sa main, puis portait les brisures à ses narines, avant de les laisser filer entre ses doigts avec un long soupir de contentement.

Toucher la terre, la sentir, provoquait en lui une indépassable émotion et, même si elle avait recélé de l'or, il n'en aurait pas été plus ému. C'était comme si elle lui parlait, quand le versoir de la charrue faisait basculer en sifflant d'épaisses tranches. Cette matrice révélée sous l'action obstinée des bœufs accolés grâce au joug frontal en noyer, leur robe rousse confondue à la terre, comme si elle avait engendré cette race-là et aucune autre pour accomplir cette illustre besogne.

Le champ que retournait Joseph avait appartenu à Léonard et, au fond, ne cesserait jamais d'être le sien, une vérité protéiforme et rassurante. Posséder, ou être possédé, une différence qu'aucun homme n'était en mesure d'assumer durablement, et surtout pas Léonard. Il avait trop donné pour ne pas se sentir lié à jamais à ces maigres arpents, cette terre dans laquelle il s'était enfoncé jusqu'aux épaules pour creuser la tombe de son propre enfant. Et quand elle lui parlait, c'était aussi la voix de son fils qu'il entendait, mort en marchant sur la glace fragile d'une pêcherie à peine plus grande qu'un bassin. Ni Léonard ni sa femme ne l'avaient entendu crier quand il s'était enfoncé dans l'eau glacée pour ne plus jamais remonter. D'ailleurs, peut-être n'avait-il pas eu le temps de crier. La glace avait déjà commencé à se reformer quand ses parents l'avaient retrouvé, petite forme médusée flottant sous une loupe givrée, maintenant enfoncée dans la glaise limoneuse du cimetière de Saint-Paul, et aussi dans les mémoires épuisées de deux vieillards. Depuis lors, la terre, elle collait aux semelles de Léonard, comme le corps de ce fils, partout.

Chaque fois qu'il posait son regard sur Joseph, Léonard ne pouvait s'empêcher de penser à ce fils dont il n'avait jamais plus osé prononcer le prénom depuis la perte, ce fils qui aurait retourné sa parcelle mieux que tout autre. Il n'en ressentait plus de colère. Trop de temps avait passé pour qu'il en demeurât plus qu'une immense tristesse, une intime dévotion et un infini respect pour celle qui le porterait en elle, à jamais parturiente. Trop de nuits s'étaient écoulées pour qu'il subsistât plus d'une once de matière à maudire. Il avait fini par accepter la puissance du destin, comme on regarde fuir les nuages, sachant que d'autres reviendront tôt ou tard. Son fils avait simplement pris un peu d'avance.

Lucie avait tort. Certes, Léonard aimait Joseph comme s'il s'agissait d'un petit-fils, avec à peine plus de distance, mais sûrement pas d'un fils, car ç'aurait été une manière de s'alléger bien trop facilement d'une croix qu'il se devait de porter jusqu'au bout.

Il était trop vieux pour imaginer que la vie puisse offrir de nouvelles chances, mais en regardant Joseph conduire ses bœufs et faire des saignées dans la terre, il se prenait à croire que les épreuves n'étaient jamais totalement vaines, qu'elles étaient ces pierres faisant parfois dévier la charrue de la droiture du sillon, et qu'on tentait de rattraper aux passages suivants. La parcelle enfin retournée, que restait-il des accidents, des écarts du soc, sinon une surface uniformément boursouflée offerte aux dents de la herse et des gelées tardives ? Que restait-il, sinon ces pierres retirées à la main, empilées près des accès pour tracer des frontières ? Ces vies passées à creuser, à ériger des murailles lunaires pour se sentir maître de l'inerte. Ces vies faites d'éboulis rapiécés, de miettes arrangées au mieux pour nourrir de folles espérances. Et quand venait mieux le seigle, et l'orge parfois, on se prenait à oublier les épreuves et les frontières. On oubliait, parce qu'un homme était fait pour compenser les écarts de la charrue, et qu'il passait même sa vie entière à cela. Alors, oui, Léonard s'était relevé de la mort de son fils, secrètement, sans un mot, et Lucie le haïssait pour cela, secrètement elle aussi, sans plus de mots.

Léonard remonta vers le haut de la parcelle, là où il avait enfoui une bouteille de cidre, pour la tenir au frais sous la terre fraîchement remuée, il la déterra, la souleva en l'air et cria à Joseph de venir à lui.

Arrivé en bout de rang, le jeune homme fit stopper les bœufs, passa la courroie par-dessus sa tête et l'enroula autour du coutre de la charrue, puis rejoignit Léonard en évitant le labour. Ils burent, d'abord Joseph, ils burent en regardant tour à tour la terre brune et le ciel clair, ne parlant pas.

Irène semblait envahie d'une vigueur nouvelle. Elle se cachait souvent pour caresser son ventre à travers le tissu de sa robe en souriant béatement. Tout se passait au mieux, le fils continuait de pousser sans encombre. Elle n'en parlait jamais à Valette, et il ne l'interrogeait pas plus quant au déroulement de sa grossesse. La seule chose qui importait à Irène, c'était de voir apparaître la seconde suivante, et ainsi de suite. Tout ce qui la rapprochait de la renaissance du fils.

Comme elle se l'était promis, elle porta en cachette un poulet à Lucie, ainsi que deux bouteilles de cidre. La vieille l'accueillit d'un œil suspect, sans véritablement prêter attention aux cadeaux. Après avoir dit que le plus difficile restait à faire, elle la congédia d'un vif hochement de tête. Irène n'en voulut pas à Lucie de son attitude, elle connaissait son histoire.

Une fois par semaine, Irène traînait son âme féconde auprès du Seigneur, puisqu'Il y était lui aussi pour beaucoup. Elle priait alors longuement, délaissant désormais l'Apocalypse pour les Évangiles, ainsi gavée d'un bonheur inespéré, qu'elle aurait volontiers libéré sur son monde étriqué avec une indécente provocation, si seulement son égoïsme n'avait pas tenu lieu d'intense satisfaction.

Un soir que Valette était soûl, il regagna la chambre le premier en titubant. S'affala sur le lit sans même prendre le temps de se déshabiller. Irène attendit dans la cuisine, espérant qu'il s'assoupît vite, puis elle alla se coucher à son tour. La lampe brûlait encore dans la chambre quand elle y pénétra en étouffant ses pas au mieux. Valette avait les yeux fermés et un sourire abject lui tranchait le visage en deux. Irène se dépêcha de se préparer, enfila sa chemise de nuit, souffla la lampe, puis enjamba les tibias de Valette et s'allongea, le visage à quelques centimètres du mur.

— T'en as mis du temps, dit-il d'une voix aux intonations chaotiques.

Irène se raidit, comme si ses vertèbres venaient de se souder instantanément et son sang de se transformer en mercure.

— Tu dors pas ? dit-elle.

— Je t'attendais.

— T'as trop bu, dors !

Valette pivota brusquement vers Irène, découvrant la nuque blême, les cheveux détachés et filasses, qui flottaient dans son regard.

— Et alors, t'as quelque chose à redire à ça ? dit-il.

— On a du travail demain.

— Justement, tu pourrais faire en sorte que j'aie plus de cœur à l'ouvrage.

Irène sembla peser ses mots.

— On en a déjà parlé, dit-elle.

Valette soupira longuement.

— Tu en as parlé, j'ai pas dit que j'étais d'accord, dit-il.

— Je reviendrai pas là-dessus.

Valette se colla contre Irène, de sorte qu'elle se retrouva coincée contre le mur.

— Bouge pas, tu vas voir, ça va aller tout seul, laisse-moi faire, dit-il en ricanant.

Irène roula par-dessus un Valette alourdi par l'alcool, se dégageant ainsi de l'étreinte, et sauta au bas du lit.

— Ni comme ça, ni autrement, dit-elle d'une voix glaciale, presque désincarnée.

Valette la cherchait dans l'obscurité, tout en reprenant ses esprits. Un long silence se tendit dans la pièce, comme si chacun tirait dessus de son côté pour l'emporter, et on n'entendait même pas leurs respirations. Ce fut Irène qui céda la première aux mots qui emplissaient sa bouche, comme des cailloux aux arêtes vives.

— Tu peux me prendre de force, ça tu le pourrais, t'es un homme, mais si tu le fais, je jure de te le faire regretter.

Les mots de sa femme dessoûlèrent instantanément Valette. Il devinait à grand-peine la silhouette tassée près de l'armoire. Il pensa subitement à cette rate débusquée dans la grange, qui n'avait pas hésité un seul instant à sauter sur son chien pour protéger sa portée. Le rongeur n'avait aucune chance de s'en tirer, mais il l'avait fait, par pur instinct de préservation de l'espèce. Prêt à mourir. Valette avala une longue goulée de salive, et la sentit descendre et disparaître dans sa gorge.

— C'est la dernière fois que tu me menaces, t'entends, la dernière fois ! dit-il d'une voix sûrement pas aussi sereine qu'il l'aurait souhaité.

Valette attendit qu'elle répondît, qu'elle s'excusât, mais elle n'en fit rien. Il revit alors le chien en train de pleurnicher, sa gorge ensanglantée, et le corps de la rate gisant entre ses pattes. Cette rate qui avait fait basculer la certitude du plus fort dans une peur nouvelle.

Anna entra dans la volière, tenant l'anse d'un panier rempli de pissenlits qu'elle venait de ramasser. De sa main libre, elle referma la porte grillagée derrière elle pour ne pas laisser échapper la douzaine de jeunes poulets qui accouraient, tournant autour d'elle en réclamant. Anna les repoussa du pied, puis ouvrit le portillon d'un des clapiers et jeta une partie de sa récolte à l'intérieur. Trois lapins regroupés dans un angle se mirent à brouter avidement les feuilles tendres, oreilles rabattues sur leur pelage luisant de sébum, frappant l'épaisse couche de fumier de leurs pattes arrière. Elle les regarda un moment, bercée par les caquètements de la volaille, et sortit le petit écureuil sculpté par Joseph, qui ne quittait pas sa poche. Perdue dans sa rêverie, elle n'entendit pas la porte s'ouvrir.

— Ils aiment ça autant que le trèfle, dit Valette.

Anna lâcha l'anse du panier en se retournant, serrant la statuette dans son autre main. Valette l'observait attentivement, comme s'il avait cherché à estimer le prix d'une bête au plus juste. Puis, de sa main valide, il désigna les pissenlits éparpillés sur le sol recouvert de fientes.

— Ce serait dommage de les laisser perdre, je vais t'aider à les ramasser, dit-il.

Anna aurait voulu quitter la volière, mais Valette se tenait devant la porte grillagée de toute son imposante carrure, et il n'y avait pas d'autre issue.

— Non, c'est pas la peine, dit-elle sans vraiment parvenir à cacher son trouble.

Elle fourra la statuette aussi discrètement que possible dans sa poche, s'accroupit, et se mit à ramasser les pissenlits au milieu des poulets occupés à becqueter les végétaux. Valette regardait attentivement les lapins, les mains enfoncées dans ses poches de pantalon, triturant ostensiblement son sexe à travers la toile.

— Elles ont la belle vie, ces bestioles, elles pensent qu'à bouffer et à se monter dessus.

Après avoir sauvé ce qu'elle pouvait de sa récolte, Anna se redressa, ouvrit la porte d'un clapier et se mit à balancer les pissenlits à l'intérieur, se tenant de côté pour ne pas tourner le dos à Valette, pensant qu'une fois le panier vide, il la laisserait partir.

— Tu crois pas qu'y a pire, dit-il en s'approchant d'elle, faisant ostensiblement racler ses chaussures sur le sol.

Anna s'écarta pour ouvrir un autre clapier.

— Moi, je crois que l'instinct, y a que ça de vrai. Faut pas aller contre, quand il se manifeste, pas vrai ?

Valette sortit les mains de ses poches et se pencha en avant.

— Tu dis rien ?

— J'ai rien à dire.

Valette regardait maintenant Anna fixement, immobile, arborant un air sérieux qui lui occupait les traits du visage, comme s'il venait de prendre conscience d'une vérité indémontable et de l'importance de la traduire en mots tout aussi indémontables.

— Ils doivent pas manquer, les garçons qui te courent après… en ville, je veux dire, ils devaient pas manquer, belle comme t'es. Ici, j'imagine que c'est pas la même farine.

Anna ne dit rien.

— À moins que t'y arrives quand même, à faire tourner des têtes, ici aussi.

Anna bascula le contenu de son panier dans le dernier clapier. Elle recula vers la porte pour tenter de fausser compagnie à Valette, mais il fut le plus rapide en faisant un pas de côté pour l'en empêcher.

— T'en vas pas si vite, t'es pas bien avec moi…

— J'ai des choses à faire.

— Ici, c'est moi qui décide des choses que t'as à faire.

— Laissez-moi passer.

Les yeux de Valette brillaient comme ceux d'un démon tombé sur terre, un peu surpris de sa chance.

— Tu crois que je t'ai pas vue tout à l'heure.

— Vue quoi ?

— Planquer quelque chose dans ta poche.

— Je ne planque rien.

— Montre, ou je me sers moi-même.

Anna hésita un court instant, mais l'idée d'un contact physique avec Valette était plus qu'elle n'en pouvait supporter. Elle sortit la statuette en tremblant, et Valette la saisit d'un air curieux, découvrant vite les initiales gravées.

— Je vois, dit-il en prenant un air grave.

— Ça ne vous regarde pas…

— On dirait que je connais çui qui t'a fait ce cadeau.

— Rendez-le-moi.

— C'est que t'as l'air d'y tenir sacrément.

Anna était au bord des larmes.

— Rendez-le-moi, s'il vous plaît, dit-elle implorante.

— C'est mieux, mais ça sera pas suffisant pour le moment. Je vais y réfléchir.

Une compassion fabriquée repeignit brusquement le visage de Valette.

— Tu sais, si ton père devait pas revenir, tu pourrais rester ici, un peu comme notre fille, dit-il.

— Jamais ma mère ne vous laisserait faire, cracha Anna.

— Je crois pas que ta mère soit en état de s'occuper de toi comme il faut.

Valette avait parlé sur un ton très calme, et pour Anna c'était pire que s'il avait crié. Un afflux de sang baignait les berges de ses yeux, et les deux grandes rides qui fendaient ses joues s'écartèrent comme des arcs bandés.

— Tu dors dans ma maison et tu manges mon pain, alors, prends pas tes airs supérieurs avec moi, ça marche pas.

— Qu'est-ce que vous voulez, à la fin ? dit-elle.

— Rien, pour le moment. Je sais que t'es une gentille fille, bien obéissante, et c'est pas près de changer, hein ?

La voix d'Anna se mit à vaciller.

— Laissez-moi passer, maintenant, dit-elle.

— Bien sûr que je vais te laisser passer, mais, avant, je veux que tu me promettes quelque chose.

Valette prit un temps avant de poursuivre.

— Tu vas arrêter de le voir, dit-il sèchement.

Anna ressentit une intense douleur au creux de son ventre. Elle aurait voulu parler, mais elle en fut incapable sur le moment.

— Y a rien qui peut m'échapper, mets-toi ça dans le crâne une bonne fois pour toutes, ajouta-t-il.

— On ne fait rien de mal…

— Ton Joseph, tu le revois plus, c'est clair ! Il est prévenu lui aussi.

— Comment ?

— T'as très bien entendu.

— Qu'est-ce que vous lui avez fait ? dit-elle en s'emportant.

Valette se contenta de sourire.

— Vous n'avez pas le droit, dit-elle.

— J'ai tous les droits, ici, ma petite.

Valette approcha son visage de celui d'Anna, si près qu'elle sentit son haleine chargée d'alcool et de tabac froid. Il s'apprêtait à lui caresser la joue, mais elle se glissa sous son bras et sortit de la volière en courant. Le sang cognait partout dans le corps de la jeune fille, comme un animal piégé dans une nasse. Malgré le bruit de ses pas et les branches du poirier qui la fouettaient, elle entendait Valette qui riait comme un demeuré.

— Eh, t'embrasses pas ton oncle ? lança-t-il avant qu'elle ne disparaisse.

Perché sur le socle granuleux de la croix des vachers, mains agrippées à la roche parsemée de lichens, Joseph observait le sentier, au plus loin que portait son regard. Un vent tenace aplatissait les herbes des prairies alentour, découvrant d'infimes reliefs et quelques bestioles vulnérables en transit pour un meilleur abri. Inquiet de ne pas voir arriver Anna, Joseph descendit de son perchoir, puis frotta ses mains l'une contre l'autre, laissant échapper une poussière bleutée. Il était prêt à redescendre le chemin pour se porter à la rencontre de la jeune fille, lorsqu'il l'aperçut enfin à la sortie du dernier lacet.

Elle s'arrêta en le regardant approcher, comme si elle avait besoin de reprendre quelques forces, visage fermé recouvert d'une brume inhabituelle. Lorsqu'il l'eut rejointe, Joseph ne posa aucune question concernant son retard, trop impatient de la serrer dans ses bras. Il l'embrassa avec fougue pour se réchauffer, et ne trouva pas de quoi sur les lèvres froides et tremblantes de la jeune fille. Surpris, il se pencha en arrière en la tenant par la taille, la fixa longuement. Elle se détourna, fuyant son regard. Une braise s'agaça dans le ventre de Joseph, et remonta se coincer dans sa gorge.

— Tu voulais pas me voir ? dit-il.

Avant de répondre, Anna ferma les paupières pour tenter de s'extraire des pensées vénéneuses qui l'assaillaient et, quand elle les rouvrit, la lueur qui éclairait son regard parut elle aussi infiniment froide à Joseph.

— Je suis là, dit-elle.

— Regarde comme tu trembles, je vois bien qu'y a quelque chose qui va pas !

Un rictus déchira un coin de la bouche d'Anna.

— Mon oncle est venu te voir ? demanda-t-elle.

— Non, pourquoi ?

— Pour rien.

— Si tu demandes, c'est que c'est pas rien…

— Serre-moi fort, s'il te plaît.

Il la prit dans ses bras. Elle respirait vite. Son souffle se matérialisait en petits buissons chauds qui montaient dans l'air frais, et elle tenait ses deux poings serrés posés contre le torse de Joseph. Tout ce qu'elle voulait en cet instant, c'était le bruit du vent et le son broyé des clarines de lointaines bêtes au pâturage.

— Tu te sens mieux, maintenant ? dit-il.

— Oui, un peu.

Joseph emprisonna les mains d'Anna dans les siennes.

— Explique-moi ce qui se passe, à la fin !

— Je ne sais pas…

Il lâcha les mains de la jeune fille.

— J'ai plus qu'à m'en aller, alors, dit-il froidement.

Anna agrippa ses mains, essaya une première fois de parler, mais ne trouva pas de point d'appui suffisamment stable dans son corps. Puis elle essaya de nouveau.

— Valette, dit-elle, comme si elle vomissait un mot toxique.

— Quoi, Valette ? T'arrêtes pas de m'en parler depuis que t'es arrivée, dit-il.

— Il me dégoûte.

— Moi aussi, il me dégoûte.

Anna avala de la salive.

— J'ai… j'ai peur, Joseph.

Le visage du jeune homme se déforma sous l'effet de la panique.

— Il a fait quelque chose ?

Anna ne put répondre, elle se mit à sangloter, se frottant rageusement les joues du plat de ses mains pour effacer les larmes qui coulaient.

— Il t'a touchée, c'est ça, hein, cria Joseph désemparé.

La colère inondait maintenant les yeux secs de Joseph.

— Je veux savoir ce qu'il t'a vraiment fait.

Anna se concentra sur sa respiration, les sanglots cessèrent, puis elle leva sur Joseph des yeux brillants.

— C'est pas ce que tu crois…

— Tu veux pas me le dire ?

— Bien sûr que je te le dirais.

— Pourriture ! N'importe comment, c'est déjà trop !

Le regard de la jeune fille se vida alors de toute émotion.

— Il est capable de tout, dit-elle comme si elle se parlait à elle-même.

— T'en as parlé à ta mère ?

Elle se figea.

— Ma mère ! dit-elle sur un ton cynique.

— Oui, ta mère.

— Elle n'est pas en état de m'écouter.

Joseph luttait pour ne pas se laisser submerger par la haine, réfléchir.

— Tu peux pas rester là-bas, dit-il.

— Où veux-tu que j'aille ?

— Chez moi.

— Tu sais bien que ce n'est pas possible…

— Et pourquoi pas ?

— Ta mère n'accepterait jamais, et puis il y a aussi la mienne, je ne pourrais pas la laisser seule avec eux.

— Et si vous veniez toutes les deux ? J'arriverai à convaincre ma mère… tu dis toi-même que tu sais pas de quoi Valette est capable.

La jeune fille invita un supplément d'air dans ses poumons, et dit :

— Il arrêtera sûrement.

— Pourquoi il ferait ça ?

Anna fit basculer son regard en direction de l'horizon où des lambeaux de vapeur se détachaient du puy Violent et montaient dans le ciel, comme une respiration.

— Il sait, pour nous, il ne veut plus que je te voie, dit-elle.

— Il a passé un marché avec toi, c'est ce que t'es en train de me dire…

— S'il le croit, il me laissera tranquille, et toi aussi.

Joseph jeta un regard farouche à la jeune fille.

— Personne nous empêchera de nous voir, t'entends, personne ! Je saurai te protéger. Fais-moi confiance.

— Il n'y a pas que ça.

La jeune fille s'interrompit.

— Quoi d'autre ?

— Il m'a aussi dit qu'il était venu te prévenir.

— C'est pas vrai... Pourquoi il a dit ça, il savait forcément que tu m'en parlerais ?

— Il pensait peut-être que je lui obéirais sans discuter.

— Ça m'étonnerait.

Le regard d'Anna s'embrasa d'une peur nouvelle tandis qu'elle prenait conscience de l'insondable perversion dont était capable Valette, cet homme qu'elle ne pouvait plus nommer que par ce « il », le réduisant ainsi à ses actes dans une tentative désespérée de le condamner à l'anonymat.

— Alors, tu ferais bien de te méfier, dit-elle.

— T'inquiètes, il a pas intérêt à me menacer, dit Joseph en levant un poing en l'air.

Anna se sentait épuisée. Une immense lassitude s'empara d'elle.

— Il faut que je rentre, dit-elle.

— Je veux pas que tu partes.

— Je n'ai pas le choix...

— Je serai pas tranquille de te savoir là-bas.

— Je me tiendrai sur mes gardes.

— Tu dois jamais rester seule avec lui... jamais, tu me promets, le temps qu'on trouve une solution.

Anna caressa les joues de Joseph.

— Ça va aller, dit-elle sans grande conviction.

— Il faut que je réfléchisse de mon côté, mais je te jure…

La jeune fille embrassa Joseph pour le faire taire. Comme il ne pouvait accueillir pleinement ce baiser, elle pencha la tête en arrière pour le voir.

— Je t'aime, dit-elle.

— Moi aussi, je t'aime.

— Je dois m'en aller, maintenant.

— On se revoit quand ?

— Je ne sais pas encore, mais dès que je pourrai m'échapper je viendrai. Pour le moment, nous devons être prudents.

— Je comprends, mais faudra pas que ça dure trop longtemps, je tiendrai pas.

Ils convinrent d'enfouir leurs messages dans une anfractuosité du muret situé en bordure de sentier des Grands-Bois, non loin de la ferme, afin qu'Anna n'eût pas à s'éloigner trop. Puis, Joseph la regarda partir. De part et d'autre du sentier, de hautes ombellifères se tenaient comme des soldats au garde-à-vous, et leurs inflorescences ressemblaient à des épaulettes renversées. En même temps que la silhouette de la jeune fille s'amenuisait et se fragilisait dans l'air vacillant, Joseph sentait une vague d'impuissance et de colère monter en lui comme un nuage de cendres froides. Il laissa alors le champ libre à une haine sourde, et aussi à autre chose se portant au-delà de la haine, une projection encore floue qui grandissait à l'évidence.

Joseph ne sculptait plus. La peur et la haine le consumaient comme la rouille grignotant un morceau de ferraille. Il savait qu'il ne pourrait supporter bien longtemps d'abandonner Anna si près des griffes de Valette. Imaginer qu'il posât à nouveau sa patte grotesque sur elle, ou pire, le rendait fou de douleur. Il soupçonnait qu'Anna ne lui avait pas dit toute la vérité pour ne pas l'affoler davantage et, dans ces moments-là, il pouvait déverser une sourde colère sur les bêtes, et même sur sa mère, qui imaginait une peine de cœur et se taisait alors pour ne pas envenimer la situation, pensant que du temps suffirait à apaiser son fils.

Attendre était une véritable torture pour Joseph, mais il ne savait encore comment agir pour ne pas mettre Anna plus en danger. Il s'échappait de Chantegril dès qu'il le pouvait, s'en allait surveiller la ferme des Valette, au moins une fois par jour, fouillait d'abord la cachette, découvrant des messages qui se voulaient tous rassurants, mais ne suffisaient pourtant pas à atténuer sa peur. Après avoir lu, il grimpait à un arbre du bosquet situé en lisière de la ferme, un poste d'observation idéal qui lui permettait d'épier les allées et venues. Quand, malgré ses recommandations, il voyait Anna traverser seule la cour, une décharge transperçait son cerveau, et il se tenait prêt à se précipiter vers elle, non comme un amant, mais comme un protecteur missionné pour faire obstacle au démon, l'affronter. Et quand Valette apparaissait à son tour, tel l'ogre des contes de son enfance, lui prenait alors une irrésistible envie d'en débarrasser la surface de la terre, de le détruire.

Il était six heures du soir lorsque Joseph escalada l'échelle pour monter dans le fenil. Quelques rayons de soleil parvenaient à s'insinuer par des ardoises cassées et autour de l'encadrement de la porte à deux battants qui donnait sur l'arrière du bâtiment. Une fois les pieds posés sur le plancher rendu glissant par les graines et les brindilles répandues, il se mit à décompacter le foin en balançant rageusement des fourchées en l'air, qu'il poussait ensuite afin de le déverser dans l'étable par la trappe. Les vaches meuglaient en voyant pleuvoir l'herbe odorante, tendant leur cou à travers leur têtière, percutant le bois graisseux de leurs cornes pour tenter de l'atteindre. Il y eut alors un bruit étrange, ressemblant à s'y méprendre au cri d'une chouette dérangée sous la charpente. Joseph ne s'en préoccupa guère et continua de faire basculer des brassées d'herbe par l'ouverture, puis il y eut un second cri, qui cette fois-ci lui fit machinalement lever les yeux vers une des fermes de la barge.

Malgré la pénombre, il distingua deux jambes qui pendaient dans le vide, et qui se prolongeaient en une silhouette obscure assise sur une entretoise. Joseph resserra sa prise sur le manche de la fourche.

— Qui c'est ? demanda-t-il.

— Je t'ai fait peur ?

Joseph reconnut aussitôt la voix. L'homme se pencha en avant. Son visage entra dans une flaque de lumière. Valette était perché sur la poutre, comme un grand escogriffe s'apprêtant à bondir dans le foin à tout moment.

— Faut pas avoir peur, reprit-il.

— J'ai pas peur, dit Joseph d'une voix peu assurée.

Valette sourit. Il ferma un œil en même temps, comme si une poussière venait d'y entrer.

— C'est pas l'effet que tu fais, tout de suite, dit-il.

— Qu'est-ce que vous voulez, d'abord ?

— Parler un peu avec toi, c'est pas si souvent…

— Vous avez rien à faire chez nous.

Valette prit un air peiné.

— J'en reviens pas, c'est comme ça que tu me remercies d'avoir fait tout ce chemin pour venir te voir, dit-il.

— Vous aviez qu'à frapper à la porte, comme tout le monde.

— T'aurais pas eu une belle surprise.

Joseph reprit un peu d'assurance.

— Je m'en serais passé, et puis j'ai aucune intention de vous parler…

— Pourtant, t'aimes bien ça, faire des surprises, toi aussi, pas vrai ?

— Pourquoi vous dites ça ?

— Quand on vient chez les gens en cachette, c'est pour leur faire la surprise, j'imagine !

— Je comprends pas.

Il n'y avait plus rien de narquois dans la voix méprisante de Valette, quand il reprit :

— Bien sûr que tu comprends.

— Je me cache de personne, dit Joseph fébrile.

— Me prends pas pour un con… Je t'ai déjà vu vadrouiller autour de ma ferme comme un voleur.

— Je suis pas un voleur…

— T'es quoi, alors, un espion… t'en as après quoi ?

— Après personne.

— J'ai dit « quoi », pas « qui ». Ça veut dire que t'en as après quelqu'un, si je te suis bien.

Joseph pensa à Anna, à ce que Valette lui faisait endurer, et la fébrilité laissa place à la colère.

— Je sais ce que vous êtes, dit-il en appuyant bien sur chaque mot.

— Et je serais quoi, d'après toi ?

— Un… monstre.

— Rien que ça, dit Valette, comme s'il recevait un compliment.

— Foutez le camp, maintenant !

Valette se pencha encore un peu plus, prêt à chuter.

— Ce serait pas après un beau brin de fille que t'en as ?

— Et même, dit Joseph avec défiance.

— Si je te vois de nouveau rôder dans mes parages, tu repartiras pas comme t'es venu, crois-moi.

Joseph jeta sa fourche en avant sans la lâcher.

— Je la protège, dit-il.
— Et de quoi tu veux la protéger ?
— De vous.

Valette arrêta de balancer ses jambes. Il posa ses mains sur la poutre, de part et d'autre de ses fesses, et se pencha en arrière. Son visage disparut de nouveau dans la pénombre. Des poussières se baladaient maintenant dans un tube lumineux, là où se trouvait son visage juste avant.

— Anna m'a tout raconté, reprit Joseph.

Valette se mit à rire. Un rire désincarné, qui se perdit dans un silence oppressant.

— J'aimerais bien savoir ce qu'elle t'a raconté, dit-il au bout d'un moment.

— Vous avez plus intérêt à l'approcher.

— Si tu te laisses embobiner aussi facilement par les filles, m'est avis que t'as pas fini de te faire promener.

— Pourquoi elle mentirait ?

— C'est une femme, cingla Valette.

— Foutez le camp, je vous dis !

Valette ramena ses mains sur ses genoux sans bouger le buste, sa figure toujours perdue dans l'obscurité. Il ressemblait à une momie décapitée, haubané de ses deux bras tendus. Il respirait fort, et on aurait dit que les mots qu'il s'apprêtait à prononcer avaient besoin de prendre leur élan avant de sortir de sa bouche.

— Je crois que t'as pas bien saisi la situation, sale petit merdeux.

— Vous me faites pas peur.

— Tu me l'as déjà dit.

Valette se balança d'avant en arrière à plusieurs reprises, et sauta de son perchoir pour atterrir dans le foin deux mètres plus bas. Puis, dans un même élan, il se laissa glisser sur le plancher face à Joseph qui brandissait toujours sa fourche. Nullement impressionné, Valette sortit une cigarette déjà roulée d'une poche de son veston et l'alluma.

— Baisse ça, dit-il d'un ton calme qui contrastait avec la fureur débordant de ses yeux.

Joseph obéit. Valette s'approcha de Joseph et lui souffla au visage une fumée âcre qui puait l'ail et l'alcool.

— Je voudrais surtout pas qu'il t'arrive malheur… on sait pas ce que la guerre réserve. Manquerait plus que ta mère perde les deux hommes de la maison, elle s'en remettrait sûrement pas… ça serait pas juste.

Joseph ne put rien rétorquer à la menace. Valette jeta la cigarette au sol. Il posa sa main mutilée sur l'épaule du jeune homme dans un geste qui n'avait rien d'amical, la retira aussitôt, puis recula en fixant Joseph qui écrasait maintenant le mégot sous sa chaussure. Il sortit en repoussant un des battants de la porte avec son dos. Une fois dehors, il laissa le battant ouvert, abandonnant un Joseph en proie à une indicible honte, les pieds en équilibre sur le périmètre tracé par la lumière provenant de l'extérieur, qui se demandait s'il n'avait pas rêvé. Mais il y avait ce poids mort sur son épaule, là où Valette avait posé son immonde moignon. Ce poids, et son empreinte scellée bien au-delà de sa chair.

Dans son dernier message, Anna affirmait que Valette devait se rendre à Saint-Paul le lendemain pour y vendre des bêtes, que cela l'occuperait une bonne partie de la journée, avec les verres qu'il irait écluser à l'auberge. Elle rejoindrait Joseph dans le fenil, ne pensait plus qu'à cela. À la lecture de ces mots, Joseph aurait dû se réjouir pleinement de la merveilleuse nouvelle, mais les tensions dans son corps l'en rendaient incapable.

Lorsqu'il la vit entrer dans le fenil, il s'approcha timidement, désireux de ne pas violenter l'air, ne rien distordre autour d'elle, de peur que se brise l'apparition et l'ombre qui la précédait. Il ne trouva pas de mots, et même ses gestes n'allaient plus de soi en cet instant. La jeune fille ne voulait qu'une seule chose, et ce n'étaient pas des paroles, alors elle lui offrit ses lèvres. Joseph aurait voulu s'abandonner à ce baiser, aux caresses qui suivraient, mais n'y parvint pas. Il repoussa délicatement Anna, les yeux vides de toute expression. Elle revint à la charge, presque désespérément et il ne lui offrit toujours rien en retour.

— Il a rien tenté d'autre ? demanda-t-il.

Anna émit un long soupir.

— Non, dit-elle.

— Je t'ai vue, toute seule dans la cour, c'est pas ce qu'on avait convenu.

— Il ne peut rien m'arriver en plein jour. Arrête de t'en faire comme ça !

— Putain, ça me ronge.

— Viens…

Joseph ne sembla pas entendre.

— Valette est venu me voir, dit-il.

Anna se raidit.

— Il ne t'a rien fait de mal, au moins ? coupa-t-elle.

— C'était pour me dire de plus chercher à te revoir.

— C'est tout ?

— Je lui ai répondu qu'il me faisait pas peur.

Les épaules de la jeune fille s'affaissèrent en même temps qu'elle rejetait l'air de ses poumons.

— Il est pas si sûr de lui, s'il est venu, ajouta Joseph.

— Qu'est-ce qu'on va devenir ? dit-elle.

— Je vais trouver.

Elle se pencha en arrière pour mieux attraper son regard.

— Embrasse-moi, dit-elle.

— J'arrive pas à pas y penser.

Anna laissa passer un temps. Les traits de son visage se durcirent.

— On dirait bien qu'il a gagné, dit-elle, comme si elle déposait des armes à ses pieds.

— Qu'est-ce que tu racontes ?

— C'est comme si je n'étais pas là.

L'incompréhension brouilla les yeux de Joseph.

— Tu peux pas dire ça, dit-il.

— Et tu en oublies de m'embrasser.

— Dis pas de bêtises. Je pense qu'à te protéger.

— S'il te plaît, arrête de me prendre pour une petite chose fragile.

— C'est pas ce que tu es.

Anna posa ses mains sur la poitrine de Joseph.

— Je voudrais retrouver le Joseph d'avant.

Joseph attira la jeune fille à lui, et leurs lèvres se touchaient presque.

— J'ai pas changé, dit-il en esquissant un sourire forcé.

— Prouve-le-moi !

Anna passa une main dans les cheveux de Joseph. Il inclina imperceptiblement la tête, comme un animal cherchant à accentuer la caresse.

— Heureusement que t'es là, dit-il.

— Toi aussi, tu es là, n'est-ce pas…

— Des fois, je me demande si tu me regarderais pareil, si y avait d'autres garçons.

— Qu'est-ce que tu racontes ?

— J'y peux rien, quand je te vois comme tu es, et moi ce que je suis.

— Rien ne changerait, crois-moi, dit-elle d'une voix douce.

— Je repense souvent à ton histoire de mondes parallèles. Je voudrais pas que t'en rejoignes un où je serais pas pour veiller sur toi.

— Je n'en ai aucune intention…

— Au moins, tu serais loin de ce porc.

Anna se haussa sur la pointe des pieds.

— Tu vas me promettre quelque chose, dit-elle.

— Tout ce que tu voudras.

— À partir de maintenant, chaque fois qu'on se verra, on ne perdra plus un seul instant à parler des autres et de ce qui n'existe pas, d'accord ?

— Je vais essayer.

— Non, tu ne vas pas essayer, suis-moi !

Anna posa un pied sur le premier barreau de l'échelle adossée au mur de foin, sans quitter Joseph des yeux, puis elle se mit à escalader, et il la suivit, tête baissée, combattant en silence l'image de Valette rencontré quelques jours plus tôt dans ce même fenil, une image qu'il lui fallait vaincre d'une manière ou d'une autre avant de rejoindre la jeune fille dans cette barge où ils avaient fait l'amour pour la première fois, sachant qu'il ne la verrait plus jamais telle qu'il l'avait découverte ce jour-là.

Anna sortait des bois noirs, quand elle entendit des cris provenant de la ferme. Elle se mit à courir, pensant que Valette était rentré plus tôt que prévu et avait découvert son absence.

Arrivée dans la cour, elle découvrit sa mère seule, en proie à une grande agitation. Visage rayonnant, Hélène aperçut sa fille et accourut vers elle en riant, tomba dans ses bras, l'embrassa sur les joues, riant toujours et pleurant même. Puis, la tenant par les mains, elle se mit à parler, tout en essuyant des larmes de joie, riant encore.

— Ton père va avoir une permission.

Le visage d'Anna s'éclaira.

— Quand ? demanda-t-elle.

— Il est sûrement déjà en route à l'heure qu'il est.

— Il sera là bientôt, alors ?

— Non, pas ici, nous partons le rejoindre.

Un sillon vertical se creusa entre les sourcils de la jeune fille.

— On rentre chez nous ? demanda-t-elle.

— Non, c'est trop dangereux, on va prendre le train pour Aurillac. On trouvera un petit hôtel là-bas.

— Pourquoi il ne vient pas ici ?

— C'est important que l'on se retrouve tous les trois, en famille, tu comprends.

Anna regardait par terre, là où des plantules surgissaient de l'hiver entre les pierres de la cour.

— Je comprends… Combien de temps serons-nous parties ?

— Il a une permission de quinze jours.

— Et après ?

— Tant que la guerre n'est pas finie, on reviendra vivre ici. Je vais demander à ton oncle de nous conduire demain à la gare, dès qu'il sera de retour.

Anna repoussa sa mère et lâcha ses mains.

— Demain !

— On dirait que tu n'es pas contente, ma chérie ?

— Si, évidemment que je suis heureuse de revoir papa, mais c'est si subit.

Irène observait mère et fille depuis le bas de la rampe qui menait à l'étable, invisible, immobile comme un morceau de granit du mur. Elle ne perdit rien de l'échange, ce bonheur indécent jeté sans retenue en pâture.

— Allons faire nos valises, il n'y a pas de temps à perdre, dit Hélène.

Comme elles se dirigeaient vers l'entrée de la maison, Irène montait par la rampe sans les quitter des yeux, tenant à deux mains le pan replié de son tablier renfermant une dizaine d'œufs.

— Alors, ça y est, il l'a sa permission, ton Émile ! dit-elle sur un ton rogue.

Hélène se figea en voyant sa belle-sœur.

— Tu as entendu, dit-elle.

— Difficile de faire autrement, tellement tu gueules.

— Je viens de l'apprendre, dit-elle, comme si elle s'excusait.

Irène se mit à fixer Hélène un long moment, non pas avec dédain, mais désormais avec une forme de pitié corrosive.

— Essaie d'en profiter, tu sais pas quand sera la prochaine, si même y en aura une autre, ajouta-t-elle.

— Je suis désolée, Irène.

— De quoi t'es désolée ?

— Pour Eugène… Je suis certaine que son tour viendra bientôt.

Irène cessa d'avancer, souffle coupé, puis se ressaisit dans l'instant, afin de ne surtout rien montrer du coup qui venait de lui être asséné, sans le savoir, par cette femme.

— Laisse Eugène où il est, dit-elle en s'emportant.

— Je comprends ce que tu ressens, tu sais…

— Si y a une chose de sûre, c'est que tu peux pas, sinon, tu ferais attention à pas t'étaler comme tu fais, ma pauvre fille.

— Je ne voulais pas…

— Fallait y penser avant… Poussez-vous, maintenant, que je passe !

Anna s'échappa le soir même pour annoncer la nouvelle à Joseph, partagée entre la joie de retrouver son père et le déchirement que représentait la séparation avec le jeune homme. Il était heureux pour elle, sincèrement, le lui dit, mais au fond une émotion sournoise le plaqua contre un mur invisible dès l'annonce, une émotion qui lui fit prendre conscience qu'il la préférait près de lui, même sous la menace de Valette, plutôt que de la savoir loin, au risque qu'elle ne revînt jamais. Il promit de se tenir sous les grands hêtres pourpres, un peu au-dessus du rocher noir, pour lui faire un dernier au revoir.

Les préparatifs du départ eurent lieu dans le silence. Irène demeurait muette depuis la conversation de la cour, seule en son monde, seule à son secret. De toute façon, elle avait dit ses quatre vérités à sa belle-sœur. Qu'aurait-elle pu ajouter ? Valette mangeait tranquillement une tranche de pain avec du fromage de brebis frais qu'il salait, avant d'enfourner de gros morceaux dans sa bouche à grand bruit. Hélène s'impatientait, regardant par la fenêtre les bœufs attelés, qui secouaient leurs têtes massives pour chasser les mouches à leurs yeux. Puis, Valette se leva enfin, tout en mâchant. « Allez, faut se dépêcher, j'ai pas que ça à faire ! » dit-il en pliant son couteau et en le glissant dans une poche de pantalon. Hélène et Anna le suivirent dehors, portant chacune une valise qu'elles déposèrent dans la charrette. Les bœufs s'ébrouèrent. Valette monta sur le strapontin, attrapa une baguette flexible au-dessous. Elles s'installèrent à l'arrière, debout sur le plateau parsemé de fragments de fumier desséchés, l'une contre l'autre.

— Y en a pas une qui veut monter à côté de moi, c'est plus confortable ? dit Valette en posant une main sur l'étroit strapontin.

— Non, ça ira, dit Hélène.

Anna ne répondit pas à l'invitation.

— Comme vous voudrez, mais dans ce cas, faut pas vous mettre ensemble, ça déséquilibrerait, dit-il.

Anna traversa le plateau de la charrette, et s'accrocha par la main à une ridelle. Puis, Valette commanda aux bœufs de se mettre en route. L'à-coup provoqué par la tension manqua de faire trébucher Hélène, déjà tout à ses retrouvailles avec son mari.

Ils prirent par le chemin qui menait à Saint-Paul. Le chien les accompagna un moment en aboyant après les roues et lâcha l'affaire après quelques centaines de mètres. Anna fixait le ruban terreux qui se dévidait par l'arrière de la charrette, les mètres parcourus qui l'éloignaient de Joseph, tout en le rapprochant de son père. Valette, quant à lui, toisait l'herbe tendre des prairies d'altitude, qui semblaient monter à l'assaut de la montagne, sans que l'on sût qui se portait au-devant de l'autre, si c'était véritablement l'herbe qui gravissait la pente, ou bien la pierre qui en descendait, une question qu'il ne s'était jamais posée, voyant uniquement le foin à rentrer et pas la roche infertile.

— Ça sera pas loin d'être le moment de couper les foins quand vous reviendrez. Faudra en mettre un sacré coup, dit-il en se retournant vers Anna, laissant flotter un regard lubrique, comme un gros nuage d'orage prêt à se déverser sur la jeune fille.

Le visage content, Valette fit claquer sa langue, balança deux ou trois onomatopées au-dessus de l'échine des bœufs, ainsi qu'un inutile coup de baguette qui siffla dans l'air et s'écrasa sur le dos d'une des bêtes, puis il se tourna, cette fois vers Hélène, comme s'il venait de se souvenir de quelque chose.

— Tu lui demanderas s'il a vu Eugène, on sait jamais.

— D'accord, dit Hélène.

Ils arrivèrent en vue de la forêt et la pente s'inclina davantage. Le dégel avait creusé de profondes ornières, enfantant de nouvelles pierres qui accentuaient le brinquebalement de la charrette lorsque les roues s'enfonçaient dans les unes ou buttaient dans les autres. Hélène et Anna s'accrochaient fermement aux ridelles pour ne pas glisser, et le buste et la tête de Valette ballottaient d'un côté à l'autre du strapontin à chaque dénivelé. Juste avant de pénétrer sous les premiers arbres, un vol d'oies sauvages perfora le ciel bleu, splendeur asymétrique accompagnée de cris suppliants, en route pour les plaines du nord que les oiseaux fuiraient de nouveau lorsque la lumière faiblirait, avant de revenir au printemps suivant. Ainsi allait leur vie.

Lorsqu'ils parvinrent aux abords du rocher noir, Anna fouilla le sous-bois du regard, cherchant l'endroit où Joseph avait dit qu'il se tiendrait. Il était bien là, sous le couvert de hêtres qui surplombait le chemin, observant l'attelage qui progressait au rythme têtu des bovins. Il aurait voulu crier à Anna de sauter à bas de la charrette et de le rejoindre pour un baiser, abolir le temps afin qu'un tel miracle fût possible, habiter quelques minutes un de ces mondes parallèles dont elle avait parlé le jour de leur rencontre, une dérivation qui aurait accueilli leur étreinte, rien de plus. Anna leva discrètement une main pour lui faire signe, et son visage était soucieux, presque grave.

Dès que l'attelage l'eut dépassé, Joseph sortit de sa cachette. Ainsi figé au milieu des arbres étiolés, il posa une main sur son cœur. En contrebas, la scène lui parut obscène, non seulement à cause de cet homme qu'il détestait plus que tout, mais aussi à cause des deux femmes qu'il menait comme des bestiaux à la foire, sans plus d'égards. Il sentit alors un poids comprimer sa poitrine. Il retira sa main pour la porter à sa bouche et referma ses mâchoires pardessus. Ses dents perforèrent la chair, buttèrent sur l'os. Du sang emplit sa bouche, la douleur bien loin de sa main, toujours dans sa poitrine, le cœur pris dans un étau vissé par une main broyée.

Joseph ne fut pas capable de pleurer, trop de glace dans ses yeux. Il détourna le regard de l'attelage, mais ne put tenir bien longtemps. Il y revint avec l'espoir qu'il aurait disparu, subitement déversé dans le village, comme un mauvais rêve. Quand il ne le vit plus, il resta encore là, les pieds plantés dans la mousse jonchée de feuilles déchiquetées par le passage de l'hiver, le corps déjà torturé par le manque, à ne pouvoir se détacher du chemin désert et de l'ombre immense qui venait de s'y déployer.

Arrivant en vue des premières maisons, ils aperçurent la factrice qui se portait au-devant de l'attelage d'une démarche assurée, caractéristique des gens qui croient que le monde attend quelque chose d'eux, que c'est même la seule raison pour laquelle ils continuent de l'arpenter. Elle avait délaissé son bonnet pour la casquette de facteur de son mari, qui bâillait tout autour de son crâne, cette casquette qu'il n'aurait plus jamais l'occasion de mettre, puisqu'il s'en était allé vers le ciel dans une grande explosion, avant de retomber au sol en pluie. Valette ramena légèrement la bride en arrière pour faire stopper les bœufs à quelques mètres d'elle.

— Dieu soit loué, ça va m'éviter de monter jusqu'à chez toi, dit-elle à Valette en agitant un morceau de papier.

Valette tendit une main pour s'en saisir.

— C'est une lettre pour la dame, dit-elle, comme elle gronderait un enfant.

La factrice contourna la charrette. Elle donna l'enveloppe à Hélène, qui la décacheta aussitôt, et déplia la lettre qui se trouvait à l'intérieur, sous les regards interdits des trois autres. Hélène lut, puis laissa pendre la feuille au bout de sa main, petite chose caduque qu'on aurait dite prête à terminer sa chute sur le plancher de la charrette, qu'elle tenait pourtant fermement au moment de la tendre à sa fille dans un geste empreint d'une immense lassitude.

— C'est du malheur qui vous arrive ? demanda la factrice d'un air exagérément contrit.

Hélène regarda la femme dans son ridicule accoutrement, mais fut incapable de répondre à sa question, de peur de s'effondrer dans l'instant, trop d'eau en elle et de sel sur la plaie à vif de son cœur. Anna lut la lettre à son tour, puis traversa le plateau de la charrette, vint serrer sa mère dans ses bras, et elles ne purent retenir plus longtemps leurs larmes.

— Y m'en ont pris deux, à moi, dit la factrice en cognant un pouce contre sa poitrine.

Voyant que personne ne faisait plus attention à ce qu'elle disait, elle ne s'attarda pas, et repartit en sens inverse, en maugréant. Au fond, même si elle aurait bien voulu connaître le contenu de la lettre, elle préférait ne pas l'entendre.

— Dieu ait pitié de nous, répétait-t-elle en descendant le chemin.

Valette comprit qu'il n'aurait pas besoin de faire le trajet jusqu'à Salers. Il demanda ce qu'il en était exactement. Anna finit par lui dire qu'Émile ne viendrait pas à Aurillac, qu'une nouvelle offensive se préparait, et que toutes les permissions étaient annulées jusqu'à nouvel ordre.

— C'est pas de chance, dit Valette avant de cracher de côté. On a perdu du temps pour rien.

Il commanda aux bœufs de faire demi-tour. Personne ne vit les profondes rides rayonner tout autour de ses yeux, l'expression d'un mélange de pensées fielleuses qui étaient bien loin de l'attrister, même s'il aurait de loin préféré que son frère en eût terminé avec la vie, ou au moins qu'un éclat l'eût privé d'un membre tout aussi important qu'une main.

— Tu croyais que le bon Dieu t'épargnerait tous les malheurs, parce que t'es bien née ! dit Irène.

Assise à la table, Hélène portait un verre rempli de café à ses lèvres lorsque les mots la percutèrent. Elle interrompit son geste, balaya la cuisine du regard, incapable de concevoir qu'ils lui étaient destinés.

— C'est à moi que tu parles ? demanda-t-elle.

— Tu vois quelqu'un d'autre ? Fais pas semblant, t'as très bien entendu.

— Tu crois que c'est le moment de me dire une chose pareille ?

Irène projeta un doigt dans sa direction, un doigt ressemblant à une racine coiffée d'un ongle épais blanchi à la chaux par endroits.

— Le moment de te remettre les idées en place, oui, dit-elle.

— Je n'ai jamais pensé ce dont tu m'accuses.

— Tu croyais sûrement que c'était un dû, alors, que le bon Dieu il t'écouterait plus toi que nous autres.

Hélène sentit des larmes monter. Elle reposa le verre sur la table sans le quitter des yeux. Ses mains tremblaient.

— Pourquoi tu es aussi méchante avec moi ? Je ne souhaite de mal à personne, dit-elle.

— Je te ramène sur terre, c'est tout ! Faut avouer que t'y es pas beaucoup ces temps-ci.

Piquée au vif, Hélène rassembla ses forces. Elle se leva d'un bond, et se mit à tancer Irène, comme si elle parlait à une bonne.

— Je viens d'y retourner sur terre, crois-moi, dit-elle en haussant le ton.

— Tout doux, ma belle ! Si c'était le cas, tu traînerais pas cette tête d'enterrement longue comme un jour sans pain, et tu te battrais, comme on le fait.

La détermination d'Hélène ne dura pas.

— Je fais ce que je peux, dit-elle d'une voix désormais faible.

— Ce que tu peux, c'est encore pas suffisant. Faut te faire violence.

— Tu crois que c'est facile !

Un sourire forcé tordit la bouche d'Irène. Elle redressa le cou, comme si elle voulait passer par-dessus cette femme qu'elle méprisait infiniment.

— C'est facile pour personne, mais nous, on le montre pas quand c'est pas facile.

— Je fais des efforts, tu t'en rends compte au moins ?

— T'as intérêt à en faire bien plus, parce que je remarque rien dans ce sens pour le moment. On pourra pas nourrir encore longtemps une bouche qui est rien qu'une bouche… Faudra te remuer davantage.

— On vous a donné de l'argent, si vous en voulez plus…

Irène jeta violemment une main en avant pour couper court aux paroles d'Hélène.

— L'argent, évidemment ! On peut pas traire, ni planter, ni récolter avec, que je sache. Heureusement que ta fille est plus vaillante que toi, j'aimerais pas que ça déteigne sur elle.

Hélène passa une main sur son front et se mit à hocher la tête.

— Je ne sais pas comment tu fais, dit-elle.

— Comment je fais quoi ?

— Tu ne parles jamais d'Eugène.

Irène se figea en entendant le prénom de son fils. Ses mains se mirent à s'agiter imperceptiblement et elle les fourra dans les poches de sa blouse.

— Je fais avec ça aussi, dit-elle, et le son de sa voix ressemblait au sifflement d'un serpent tournant autour d'une proie.

— Tout le monde ne peut pas être aussi fort que toi.

Irène serra les poings et deux fossettes irrégulières creusèrent ses joues.

— Et l'honneur, on dirait que t'as jamais su ce que c'était.

Hélène aurait voulu quitter la pièce, mais elle ne put que s'asseoir face au verre, avec dedans le café désormais froid. Puis elle ferma les yeux.

On voyait rarement une automobile sillonner les environs. Un « de quelque chose » en possédait bien une, celui qui habitait seul le manoir en bordure de la route du Fau. Une fois par mois, en temps de paix, il parcourait la campagne, sans but apparent, histoire de vider son réservoir, puis rentrait. Tout le monde se demandait ce qu'il cherchait, étant donné qu'il ne parlait à personne, ne possédait presque plus rien, à part une automobile achetée avec on ne savait trop quel argent, un château délabré, et un nom avec une particule au milieu, comme une vieille charnière grippée. Les gens du coin ne craignaient plus la famille depuis deux générations déjà, et encore moins le dernier membre en date. Ils s'amusaient de lui, se prosternaient ridiculement à son passage pour le saluer bas, comme le faisaient les métayers au temps où les « de quelque chose » possédaient la majeure partie des terres de la région et toutes sortes de biens. Il ne répondait jamais aux provocations, ne semblait d'ailleurs pas les remarquer. On le pensait un peu dérangé, à le voir se murer dans un passé de splendeur nostalgique, au volant de son engin, mais nul ne se trouvait dans sa tête, nul ne se trouverait jamais dans ce genre de caboche. Lui aussi était parti faire la guerre, et personne n'avait de ses nouvelles.

La De Dion-Bouton descendit par la route sinueuse de Salers, pétaradant, fumant. Elle aborda le village de Saint-Paul, traversa le pont, longea le cimetière reclus dans l'ombre du rocher noir, monta en direction du bourg, avant de stopper devant l'église dans un bruit de métal qui s'ébroue. Le conducteur tira à deux mains sur la manette du frein, puis retira sa casquette en cuir et ses lunettes de protection, révélant une zone vierge de salissures tout autour de ses yeux. Il se leva du siège et se mit à regarder alentour tout en retirant ses gants, comme un conducteur de char romain convoquant quelque dieu susceptible de le mener à une hypothétique victoire. Qui aurait pu alors imaginer qu'il fuyait simplement la pire des défaites ?

Il ouvrit la portière, saisit un sac de voyage en cuir calé derrière le siège molletonné et descendit. Il était jeune, de taille moyenne, très mince, et son visage ne trahissait aucune espèce d'émotion. Il y avait quelque chose de majestueux dans sa démarche déliée, de désuet même, quand il se dirigea vers l'auberge de la Place. Trois gamins sortirent de nulle part et vinrent tourbillonner autour de l'automobile, impressionnés, admiratifs, et ils attendirent que son propriétaire entrât pour s'approcher plus près de l'engin endormi, en caresser la carlingue brûlante.

Deux vieux se tournèrent vers l'inconnu qui venait de pénétrer dans l'auberge. Il les salua et ils replongèrent le nez dans leur boisson en se regardant d'un air complice, sans répondre. Une femme s'approcha de lui d'un air suspicieux, un pichet dans une main. Elle le dévisagea, comme si elle était capable de deviner toute son histoire dans un seul regard, ou plus exactement une histoire qu'elle se garderait de remettre en question. Les années avaient creusé son visage un peu partout, mais elle semblait encore très alerte, par le geste et la voix.

— Vous êtes perdu ? dit-elle sur un ton irrévocable.

Le voyageur se demanda un instant s'il s'agissait vraiment d'une question.

— Non, pas du tout, dit-il.

Les vieux froncèrent les sourcils de concert, comme s'ils s'entendaient sur le fait de ne rien dire, afin de ne rien perdre de la conversation.

— Y a un endroit qui vous conviendrait mieux qu'ici, à Salers, j'imagine.

— Vous auriez une chambre ? demanda l'inconnu sans prêter attention à la remarque.

— J'ai que ça, des chambres de libres !

— Je peux vous en louer une ?

— Vous êtes sûr ?

Le jeune homme sourit à l'aubergiste. Elle ne reposa pas la question, se dirigea vers le comptoir et posa le pichet dessus. Il la suivit.

— Pour la nuit ? demanda-t-elle en ouvrant un registre.

— Plusieurs, ça dépendra, je ne sais pas encore combien de temps je vais rester.

— Vous cherchez quelqu'un ? dit-elle en retournant le registre à signer à l'envers.

L'inconnu ne répondit pas. Pour la première fois depuis son arrivée, les traits de son visage se détendirent, et il sourit à la femme.

— Je suis en permission, dit-il en inscrivant son nom sur le registre.

Elle fit pivoter le registre, lut le nom dans sa tête en bougeant simplement les lèvres.

— Pas facile à prononcer, vous permettez que je vous appelle M. Mathias ?

— Oui, bien sûr… je cherche un coin tranquille pour me reposer.

— Pour ce qui est de la tranquillité, vous en aurez.

Un des vieux leva alors son verre aussi haut qu'il le pouvait.

— Sers-en un au soldat, c'est pour moi… et nous oublie pas non plus, dit-il.

— Merci, dit Mathias sans regarder l'autre.

La femme sortit un verre de derrière le comptoir.

— Du vin, ou de l'eau-de-vie de prune ?

— Gnole, cria le vieux avant que Mathias ne réponde.

D'un air las, elle jeta un coup d'œil à son client et, comme il ne réagissait pas, elle versa l'eau-de-vie dans son verre, puis s'en alla refaire les niveaux des vieux, qui s'empressèrent de s'en envoyer une lampée et de faire claquer leur palais, toujours de concert.

— D'où tu viens, soldat ? dit le vieux en reposant bruyamment son verre sur la table.

— Ardennes.

— C'est vrai ce qu'on dit ?

— Qu'est-ce qu'on dit ?

— Que c'est loin d'être fini.

Mathias contempla son verre.
— C'est la guerre, dit-il.
— Paraît qu'elle a encore fait des progrès, celle-là.
Mathias leva son verre et le porta à ses lèvres sans boire.
— Santé ! dit-il.
— Santé, répondirent les deux en chœur.
Ils burent.
— On sait ce qu'en disent les journaux et les lettres, reprit le vieux.
Mathias reposa son verre sans piper. La femme fit cogner son poing sur le comptoir.
— Vous voyez pas qu'il veut pas en parler, qu'il est là pour oublier un peu ce qui se passe là-bas, pas vrai ! dit-elle en interpellant son jeune client.
— Merci pour le verre, messieurs, le voyage a été long, dit Mathias en abandonnant son verre plein.
Il salua l'assistance, prit la clé de la chambre que lui tendait la femme d'un air complice.
— Au premier, deuxième porte à droite, dit-elle.
— Merci de votre accueil.
— Pas de quoi ! Je monterai faire le lit plus tard et, si vous voulez manger quelque chose après, y aura pas de problème.
— D'accord.
Elle se tourna vers les vieux d'une mine dédaigneuse.
— Je vous promets qu'ils seront plus là quand vous redescendrez.
Les deux autres voulurent protester, mais elle les rabroua sans équivoque.

— Puisque c'est comme ça, on remettra plus les pieds chez toi, hein, dit un des vieux en prenant son acolyte à témoin.

— Sûr que c'est pas des façons de traiter des clients réguliers, dit le second.

— J'irai brûler un cierge à l'église pour que ça arrive, dit la femme.

Depuis les escaliers, Mathias entendit le ton monter dans la salle, puis les voix se turent et des pieds de chaises raclèrent le plancher. Il pénétra dans la chambre austère meublée d'un lit en laiton, d'un chevet et d'une armoire basse à une porte, jeta son sac sur le matelas creusé en son milieu, traversa la pièce, ouvrit la fenêtre et repoussa lentement les volets. Il vit les deux vieux dans la rue, qui parlaient en gîtant. Mathias recula pour ne plus les distinguer, et la vallée se déploya aussitôt sous ses yeux, puis les montagnes au loin, aussi belles qu'il le lui avait raconté.

Presque une année s'était écoulée depuis la mobilisation générale. On faucha l'herbe de juin à juillet et le ciel fut clément. On récolta comme on l'avait toujours fait, mais avec toujours moins de bras, moins de cœur, moins de forces. La guerre s'éternisait, lointaine, accompagnant pourtant au plus près le monde de Saint-Paul, lorsqu'elle prenait un fils, un mari, parfois les deux en même temps, parfois plus, ou qu'il en revenait un, privé de forme humaine ou de raison. On savait maintenant que le conflit allait durer, puisqu'il n'était finalement pas affaire de soldats, mais plutôt d'officiers de haut rang qui, eux, ne la feraient jamais, en dehors de jouer avec des maquettes disposées sur des tables en acajou. La langue importait peu. Des lettres racontaient cela, souvent censurées, pour préserver les gens d'ici d'un surplus de colère, d'horreur et de désespoir.

Alors, on encaissait, on travaillait, se taisait, avec le désir enchâssé de vieillir plus vite, de s'en aller comme on le pouvait de son intime souffrance. Chacun bataillait à sa manière, fourbissant maladroitement ses propres armes, futiles brindilles, avec la conscience absolue qu'il ne faisait plus partie d'un destin commun, mais que chaque famille était en route pour une destinée particulière, en rien maîtrisable. Cherchant à attirer l'attention d'un Dieu égoïste et nullement celui de tous.

Aux Grands-Bois, la vie se repliait aussi en une forme de survie singulière, comme le font ces animaux grégaires qui regardent sans affectation un congénère mourir sous les crocs du prédateur, soulagés de n'avoir pas été choisis. Certes, ici, on ne risquait pas de se faire attaquer par un prédateur à visage découvert, les prédateurs étaient tapis, sournois, on ne savait jamais d'où ils surgiraient, mais ce n'était guère mieux.

Irène était devenue une barricade, capable de ne pas prononcer plus de dix mots au cours d'une seule journée. Elle se déplaçait désormais, dans l'indifférence générale, en écartant exagérément les jambes pour répartir un poids supplémentaire qui ne marquait même pas sa silhouette. Valette et elle ne parlaient jamais de celui qu'elle portait. Il n'avait pas essayé de la forcer de nouveau, depuis cette nuit où elle l'avait menacé. Parfois, il la fixait intensément, comme s'il voulait se convaincre d'une vérité affirmée par cette femme, qu'il n'avait jamais envisagé connaître, parce qu'au fond il n'en avait jamais eu le désir. La seule vérité enviable muée en réalité, il la trouvait dans les verres d'eau-de-vie, dans la chaleur révélée de son corps, dans les digues qui cédaient sous la masse de ses frustrations accumulées et qui lui permettaient un temps d'oublier la haine qu'il se vouait à lui-même. Au moins, l'alcool avait ce pouvoir inégalable qu'aucun être humain n'était jamais parvenu à révéler. Dans ces moments-là, son désir grandissait de relever la robe de sa nièce, pour enfin voir son joli petit derrière pâle et ferme qui faisait rebondir le tissu, de le toucher et de l'ouvrir en deux comme une pêche de vigne bien mûre et bien juteuse. Il avait décidé de la laisser tranquille, afin qu'elle reprenne confiance. Le temps viendrait où elle comprendrait qu'il n'y avait pas d'autre issue. D'ici là, il l'aiderait patiemment à se faire à cette idée.

Quant à Hélène, elle sombrait dans une torpeur qui la débarrassait inéluctablement de toute forme de frivolité. On la voyait se déplacer ici et là avec une langueur inquiétante, apparemment insensible à son propre sort, son corps, comme inhabitée. La cruelle réalité de la guerre était définitivement entrée en elle, de sa chair à ses os, puis jusque dans sa moelle. Devenue poreuse au malheur. Depuis qu'elle avait reçu le télégramme d'Émile qui repoussait sa permission, elle n'avait plus eu de nouvelles et envisageait désormais le pire. Ne plus le revoir. Même les mots durs de Valette et d'Irène, sans cesse proférés à son encontre, semblaient se réfléchir sur elle comme des rayons brûlants sur une vitre. Ne l'atteignait qu'une chaleur diffuse, jamais plus.

Anna s'inquiétait de voir sa mère se morfondre. Lorsqu'elle lui parlait, Hélène acquiesçait en tout, n'écoutant pas. Souriant parfois, certainement à une autre qu'elle.

Seuls les trop rares rendez-vous avec Joseph sortaient la jeune fille de l'atmosphère pesante des Grands-Bois. Ils demeuraient toujours prudents pour ne pas éveiller les soupçons de Valette, qui n'était plus revenu à la charge. Joseph s'était apaisé au fil du temps, mais ne relâchait pas ses surveillances pour autant. Ne pas baisser la garde face au démon.

Leurs cachettes étaient des alcôves feuillues sous lesquelles gisaient des ombres épaisses. Enfin ensemble, ils retrouvaient une forme de paix, qui les menait au désir et à un abandon de chair. Leur force était là, dans cette capacité à refouler un moment la pesanteur de leur vie, à se laisser aller au plaisir, aussi naturellement qu'on libère les fourmis d'un muscle engourdi, oublieux du manque qui les attendrait derrière la porte dès qu'ils se trouveraient séparés.

Les mains dans les poches, Valette regardait discrètement par la fenêtre, les yeux plissés à cause du soleil, faisant tourner son cou et craquer ses vertèbres cervicales.

— Y a quelqu'un dehors, dit-il.

Irène cessa de barater le lait, elle leva la tête, observant son mari comme si elle ne le voyait pas et cherchait à se concentrer pour déployer sa mémoire en un lieu précis que le temps aurait scellé parmi un amoncellement considérable de choses dérisoires. Puis elle saisit la barate à deux mains, la posa sur la table, essuya ses mains sur son tablier, se leva et se dirigea vers la fenêtre, ralentissant son pas au fur et à mesure qu'elle se rapprochait de son mari collé à la vitre.

— Jamais vu, dit-elle au bout d'un moment.

— Il est où ce foutu chien, jamais là quand on a besoin de lui.

— Ça changerait quoi, il a jamais fait fuir personne…

— Un joli moment qu'il est planté comme un piquet à regarder autour de lui.

— Il s'est peut-être perdu.

— M'étonnerait, on dirait qu'il cherche quelque chose.

— Il cherche peut-être quelque chose.

— Pourquoi il vient pas frapper à la porte, alors ?

Irène haussa les épaules.

— T'as qu'à lui demander, dit-elle.

— Sûrement un vagabond pour du travail.

— On dirait pas un vagabond, dit-elle après un nouveau temps d'observation.

— Sa tête me revient pas.

Valette se gratta le menton en étirant ses mâchoires.

— Il va bien finir par s'en aller, dit-il.

Une image vint alors planer sous la voûte du crâne d'Irène, celle de l'ange de son rêve courbé au-dessus de la dépouille de son fils. La température monta dans son corps, son cœur s'accéléra.

— Je vais lui parler ? dit-elle après avoir repris ses esprits.

— Dis-lui bien qu'on n'a pas de travail pour lui, si c'est ce qu'il cherche.

Irène sortit. Elle marchait légèrement penchée de côté, à cause de la position qu'elle avait prise en tournant la manivelle de la barate, et aussi à cause de l'émotion qui perturbait toujours ses mouvements. Le jeune homme la regarda approcher sans bouger de place. Il retira un brin d'herbe de sa bouche en le faisant glisser d'un coup sec, et le laissa tomber au sol. Irène s'immobilisa à quelques mètres, avala de la salive.

— Qu'est-ce que vous voulez ? demanda-t-elle en lançant sa maigre figure en avant, comme si elle désirait marquer l'espace qui les séparait.

— Bonjour ! Madame Valette, je présume ?

— Comment vous savez mon nom ?

— J'ai demandé, dit-il en tendant sa main vers elle, puis la retirant.

— On n'a pas de travail, si c'est ça.

Le jeune homme était calme. Chaque mot qu'il prononçait semblait excuser le précédent.

— Je n'en demande pas, dit-il.

— Pourquoi vous êtes là, alors ?

— Je voulais vous parler, à vous et à votre mari.

— Mon mari, il a pas le temps, alors, dites ce que vous avez à dire et fichez le camp de chez nous.

Irène recula un pied en le faisant riper sur la terre desséchée de la cour.

— On vous a jamais vu dans le coin… vous venez d'où, d'abord ? reprit-elle d'une voix mal assurée.

— D'un endroit où il ne fait pas bon être. Je suis en permission pour quelques jours et après… je devrai y retourner.

L'attitude d'Irène changea à l'évocation de cet endroit qu'il ne pouvait apparemment nommer. Elle regardait ce gamin déguisé en homme, persuadée que n'importe quel vêtement lui serait trop grand, incapable de l'imaginer une arme à la main en train de charger l'ennemi, s'il n'y avait eu ces yeux, comme deux morceaux de gypse que rien ne semblait pouvoir pénétrer.

— C'est pour vous parler de votre fils que je suis là, dit-il en tournant les paumes de ses mains vers le ciel.

Irène fit brusquement volte-face, le temps d'apercevoir dans le contre-jour la silhouette derrière la fenêtre. Puis, elle se retourna, fit un pas de côté pour se retrouver précisément dans l'axe du jeune homme, de sorte à le faire disparaître du champ de vision de son mari, et de tout geste qui aurait pu trahir la raison de sa venue.

— Qu'est-ce que vous avez à me dire que je sais pas déjà ?

— C'est moi…

Mathias s'interrompit, haïssant le silence qu'il venait de créer, baissa les yeux, et son regard s'attarda sur les deux mètres qui le séparaient d'Irène.

— C'est moi qui ai fermé les yeux d'Eugène, dit-il enfin d'une voix éraillée.

Irène se raidit. Toute sa chair sembla disparaître sous ses vêtements usés, comme s'il n'y avait plus que des os pour la faire tenir debout. Elle avala de l'air dans sa bouche sèche, sans émettre le moindre bruit.

— Tout ce chemin pour dire ça, dit-elle.

— Je voulais connaître l'endroit où il vivait… Je le lui avais promis.

— Maintenant que vous avez vu, allez-vous-en !

Mathias avança d'un pas. Irène recula vivement, afin que ne se restreignît pas l'espace entre eux.

— Je peux entrer un moment ? dit-il.

Irène leva un bras en l'air pour le congédier.

— Non, vous pouvez pas, dit-elle.

— Il n'a pas eu le temps de souffrir…

— Ce qui compte, c'est qu'il est mort, personne peut effacer la mort.

Un nouveau silence imprégna l'air, et dans ce silence, il y avait deux douleurs distinctes contenues dans une même souffrance.

— Vous comptez faire le tour de tous les parents de ceux que vous avez vus mourir, vous êtes un genre de prêtre, ou quoi ? demanda-t-elle.

— On était… amis, avec Eugène.

La voix du jeune homme se fracassa contre l'évocation.

— Partez, maintenant ! dit-elle.

— Je ne voulais pas vous mettre mal à l'aise, juste vous parler un peu de lui…

Irène luttait pour rester immobile, au risque de se briser net sous la contrainte d'un poids énorme.

— Je veux plus rien entendre, faut vous le dire comment ? dit-elle.

— Comme vous voudrez. Si vous changez d'avis, je reste encore quelques jours. J'ai pris une chambre à l'auberge de Saint-Paul.

— Vous avez pas mieux à faire que de rester dans un endroit où vous êtes pas le bienvenu, rejoindre votre famille, tant que vous êtes vivant ?

Irène prononça ces paroles avec rage et mépris.

— C'est important pour moi, de rester encore un peu, dit-il.

— Je veux plus jamais avoir affaire à vous, je suis assez claire ?

Mathias tendit de nouveau le bras vers Irène. Elle regarda la main avec un immense dégoût, ces longs doigts désarticulés comme les pattes démesurées d'un insecte, qu'elle imagina fermer les yeux de son propre fils.

— Au revoir, madame Valette, je m'appelle…

— Je veux pas le savoir, votre foutu nom.

Il se tut, embrassant une dernière fois la ferme du regard. Un triste sourire empli de désarroi apparut sur ses lèvres, et il s'en alla. Il quitta la ferme, lentement, comme si chaque pas lui coûtait une fortune d'efforts. Dans son dos, un long sillon de sueur collait le tissu à la peau en une trace vertigineuse et sombre. Le voyant s'éloigner, avec les pans de sa chemise flottant de part et d'autre de son corps malingre, Irène pensa aux ailes d'un oiseau malhabile, et plus du tout à celles de l'ange de son rêve penché sur son fils mourant.

Puis il disparut. Irène sentit de nouveau le poids du regard de Valette peser sur ses épaules. Elle se retourna, fronçant les sourcils dans une attitude teintée d'une incompréhension de circonstance à l'attention de la silhouette décalquée sur la vitre. Un rayon de soleil embrasait la fenêtre, épargnant les petits-bois en forme de croix, comme la condamnation sans appel d'un hérétique, une condamnation que pour rien au monde Irène n'aurait voulu remettre en question. Cet homme qu'elle savait devoir repousser tout le restant de sa vie. Cet homme qui venait d'échapper au feu et qui se portait déjà au-devant d'elle. Cet homme dehors, le fils dedans.

— Il voulait quoi ? dit-il.

Irène souffla d'un air désabusé.

— T'avais raison, répondit-elle sans se démonter.

— Sur quoi ?

— Il cherchait du travail.

— T'as mis drôlement de temps pour lui dire qu'on n'avait rien à lui offrir.

— T'avais qu'à t'en occuper, si t'es pas content…

— C'est pas ce que je demande.

— Il voulait savoir si je connaissais d'autres fermes qui pourraient l'embaucher.

Valette cracha, puis désigna d'un mouvement de tête l'espace entre les deux piles en pierre, par où l'homme avait disparu.

— Il venait d'où ?

— J'ai pas pensé à lui demander.

— Bizarre, dit-il, après un moment de réflexion.

— Qu'est-ce qui est bizarre ?

— Il avait vraiment pas l'air d'un journalier, habillé comme il était, ni trop jeune ni trop vieux pour pas être au front.

Irène se balança doucement, déplaçant son poids d'un pied à l'autre, comme si elle s'extirpait d'une boue pour reprendre appui sur un sol plus solide.

— Qu'est-ce que t'en dis ? reprit Valette.

— T'as qu'à lui courir après, si tu veux, dit-elle sèchement.

— Bizarre, rudement bizarre, répéta Valette sans presque desserrer les mâchoires.

— Peut-être qu'on a rêvé tous les deux.

Valette balaya l'air d'un revers de sa main atrophiée, qui dessina une ombre cabalistique sur le sol.

— Tu racontes n'importe quoi, on peut pas rêver la même chose à deux…

— Qu'est-ce que t'en sais ?

— Tu serais pas en train de devenir folle !

Irène haussa les épaules et les laissa retomber aussitôt.

— Ça serait pas la pire des choses, dit-elle en se mettant en marche vers la maison.

Dans le jardin, Tom se roulait sur la terre. Il enfouissait son museau sous des mottes fraîchement remuées, et le retirait en expirant une poussière humide. Mathilde était agenouillée sur une courte planche, tenant à deux mains le piquet que Joseph enfonçait à coups précis de masse, le dernier d'une série de vingt-cinq. Lorsqu'il en eut terminé, Joseph laissa retomber l'outil dans un bruit sourd, le manche calé contre une cuisse. Il testa la rigidité du piquet en le faisant naviguer d'une main, comme il l'avait fait pour chacun. « On a fini », dit-il d'un air satisfait.

Mathilde attrapa la pelote de ficelle de coton posée sur la planchette, près d'un ciseau de couture aux œillets corrodés. Elle se mit à attacher le pied de tomate autour du piquet, sans trop serrer, coupa ensuite la ficelle à l'aide du ciseau, et remisa le tout dans une poche latérale de sa robe. Ses mains étaient tachées d'une substance vert-jaune qui sentait fort l'odeur caractéristique du plant de tomate. Puis elle se releva, un genou après l'autre, ramassa la planchette, et passa le dos de sa main libre sur son front.

— J'espère qu'on aura de belles tomates, cette année, dit-elle.

— Faudra pas qu'elles attrapent la maladie.

— On mettra du fil de cuivre dans la tige quand les pieds seront plus forts, comme ta grand-mère faisait…

— Je me souviens.

Mathilde se tourna de côté.

— Les haricots vont donner à plein dans pas longtemps. On devrait pouvoir en vendre.

Joseph posa un regard étonné sur sa mère.

— J'ai jamais vu grand-mère vendre un seul légume de son jardin… Elle les donnait quand y en avait de trop, dit-il.

— Les choses changent.

— On en proposera à Léonard avant, il nous rend assez de services comme ça.

— Léonard a un jardin.

Joseph souleva la masse en l'air d'une seule main, la laissa retomber lourdement sur une motte, qui explosa.

— Bien sûr qu'on lui proposera, dit-elle.

— T'y aurais pensé ?

Mathilde se pencha et posa une main sur la tête du chien assis à ses pieds.

— Faut qu'on tire parti de tout ce qu'on peut, dit-elle.

— C'est pas ce qu'on fait déjà ?

Un léger tremblement déstabilisa un coin de la bouche de Mathilde, une hésitation qui étirait ses lèvres, comme si elle déchirait volontairement son visage.

— L'État propose de nous venir en aide, dit-elle.

— En quel honneur ? demanda sèchement Joseph.

Mathilde eut un léger sourire, mais ce sourire ne parvint pas à contrer la tristesse qui inondait son visage.

— On pourrait toucher 1,25 franc par jour et 0,50 de plus par enfant de moins de seize ans. C'est ce que dit la lettre qu'on a reçue.

— On a reçu une lettre comme ça ?

— Hier.

Joseph éclata une nouvelle motte de terre avec la masse.

— Je vais les avoir dans pas longtemps, mes seize ans…

— Il suffit d'en faire la demande pour avoir l'argent.

— On va quand même pas mendier !

— Il s'agit pas de ça, et on est pas en position de refuser, dit fermement Mathilde.

— On n'a qu'à pas répondre, on aura pas à refuser.

Mathilde frotta ses mains tachées l'une contre l'autre, et des effluves douceâtres montèrent à ses narines.

— C'est pas aussi simple que tu le prétends, dit-elle d'une voix adoucie.

— Je travaillerai encore plus dur, s'y faut.

— Justement, tu serais pas obligé.

— Papa m'a toujours dit que le travail d'un homme doit être suffisant pour nourrir sa famille, sinon c'est pas vraiment un homme.

— Ton père est pas là.

Joseph laissa divaguer son regard autour de lui.

— Tu vois un autre homme dans les parages, en ce moment ?

— J'aurais pu prendre la décision seule, sans t'en parler.

— Pourquoi tu l'as pas fait, alors ?

Mathilde tendit un bras vers son fils, puis posa sa main sur le piquet.

— Des fois, je me dis que tu grandis trop vite.

— La faute à qui ?

— Je voudrais pas que tu le payes un jour.

— Tout se paye, pas vrai… ça, je crois bien que vous me l'avez appris tous les deux.

Un long soupir sortit de la bouche entrouverte de Mathilde, envenimant l'air entre eux deux.

— Tu me dis jamais rien, dit-elle en faisant rouler le « r ».

— C'est parce qu'y a rien à dire.

— C'est cette fille qui te tracasse toujours ?

Les traits se creusèrent sur le visage de Joseph, et des ombres s'y couchèrent.

— Cette fille, t'as que ce mot à la bouche. Elle a pas changé de prénom, à ce que je sache, dit-il en s'emportant.

— J'ai rien contre, je croyais que tu l'avais compris. Tu la vois toujours ?

Joseph repoussa vivement le manche de la masse, qui rebondit sur le sol.

— Laisse Anna où elle est, maman, et arrête de faire semblant ! C'est toi qui parles jamais de ce qui est important.

— T'es pas juste…

— Rien disparaîtra parce que tu te tais, et surtout pas cette foutue guerre.

— Je veux simplement te préserver.

— Me préserver, tu crois vraiment que c'est de ça que j'ai besoin ? Je suis plus un enfant, bon sang !

Mathilde se sentait désemparée devant ce fils, qui précisément combattait l'enfant.

— Je croyais faire au mieux, dit-elle.

— Tu sais que j'ai raison.

— Peut-être, dit-elle en se parlant à elle-même.

— Alors !

— Quoi ?

— Cette demande, tu vas la foutre au feu ?

Il y avait l'hiver dans les yeux de Mathilde, celui qui venait de passer, et tous les autres aussi.

— D'accord, dit-elle.

Ils demeurèrent encore un moment dans le jardin, sans plus se parler, à se demander qui bougerait enfin le premier, avec le chien entre eux qui les regardait tour à tour, comme s'il voulait réconcilier deux ennemis également aimés.

Valette entra en trombe dans la cuisine. Il se planta face à Irène en levant le poing en l'air. La fureur écartelait ses yeux. Elle recula, leva les bras en croix devant son visage pour se protéger, et ferma les yeux, attendant que le coup arrive. Le coup ne vint pas. Ses oreilles bourdonnaient, comme si une grosse mouche bleue tournoyait à l'intérieur de sa tête. Elle entendit des pas et le bruit d'une porte de placard. Elle rouvrit les yeux, abaissa les bras, découvrant Valette, debout près du buffet, en train de boire de la gnole au goulot sans la quitter du regard, puis il essuya sa bouche avec une manche de sa chemise et la désigna de la bouteille tendue à bout de bras.

— Tu m'as menti, cracha-t-il.

Pétrifiée, Irène ne bougeait pas.

— De quoi tu parles ?

— Ce type, l'autre jour, il cherchait pas du travail.

— Comment tu sais ça ?

Valette but de nouveau.

— À Saint-Paul, on parle que de lui là-bas. Un soldat en permission arrivé en automobile… Y loge à l'auberge.

— Tu l'as rencontré ?

— Non, paraît qu'il passe son temps dans la montagne.

— Et alors, qu'est-ce que ça change ?

— Ce que ça change ! Pourquoi t'as inventé cette histoire, nom de Dieu ?

— Parce que tu me l'as soufflée, rappelle-toi, dit-elle en reprenant du poil de la bête.

Valette avança d'un pas et cogna le cul de la bouteille sur la table, sans la lâcher, la fureur incendiait de nouveau ses yeux.

— Parle, avant que je m'énerve pour de bon, je te le redemanderai pas, dit-il.

— Eugène a été tué.

Valette se pétrifia.

— Eugène est mort, dit-il.

Il regarda longuement la bouteille d'un air ahuri.

— Pourquoi tu m'as rien dit ? demanda-t-il.

— Je voulais le faire, mais j'ai manqué de courage, j'imagine…

— Qu'est-ce qu'on va devenir, maintenant ?

— J'en sais rien…

Valette releva lentement la tête et regarda sa femme d'un air suspicieux.

— D'habitude, c'est une lettre qu'on envoie pour annoncer la mort d'un soldat, pas quelqu'un.

Irène ne répondit pas.

— T'es en train de me mener en bateau, tu le savais déjà, pas vrai, sinon t'aurais pas réagi comme ça quand il est venu l'autre jour ? demanda Valette.

— Je suis désolée…

— C'est arrivé quand ?

Irène soupira et son souffle sembla s'éterniser le temps que des mots viennent se poser dessus.

— En février, le dix-huit.

— En février… tu me le caches depuis tout ce temps, tu croyais quoi ?

— J'ai jamais pu, je te dis…

— Tu t'es bien foutue de moi, ma garce !

— Je pensais que j'y arriverais.

— Comment t'as pu faire comme si de rien n'était ?

Valette serrait le goulot de toutes ses forces, pendant que sa tête moulinait les informations.

— Je comprends pas.

— Qu'est-ce que tu comprends pas ?

— Pour quoi faire il est venu jusqu'ici, l'autre, vu qu'il devait bien se douter qu'on avait reçu la lettre ?

— T'as qu'à lui demander toi-même, moi, je lui ai dit de pas revenir, que je voulais plus jamais le revoir.

— Y a autre chose que je devrais savoir, alors.

— Je dirai plus rien, tu peux me frapper si tu veux.

— Je t'ai jamais frappée, toi.

— Fais comme tu veux.

— Comme je veux…

Valette s'interrompit, sa main se mit à trembler autour du goulot, et le culot de la bouteille se mit à danser sur le bois. On aurait dit que toute la force colonisant ses muscles s'était évanouie d'un coup, ses membres incapables de faire frémir la toile et le coton de ses vêtements, incapables de mouvements cohérents. Ses yeux, désormais éteints, plongeaient dans le regard tout aussi éteint de sa femme, des sons obsédants dans la tête, crissant, comme feraient des ongles en train de crocheter désespérément une paroi trop lisse. Jamais Irène ne l'avait senti aussi désemparé, désarmé. L'instant où il réalisait que le fondement de sa vie, tout ce qu'il avait entrepris en travail et au-delà du travail, que ce que les générations passées de Valette avaient construit au prix de leur vie, que cette volonté acharnée qu'elles avaient mise à bâtir pour transmettre les murs et les champs, et même jusqu'au souvenir des luttes nécessaires à cela, que tout ceci n'était qu'une vaste supercherie, une inutile ruine en marche. Et lui, Valette, n'y pouvait plus rien.

Irène posa une main sur son ventre. Elle s'avança fébrilement vers son mari, se cambrant exagérément, presque risiblement. Il la laissa approcher, toujours abattu, puis se ressaisit.

— Ça changera rien, dit-il.

Irène s'arrêta. Une chaise la séparait maintenant de lui. Elle laissa glisser sa main de son ventre, la tendit en direction de l'entrelacement de chairs bousillées qui pendait au bout du bras de son mari, et ses doigts arqués semblaient avoir pris l'empreinte du fœtus, une promesse qu'elle aurait voulu offrir sans avoir besoin de mots pour exprimer son vœu, et peut-être même à cet homme, puisqu'il n'y avait personne d'autre à qui l'offrir.

— Y aura pas toujours des guerres pour nous les prendre, dit-elle d'une voix faible.

— Qu'est-ce que tu racontes ?

— Tu le sais bien…

— C'est peut-être pas la pire des choses, de mourir à la guerre.

Les lèvres de Valette frémissaient comme des grumes ballotées par le courant d'une rivière, à regarder sa parodie de main vers laquelle elle croyait avoir tendu la chose la plus précieuse au monde.

— J'en reviens pas que t'aies pu me mentir là-dessus, dit-il.

Irène eut une hésitation, puis ramena sa main.

— Si ça se trouve, tu me mens depuis toujours, ajouta-t-il.

— Peut-être, mais ce qui est sûr, c'est que tu trouveras pas la vérité que t'imagines de l'autre côté de mes mensonges.

— La vérité, qu'est-ce que t'en sais de la vérité ?

Valette fit légèrement basculer la bouteille pour évaluer ce qu'il restait à l'intérieur. Il inspira, et but ensuite jusqu'à ce qu'il ne demeurât plus rien. Puis il garda encore un long moment le goulot dans sa bouche. Dans son regard, il vit naviguer le corps de verre, et ses yeux se mirent à le piquer, comme quand de la fumée y entrait et qu'il la laissait faire. Puis il laissa retomber la bouteille à bout de bras.

— Ça t'aidera pas de boire autant, dit-elle.

Il approcha le goulot de ses lèvres par pure provocation, se souvenant que la bouteille était vide, il la tendit en direction de sa femme, d'un air rageur.

— Tu veux peut-être m'empêcher, dit-il.

— Ça te tuera un jour.

— Et même, qu'est-ce que ça peut te faire ?

— On va avoir besoin de toi.

— T'as jamais eu besoin de personne, dit-il sans remarquer le « on ».

Irène reposa nerveusement une main sur son ventre. Valette attendit, tenant toujours la bouteille, cette fois-ci à la manière d'une offrande, pensant qu'elle allait ajouter des mots, des mots qui effaceraient en partie leur conversation, ou à défaut, qui apaiseraient un peu leur feu, mais elle continua de tisonner les braises de son silence en caressant son ventre.

Joseph avait pris une dizaine de centimètres en une année, et suffisamment de muscles pour aller avec. Il s'était endurci. Toute forme de légèreté l'avait désormais déserté. Il abordait les travaux physiques avec une hargne peu commune, déployant bien plus d'énergie que nécessaire, pensant qu'il aurait un jour ou l'autre à vaincre Valette, s'y préparant.

Depuis plusieurs semaines déjà, Léonard avait perçu les changements dans l'attitude du jeune homme. Le vieil homme aurait tant voulu qu'il lui parlât de ce qui se passait en lui, ce qu'il devinait de luttes intimes. Il aurait peut-être pu l'aider, mais Joseph demeurait hermétique à la confidence, muet comme une tombe.

Ils étaient partis couper des barres rectilignes de hêtres dans un taillis, de quoi faire des piquets de clôture calibrés. Joseph maniait la hache avec précision. Il abattait d'abord le jeune arbre, puis l'ébranchait et le sectionnait à l'endroit où le diamètre était encore suffisant, sans trop gâcher de bois. Il entassait ensuite les têtes feuillues, toujours dans le même sens pour les laisser sécher et en faire des fagots pendant l'hiver. De son côté, Léonard traînait les barres jusqu'au tombereau, deux par deux, une sous chaque aisselle, comme s'il tractait un travois, puis il posait les extrémités les plus larges sur le rebord et poussait les troncs dans le fond de la charrette.

Une fois qu'il estima le chargement suffisant, Léonard fit rouler les barres de surface pour bien les caler, qu'elles trouvent leur place et ne se baladent pas durant le transport. Joseph faisait encore sauter de grosses écailles de bois blanc en tournant autour du pied d'un jeune hêtre, jusqu'à ce qu'il ne tînt plus droit que par un miracle ténu. Puis il le poussa du pied et l'arbre chuta dans un bruit d'ailes froissées, comme si un vol de ramiers rasait les cimes au-dessus d'eux.

— Tu peux arrêter, y en a assez, dit Léonard.

— Un dernier, tant que j'y suis.

— Pas plus, c'est déjà bien assez lourd pour ma mule.

Joseph coupa un nouvel arbre en y mettant plus de vigueur encore que pour les autres, puis il le chargea lui-même dans le tombereau, sous le regard circonspect de Léonard.

— On dirait que t'as de l'énergie à revendre en ce moment, dit le vieil homme en faisant rouler la dernière barre contre une ridelle.

Léonard trouvait que, ainsi campé sur ses jambes, tenant sa hache à deux mains, Joseph ressemblait à un de ces guerriers des temps anciens qui traversaient les mers pour asseoir leur domination par la violence. Et maintenant que le jeune homme n'avait plus rien sur quoi jeter sa hargne, il se dit qu'il était temps de jouer cartes sur table.

— T'en as après quoi, au juste ? dit-il.

— Faut bien que ça se fasse.

— C'est sûr que c'est une façon de faire.

— J'en connais pas d'autre…

— Une façon d'homme en colère.

Joseph nettoya le tranchant de la lame parsemé de fragments d'écorce entre son pouce et son index, passant plusieurs fois, pour retrouver le fil luisant de sève.

— T'as l'air d'en savoir plus long que moi, dit-il.

— Je vois ce que je vois.

— Et même si j'étais en colère, tant que je la passe sur des arbres, y a pas de mal, dit Joseph d'un ton provocateur.

Léonard tapota une barre du plat de la main, comme s'il flattait la croupe d'un animal.

— C'est vrai qu'ils peuvent pas se rebiffer, eux, dit-il en appuyant sur le dernier mot.

— Dis ce que t'as à dire, qu'on en finisse.

— Laisse pas ta colère prendre le dessus, tu pourrais le regretter toute ta vie.

— Je pourrais aussi bien regretter un jour de pas l'avoir laissée sortir.

Il y eut un silence chahuté par le cliquetis du mors et le cri d'un geai surgi du cœur de la forêt, puis le vieil homme reprit :

— J'ai jamais rencontré ce genre d'homme, dit-il.

— T'en as peut-être pas connu tant que ça, alors.

— Peut-être, mais ceux que j'ai vraiment connus t'auraient pas dit le contraire.

Joseph jeta rageusement la hache dans la charrette.

— Tendre la joue, ces conneries… c'est ça que tu proposes ?

— Se tenir à distance suffit bien souvent à pas avoir à la tendre.

— Sages paroles, dit Joseph d'un air dédaigneux.

— Je suis pas un sage.

— Un peu, à t'écouter.

Léonard hocha la tête et propulsa un jet de salive entre ses dents.

— T'avais pas envie d'entendre ça, dit-il.

— J'avais rien envie d'entendre, si tu veux tout savoir.

— Je te donnais juste un conseil. Je suis personne pour t'empêcher de faire ce que tu crois le mieux.

L'agacement n'avait pas quitté Joseph.

— De quoi on parle, là ? demanda-t-il.

Léonard retira son chapeau d'une main, se frotta le crâne de la même main, et le replaça sur sa tête, sans un mot. Joseph le regardait. Il semblait plus calme, désormais.

— T'observes sacrément les gens, dit-il.

— Pas tous, et ça m'a déjà joué des tours.

Joseph laissa les mots de Léonard se frayer un chemin jusqu'à lui à coups de machette qui laissèrent le champ libre à l'image de Valette. Car c'était bien lui, Valette, qui était venu le provoquer jusque dans sa grange, alors que Joseph était toujours resté à distance.

Le vieil homme se tenait dans l'ombre des arbres, sombre silhouette faïencée d'éclats de lumière transperçant le feuillage par endroits, ébréchée, une main refermée sur l'extrémité d'un tronc, comme s'il eût voulu le broyer, toute son impuissance révélée dans ce geste, persuadé qu'il était à ce moment-là que le jeune homme ne tendrait pas la joue et qu'il reculerait encore moins.

— Je voudrais pas te décevoir, dit Joseph.

Léonard longea la charrette jusqu'à la mule, saisit la bride sur le cou de l'animal et la fit passer par-dessus sa tête, tournant le dos à Joseph.

— C'est pas facile d'être l'homme qu'on voudrait être… on y arrive jamais vraiment, dit-il.

Puis Léonard invita la mule à le suivre. L'essieu récita une plainte connue des hommes et de la forêt. Joseph prit quelques secondes avant de se mettre en marche, les yeux fixés sur le vieil homme, et jamais la bosse sur son dos ne lui avait paru si proéminente.

La nouvelle avait fait le tour du bourg et des environs. Pensez ! Un permissionnaire, venu en automobile d'on ne savait où exactement pour se perdre à Saint-Paul, avait quelque chose d'improbable, de mystérieux. Le mot déserteur arriva dans une conversation de comptoir, mais ça restait à prouver, et l'aubergiste attentive rabroua immédiatement le suspicieux, disant qu'elle en savait plus qu'elle voulait bien en dire, que ce n'était pas cette sorte d'homme, pour sûr non, pas cette sorte d'homme. On insista auprès d'elle, afin de connaître un peu mieux ce type bizarre, qui passait ses journées à courir la montagne. Rien n'y fit. Elle gardait le secret, évidemment. En désespoir de cause, lorsque l'un ou l'autre curieux tentait d'en savoir plus en questionnant directement l'inconnu, l'air de rien, alors qu'il se mettait en route pour une de ses longues balades, ce dernier éludait poliment, impatient de prendre le large. Au fond, qui aurait pu le blâmer de rechercher la solitude après l'enfer qu'il venait de vivre, et dans lequel il allait retourner ? Ça ne devait pas ressembler à ça, un déserteur.

Seul à une table, Mathias buvait un café. La femme de l'auberge était occupée à laver des verres derrière son comptoir. À chaque fois qu'elle posait un verre ruisselant d'eau à l'envers sur un linge immaculé, elle levait les yeux sur Mathias, et il n'y avait rien d'inquisiteur dans ce regard, plutôt un mélange de curiosité et d'attendrissement.

— Je peux vous demander quelque chose ? dit-il.

— Bien sûr, dit la femme, surprise.

— J'ai aperçu plusieurs fermes en montant vers le puy Violent.

— Et vous voulez savoir à qui elles sont, pas vrai ?

D'un geste lent, elle déposa le verre qu'elle venait de laver et le tint un moment avant de le lâcher, comme elle aurait appliqué une ventouse sur une peau pour extirper les humeurs d'un corps malade. Puis elle cessa toute activité, vint à la table de son client, s'assit et, tout en parlant, se mit à faire glisser deux doigts sur le plateau nervuré de la table pour tracer une route.

— La première, c'est celle des Valette, ils sont quatre, là-haut, le fils est parti à la guerre, il reste les parents, leur nièce et sa mère, un peu plus loin en montant, c'est chez le vieux Léonard et la Lucie, et encore au-dessus, la ferme des Lary, ils sont plus que deux, la mère et le fils, le père est lui aussi au front, et la grand-mère est morte cet hiver, après, y a plus rien qu'un buron avant d'arriver au puy.

De ses doigts, elle tapota le point d'arrivée matérialisé par une jointure dans les veines du bois, un espace épargné entre deux pointes rouillées brillantes de cire. Mathias sourit à la femme.

— Merci, dit-il.

— Vous cherchez quelqu'un, pas vrai !

— Non.

— Si vous voulez en savoir plus sur eux, vous avez qu'à demander.

— Je ne cherche personne, je vous assure.

— C'est vous que ça regarde, dit la femme, un brin contrariée par ce qu'elle considérait comme un manque de confiance. Puis, voyant que Mathias demeurait silencieux, elle hocha la tête et se leva.

— Je suis pas quelqu'un qui parle à tort et à travers, vous savez, ajouta-t-elle.

Mathias se contenta de lui sourire de nouveau. Il termina sa tasse et se leva à son tour.

— Je ne rentrerai pas avant ce soir, dit-il.

— Vous devriez mettre quelque chose sur votre tête avec ce soleil qui tape fort en ce moment, sinon vous allez finir par attraper un coup de chaleur, à force.

Elle disparut sans attendre de réponse et revint peu après, tenant un chapeau en paille bombé comme un casque colonial.

— Prenez ! dit-elle.

Mathias hésita un court instant, puis saisit le chapeau sans le mettre sur sa tête, et remercia.

— Me le perdez pas, surtout !

— Ne vous inquiétez pas.

— C'était çui de mon homme, dix ans tout rond qu'il en a plus besoin.

— J'en prendrai soin.

Mathias ne voulait surtout pas se laisser embarquer dans une discussion de ce genre. Il sortit de l'auberge, abandonnant la femme à des souvenirs qu'elle aurait volontiers partagés avec cet étranger. Il quitta le village. Ce jour-là, les gens qu'il croisa semblaient tous s'être passé le mot de ne pas aller plus loin qu'un regard fuyant.

La forêt traversée, une odeur de paille brûlée emplissait l'air et la chaleur devint plus pesante. Mathias en ressentait à peine les effets. Il évita la ferme des Valette et poursuivit jusqu'à celle de Léonard. Tout y était calme, hormis les rares beuglements provenant d'animaux cloîtrés et les caquètements de quelques volailles, faibles voix prostrées au creux des ombres. Mathias fit le tour des bâtiments barricadés, sans croiser quiconque, puis se résolut à frapper à la porte de la maison. Insista. Personne ne répondit.

Il entreprit alors de monter jusqu'à la dernière ferme indiquée par l'aubergiste. Arrivé à proximité des bâtiments, il entendit de petits bruits secs répétés à intervalles réguliers. Il s'arrêta un instant, essayant d'identifier les bruits. Il n'y parvint pas. Pour lui, chaque espace entre les sons n'était pas fait de silence, mais d'un écho qui annonçait le suivant, un écho qui le ramenait à une douleur lancinante. Mathias pénétra dans la cour. Il découvrit deux hommes affairés à une étrange tâche sous un vaste marronnier. Joseph épointait à la hache un piquet posé sur un billot, et Léonard brûlait l'extrémité taillée d'un autre dans les braises d'un feu apaisé.

Joseph vit l'homme le premier. Il suspendit son geste et Léonard releva la tête à son tour. Ils se regardèrent, incrédules.

— Je suis bien chez les Lary ? demanda Mathias d'un air affable.

— Possible, vous leur voulez quoi ? demanda sèchement Joseph.

— C'est l'aubergiste de Saint-Paul qui m'a renseigné, je loge chez elle.

— Ça répond pas à ma question.

— Je me promène, c'est tout.

Léonard se redressa, face à l'inconnu, avec cet air de ne pas y toucher qui faisait souvent dire aux gens plus qu'ils n'auraient imaginé confier.

— Alors, vous vous promenez, dit-il.

— Je suis en permission.

— J'ai entendu parler de ça, dit le vieil homme.

— Je me suis approché, parce que j'ai entendu du bruit. Je vais y aller, je ne voulais surtout pas vous déranger.

— Vous nous dérangez pas, on allait justement boire un coup, pas vrai ! dit Léonard en jetant un regard complice à Joseph. Si ça vous dit.

— Pourquoi pas, il fait chaud.

Joseph planta vigoureusement sa hache dans le billot, et, sans rien dire, il se dirigea à contrecœur vers la maison. Après quelques minutes, il revint avec une cruche de cidre, qu'il donna à Léonard. Le vieil homme retira le bouchon et tendit la cruche à Mathias.

— Honneur à l'invité, dit-il.

Mathias regarda la cruche, comme s'il ne savait pas comment l'attraper. Joseph évaluait les gestes de l'étranger avec un certain amusement qui voisinait avec le dédain.

— On s'embarrasse pas de verres, nous autres, dit-il d'un ton provoquant.

— Ça ira, répondit Mathias en prenant la cruche à deux mains.

Il but une goulée. Du cidre dégoulina des deux côtés de sa bouche, et il se pencha en avant et cracha.

— Allez-y doucement, si vous voulez pas qu'il vous le reproche, dit Léonard en riant de la maladresse de l'étranger.

Sans le moindre ménagement, Joseph saisit la cruche que tenait Mathias.

— Pour pas gaspiller, surtout, dit-il.

Il essuya le goulot d'un revers de manche et but à son tour, longuement, puis il passa la cruche à Léonard. Le vieil homme posa un pied sur le billot, releva le bord de son chapeau, but, et appuya ensuite la cruche sur sa cuisse.

— D'où vous venez comme ça ? dit-il.

— Des Ardennes.

Léonard dodelina de la tête.

— Vous êtes d'où, en vrai, je veux dire ?

— Paris.

Léonard but de nouveau, puis il fit claquer son palais, avant de reboucher la cruche en enfonçant le bouchon en liège du plat de la main, d'un seul coup.

— Parisien… Quelle drôle d'idée de venir ici, dit-il.

— On m'a dit que c'était un bel endroit.

— Ça dépend pour quoi faire, j'imagine… Et vous le connaissez comment, cet endroit ?

— On m'en a parlé.

— Qui ça, « on » ? coupa alors Joseph, comme si les paroles de Mathias venaient de libérer un mécanisme grippé au creux de son ventre. Et si ce « on » était son propre père ? pensa-t-il.

Mathias prit un temps, jeta un bref coup d'œil en direction de l'entrée de la cour.

— Eugène Valette, on était au front ensemble, dit-il.

Léonard vit les épaules de Joseph s'affaisser et la déception s'incruster dans ses yeux, comme de la poussière.

— Il a pas eu de permission, lui ? dit le vieil homme.

— Non, répondit Mathias, surpris de la question.

— Vous faites pas partie du même régiment, alors ?

Joseph ne laissa pas le temps à Mathias de répondre.

— Victor Lary, vous le connaissez, c'est mon père ?

Mathias prit un temps avant de répondre.

— Non, désolé, je n'ai jamais entendu ce nom-là.

Joseph fixait Mathias, comme s'il attendait un démenti, ou au moins une hésitation nouvelle.

— J'imagine que vous êtes passé par les Grands-Bois avant de venir ici, dit Léonard pour changer l'axe de la conversation.

Mathias baissa les yeux.

— Je parie que vous avez pas été bien reçu, dit Léonard.

— Je n'en veux à personne.

— La guerre a rien à voir avec ce qu'ils sont.

Mathias releva les yeux sur le vieil homme, des yeux à l'iris du bleu le plus pur, comme pétrifié autour d'un anneau de cobalt.

— Vous le connaissiez bien, Eugène ? dit-il.

— Un brave gamin… j'espère qu'il va s'en tirer.

Mathias retira son chapeau. Du revers de la main, il essuya la sueur sur son front. Ils n'étaient décidément pas au courant de la mort d'Eugène.

— J'ai pas de conseil à vous donner, mais vous gagnerez rien à rester trop longtemps par ici. Votre famille doit attendre après vous, dit Léonard.

— Ma famille… c'est un peu compliqué.

Léonard laissa filer de l'air entre ses dents, sans quitter l'inconnu des yeux.

— C'est pour ça que vous vous entendez bien avec Eugène, je suppose.

Mathias sourit tristement, puis se tourna vers Joseph.

— J'espère que votre père va vite revenir, dit-il, et sa voix tressauta à plusieurs reprises en prononçant ces mots.

Joseph saisit la hache et la retira du billot en faisant basculer le manche en avant.

— On prie pour ça aussi, dit-il.

Mathias les salua. Ils le regardèrent s'éloigner, puis Léonard se tourna vers Joseph.

— Drôle de type, dit-il.

— On aurait dit qu'il voulait nous tirer les vers du nez.

— Je crois pas.

— D'après toi !

— Moi, j'ai surtout vu un homme qui aurait bien troqué tout ce qu'il possède contre rien du tout en échange.

— Qu'est-ce que tu veux dire ?

— Qu'il est pas venu chercher quelque chose qu'on pouvait lui donner, et qu'il le savait avant de venir.

— Pourquoi ?

— Le cœur d'un homme, personne peut le comprendre, et ce qui se passe dedans, ça appartient qu'à lui… Bon, faut qu'on s'y remette !

Anna entra dans la chambre, et ce qu'elle vit alors lui glaça le sang. Sa mère avait sorti de l'armoire la totalité de ses vêtements et les avait étalés partout dans la pièce. Elle était assise sur le lit, triturant une robe à la manière d'un enfant qui se confierait à son ours en peluche, et ses lèvres bougeaient comme si elle eût prononcé des mots vides de son.

— Maman !

Hélène ne réagit pas. Anna s'approcha et s'agenouilla devant elle.

— Maman, qu'est-ce que tu fais ?

Hélène releva les yeux sur sa fille d'un air hébété, comme si elle découvrait seulement sa présence.

— Ma chérie, dit-elle en forçant un sourire.

Anna désigna les vêtements éparpillés autour de sa mère.

— Il faut qu'on se tienne prêtes, dit Hélène sur le ton de la confidence.

— Prêtes à faire quoi ?

— Pour quand ton père va venir nous chercher, évidemment ! Il ne va plus tarder, je le sais.

Des secondes s'écoulèrent, des secondes durant lesquelles Anna tenta de mettre de l'ordre dans ce qu'elle allait dire et faire. Puis elle tira lentement sur la robe que tenait sa mère, qui raffermit aussitôt la pression de ses doigts sur le tissu.

— Maman, laisse-moi faire.

Hélène se redressa et durcit son regard.

— Qu'est-ce que tu crois ? dit-elle.

— Je ne crois rien, maman.

— Tu penses que je suis folle, hein ?

— Non, jamais je n'ai pensé ça.

Hélène s'affaissa sous l'emprise d'un intense désarroi. Elle se mit à sangloter. De grosses larmes quittèrent ses yeux et s'écrasèrent sur la robe claire, formant instantanément de petites auréoles foncées.

— Pleure, ça va te faire du bien, dit Anna.

— Je ne suis pas folle, tu sais.

— Je sais, maman, je sais…

— Je n'en peux plus d'être ici. Je croyais que je m'y ferais, tout comme tu as l'air de t'y faire.

— Il faut qu'on tienne…

— Irène a raison, je ne suis pas assez forte.

— Mais si tu l'es, tu vas voir, ça va passer.

Hélène avala un trop-plein de salive.

— Regarde, tu es en train de me consoler, c'est le monde à l'envers, dit-elle.

— Je suis sûre que tu le feras, si j'en ai besoin un jour.

Hélène épongea délicatement ses yeux de l'extrémité d'une manche de la robe, puis la reposa sur ses genoux en reniflant. D'une main, elle se mit à caresser tendrement les cheveux de sa fille, les yeux hagards.

— J'espère que je serai là, dit-elle.

— Je n'en doute pas une seconde.

Un vague sourire fugace apparut sur le visage d'Hélène, puis elle se mit à balayer la pièce du regard, comme si elle découvrait seulement le désordre.

— Tu veux bien m'aider à ranger tout ça ? dit-elle.

— Bien sûr.

Hélène saisit avec précaution les pans inférieurs de sa robe et les laissa retomber.

— Ils sont si différents, dit-elle.

— De qui parles-tu ?

— Émile et son frère.

L'évocation de Valette fit dévaler un torrent de dégoût depuis la gorge d'Anna jusqu'à son ventre. Les doigts d'Hélène se crispèrent sur la robe, puis elle dit :

— C'est une brute, tout le contraire de ton père.

— Tant qu'on est ensemble, il ne peut rien nous faire…

— Et avec Irène à sa botte, qui ne perd pas une occasion de m'humilier, je les déteste.

— Tu entends ce que je dis, on ne doit pas se laisser aller, si une de nous deux vient à flancher, l'autre sera là pour la relever.

— Tu as sans doute raison, dit Hélène sans véritable conviction. On n'a pas d'autre choix.

Anna enveloppa les poings de sa mère avec ses mains et les ramena l'un contre l'autre.

— On va écrire à papa pour le convaincre de venir ici dès qu'il aura sa permission, d'accord ?

— Ce n'est pas ce qu'il veut.

— Peut-être, mais je crois que ce serait le meilleur moyen… pour qu'il nous laisse tranquilles. On racontera tout à papa, il saura ce qu'il faut faire.

— Je ne suis pas certaine que cela suffise. Ils continueront à nous mener la vie dure, une fois que ton père sera reparti.

— Maman, il faut essayer. Et puis, tant que papa sera là…

Anna s'interrompit. Hélène respirait fort, perdue dans ses pensées.

— Après tout, tu as sûrement raison. Je vais lui écrire, dit-elle, comme si une évidence venait de lui apparaître.

— On va s'en sortir, maman, et quand tout sera fini on oubliera vite.

Hélène ébaucha un sourire, qui disparut aussitôt.

— Puisses-tu avoir raison, dit-elle, tout en dégageant ses mains de l'étreinte de sa fille, puis elle se mit à plier la robe avec des gestes lents.

« Vic-tor, Victor. »

Mathilde sentit une démangeaison à la surface de sa peau, comme si elle venait de traverser nue un champ d'orties. Il n'y avait pas un souffle d'air dans la cour étuvée.

« Vic-tor, çava çava çava. »

Les poings serrés, elle se dirigea vers le pignon de la grange. Ça n'arrêtait pas.

« Vic-tor Victor Victor Victor… çava çava çava. »

La voix éraillée provenait d'une cage que l'on remarquait à peine sous une opulente glycine, dont les grappes de fleurs blanches et doubles faisaient comme des torches renversées dans l'ombre de la bâtisse.

« Çava çava çava Vic-tor. »

Mathilde devant la cage. Desserra les poings. Un geai sautillait du perchoir au plancher en tôle en produisant un bruit sourd de gong, puis du plancher au perchoir, sans arrêt, déversant en même temps les mots que Victor lui avait patiemment appris. Un oiseau tombé du nid, qu'il avait recueilli cinq ans plus tôt, soigné, nourri et fini par apprivoiser. Les parents étaient venus tourner autour de la cage durant des jours. Victor les avait chassés en accrochant des rubans de couleurs criardes, de peur qu'ils n'empoisonnent leur progéniture emprisonnée. Ils avaient fini par abandonner. L'oiseau apprit vite, faisant preuve de dons d'imitation exceptionnels, capable de siffler et tousser comme un humain, puis, plus tard, de réciter les prénoms de la famille tout entière. Mais, en ce jour, comme s'il s'évertuait à ourdir une terrible vengeance, il ne semblait se rappeler que d'un seul, ce « Victor », qu'il martelait sans cesse, sorti de son bec noir.

« Vic-tor Vic-tor Vic-tor. »

Satané volatile !

Mathilde frappa le grillage du plat de la main à plusieurs reprises. L'oiseau s'immobilisa sur son perchoir, pencha la tête vers elle, aigrette dressée, avec son œil rond qui ressemblait à une tasse de café noir posée sur une soucoupe blanche, cet œil qui la fixait durement.

« Çava… »

Mathilde frappa de nouveau, plus fort, et plus elle frappait, plus le geai déversait sa litanie délirante. « Çava çava çava… » Elle retira sa main. L'oiseau déploya ses ailes, fouettant l'air d'éclats de lapis-lazuli, les replia, recommença, encore et encore.

« Victor Vic-tor. »

Cette incessante provocation était plus que Mathilde n'en pouvait supporter. Elle haïssait l'oiseau qui la fixait encore de sa pupille noire dans laquelle se reflétait sa propre image, comme sur la surface sombre d'un étang. Elle aurait pu fuir pour ne plus entendre la voix, mais elle était consciente que ce ne serait pas suffisant. Demanda une dernière fois au geai de se taire, frappant le grillage à s'en écorcher la main. *Enfant de Satan !* Pourquoi l'oiseau s'évertuait-il à la torturer de la sorte ? Pourquoi « Victor » ? Comment un vulgaire volatile était-il capable d'une telle folie ?

« Vic-tor çava çava çava Victor. »

« Le diable te mange », dit-elle en se détournant alors de la cage.

Mathilde traversa la cour. Des moucherons vinrent buter et rebondir sur elle. Un gros taon se posa sur son épaule, et planta son stylet dans la chair brûlée par le soleil. Elle s'arrêta en sentant la piqûre, puis écrasa l'insecte avec sa main, et une trace rouge groseille apparut sur sa peau. Elle piétina la bestiole tombée au sol et se remit en marche. Une fois le portail dépassé, il lui sembla apercevoir un animal de la taille d'une sauvagine franchir le chemin à vive allure. Puis elle rejoignit le dernier des arbres disposés en haie au bord du chemin, cet arbre qui n'était pas un cyprès, mais un if de même forme élancée, d'un vert plus foncé. Elle cueillit une poignée de baies orangées salies par la maturation, et retourna ensuite près de la cage dans laquelle le geai n'en finissait pas de crâner. Jeta une à une les baies empoisonnées à l'intérieur, et attendit qu'il se tût enfin.

— *Mathias !*

— *Oui.*

— *Tu m'avais promis.*

— *Je t'ai promis quoi ?*

— *La mer, tu m'as dit que tu m'y emmènerais.*

— *Je tiens toujours mes promesses, tu te rappelles ?*

— *Tu vas avoir du mal avec celle-là.*

— *Arrête de parler, tu te fatigues pour rien.*

— *Tu sais ce que j'aimerais… après ?*

— *Après ?*

— *Arrête, s'il te plaît.*

— *Dis-moi…*

— *Que t'ailles marcher dans mes montagnes… en pensant à moi… j'aimerais que tu fasses ça.*

— *On ira ensemble, bon sang.*

— *Je vois d'ici la tête de mon père.*

— *On s'en fout de ton père.*

— *Tu feras ce que je te demande, hein ?*

— *Je le ferai.*

— *Tu sais tout de moi, de ma vie… de ma famille, et je m'aperçois que je sais rien de toi.*

— *Qu'est-ce que tu voudrais savoir ?*

— Tout.

— Ce qu'il y a de meilleur à connaître est dans mon cœur, et ce cœur, il t'appartient.

— Beau parleur.

— Bel ange.

— Après tout, c'est pas important. Ce que je connais de toi me suffit à t'aimer.

— Tu devrais moins parler.

— Ça fait pas si mal.

— Alors, c'est bon signe.

— T'es la plus belle chose qui me soit arrivée, et c'est à la guerre que je la dois... Y aurait presque de quoi en rigoler, tu crois pas ?

— Moi aussi, je t'aime.

— Alors tout est bien...

— C'est ça, tout est bien, mon ange.

— Faudra pas que tu sois triste.

— Pourquoi voudrais-tu que je le sois ?

— Tu sais très bien ce que je veux dire, fais pas semblant, s'il te plaît.

— Tu veux boire un peu d'eau, quelque chose ?

— Non, je vais fermer les yeux et me reposer un peu... tu resteras là ?

— Je ne bouge pas.

— Mathias !

— Oui.

— Je la vois... t'as tenu ta promesse... je vois la mer... elle est partout...

Le soleil avait fini d'escalader le ciel, formant un disque parfait qui maintenant broyait l'azur. Mathias avait décidé de repartir le lendemain, mais, avant, il voulait retourner une dernière fois dans la montagne. Dans *sa* montagne.

Il marchait d'un bon pas, plein ouest, s'arrêtant souvent pour contempler le paysage grandiose, retirant alors le chapeau prêté par la femme de l'auberge afin de défricher au maximum son champ de vision, puis le replaçait sur sa tête, et repartait. Il avait dépassé son ombre depuis une bonne heure, lorsqu'il atteignit la rivière. S'agenouilla sur la berge caillouteuse, déposa son chapeau au sol, puis aspergea son visage à plusieurs reprises, mouilla sa nuque et ses cheveux qu'il lissa ensuite d'un geste fluide. Puis il posa ses lèvres à la surface de l'eau, simplement pour en éprouver le contact. Se recula. La rivière en miroir lui renvoyait son regard méconnaissable replié vers une intériorité qui ne lui appartenait pas. Cette rivière bavarde, qui étouffait les chants des oiseaux, et même le silence. « Elle vaut bien une mer, ta rivière, mon ange », dit-il. Il se pencha de nouveau et immergea ses mains jusqu'aux poignets. Elles reposaient sur des galets recouverts d'algues visqueuses et boursouflés de portes-fées. Mathias récita quelques vers dans sa tête. Il avait lu les poètes, ceux qui transposaient en nobles paroles tous les échos de l'âme, ces échos qu'à son sens on confondait à tort avec de simples sentiments étriqués.

...Mais non les morts ne dérangent rien ils cadrent bien dans la nature,
Ils font très bien dans le paysage sous les arbres sous l'herbe,
Comme dans le canton le plus extrême de l'horizon à la lisière du ciel.

Un écho de cette nature, capable de défier le temps, débarrassé de la pesanteur des sentiments, comme une noix de sa coquille imperméable, enfin prête à germer.

Mathias laissa entrer la lumière en lui, afin de recevoir ce qu'Eugène avait reçu avant lui, cette magistrale beauté qui traversait leurs cœurs vivants. Car il avait le pouvoir de saisir la lumière dans l'air, mais aussi dans l'eau, à la surface d'une roche, et cette lumière était une musique en train de se composer, un assemblage de sons dépourvu d'ordre. Il redressa le buste, sortit ses mains de la rivière, frotta de nouveau son visage et releva la tête.

Un homme l'observait depuis la berge opposée. Mathias le reconnut sans l'avoir jamais vu. Cet homme qu'Eugène lui avait décrit au front, ce père qu'il ne pouvait que haïr à distance, et peut-être encore dans sa nuit éternelle.

Valette traversa la rivière d'un pas décidé, éclaboussant ses jambes de pantalon et aussi sa chemise. Il progressait les bras bien écartés pour ne pas perdre l'équilibre sur les galets glissants. Toujours agenouillé, Mathias le regarda approcher. L'homme se retrouva bientôt face à lui. Il le jaugeait maintenant, immobile, planté dans le courant qui contournait ses mollets, comme s'il eût été capable de trouver l'explication qu'il cherchait, sans avoir à parler. Et n'y parvenant manifestement pas, il dit :

— Lève-toi !

Mathias ne dit rien, il se releva lentement, sans quitter Valette des yeux.

— Alors, c'est toi, dit Valette.

— Vous m'avez suivi ?

— Y a rien qui peut m'échapper dans ces montagnes.

Valette sortit de l'eau. Il dominait le jeune homme d'une demi-tête.

— Tu sais qui je suis ? dit-il.

— Je n'imaginais pas qu'il vous ressemble autant, dit Mathias sur un ton calme.

— Pourquoi t'es venu chez moi, l'autre jour ?

— Votre femme ne vous a pas dit ?

Valette désigna Mathias d'un mouvement hautain de la tête.

— Qu'est-ce qu'elle m'aurait dit ?

Mathias laissa dériver son regard sur la rivière, à la surface de laquelle tremblait une lumière éclatée.

— Que j'étais au front avec Eugène.

Valette ne laissa paraître aucune émotion.

— Elle avait l'air de sous-entendre qu'y avait pas que ça, dit-il.

— Il est mort dans mes bras.

Valette accusa le coup en repensant à la lettre qu'Irène avait voulu lui dissimuler durant l'hiver, celle qui annonçait la mort de son fils. Elle lui avait menti pendant plus de cinq mois, lui faisant croire, sans qu'il eût à demander, qu'Eugène donnait des nouvelles régulièrement. Il la revoyait, dépliant probablement à chaque fois le même morceau de papier sans qu'il s'en rendît compte, visage impassible, inventant des mots, puis repliant la feuille avant de la remiser dans une poche. Valette laissa passer un moment, le temps de se ressaisir, puis il dit :

— Je suis sûr que tu me dis pas tout.

— Quoi d'autre ?

— Tout ce chemin pour nous annoncer quelque chose qu'on savait déjà, je comprends pas.

— Une promesse que j'avais faite à Eugène.

Valette serra les poings. Il avança d'un pas, se tenant désormais à quelques centimètres de Mathias, menaçant.

— Quelle promesse ? demanda-t-il.

Mathias ne baissa pas les yeux.

— Il vaut mieux que je m'en aille, dit-il.

— T'iras nulle part, nom de Dieu !

Valette était bien tel qu'Eugène l'avait décrit à Mathias, mais il ne l'impressionnait pas. Il y eut un long silence. Un large sourire se dessina sur le visage du jeune homme, et ce sourire n'était pas destiné à Valette.

— Il est encore temps, monsieur Valette.

— Non, il est plus temps du tout.

— Si c'est ce que vous voulez.

Mathias prit une longue inspiration.

— J'aimais votre fils et il m'aimait, dit-il d'une voix claire.

Valette plissa les yeux et recula d'un pas.

— Tu quoi ?

— Nous étions amoureux.

Les épaules de Valette s'affaissèrent lamentablement, il porta sa main ravagée à sa bouche, puis la laissa retomber le long de son corps.

— Ça se peut pas, dit-il.

Mathias fixait l'homme désemparé avec curiosité.

— Dis-moi que ça se peut pas, ajouta Valette.

— Votre fils était le plus merveilleux des hommes que j'aie rencontrés.

— Parle pas de lui, parle plus de lui, sale petit con !

La voix de Valette se brouilla, comme s'il venait de mettre la tête sous l'eau, puis il se racla la gorge et cracha aux pieds de Mathias.

— Je sais que c'est pas vrai.

— Je vous avais prévenu, maintenant, il est trop tard pour revenir en arrière.

Un court instant, Mathias eut l'envie folle de poser sa main sur l'épaule de cet homme, qui était malgré tout le père d'Eugène, non pour racheter quoi que ce fût, mais son amour perdu venait de cette chair, de ce sang, et comme Valette ne lui apparut jamais comme ce père, il décida de s'en aller.

— Au revoir, dit-il.

— Bouge pas… Un Valette peut pas être comme tu dis ! cria Valette.

Mathias se mit en route sans tenir compte de l'injonction, léger et serein comme il ne l'avait plus été depuis la mort d'Eugène, pendant que l'autre gueulait derrière lui :

— Tu m'étonnes, qu'on arrive pas à la gagner cette guerre, avec des guenilles dans ton genre… Arrête-toi, je le redirai pas !

Mathias sentait la main d'Eugène dans la sienne, et cette main le guidait. Il entendit des pas précipités derrière lui. Ne se retourna pas. Un violent coup de poing s'abattit sur sa nuque. Ses jambes flageolèrent. Il tomba à genoux et se releva aussitôt en prenant appui sur le sol avec ses deux mains. Puis, il poursuivit son chemin.

— Arrête-toi, bordel !

Mathias marchait dans l'air fissuré par la douleur, et cette douleur était comme une bénédiction, une approche. *Alors, c'est ça.*

Un deuxième coup le frappa au même endroit, avec plus de force encore. Sous la violence de l'impact, Mathias s'affala à plat ventre, son visage contre la terre desséchée. Il respira longuement la poussière, des particules collaient à ses lèvres et entraient parfois dans sa bouche avec un goût de fer. Puis il roula sur le dos. Valette se tenait au-dessus de lui, parodie de démon massacré par le soleil, brandissant comme un pieu la pierre à aiguiser qu'il venait de sortir de son fourreau, et qui ne quittait jamais sa ceinture en ces temps de fauchage.

— Avoue-le, que c'est pas vrai, et je te laisse partir, t'as ma parole.

Mathias cracha la poussière, et sa bouche se tordit en un sourire crépusculaire.

— Avouer, quoi ? Je ne suis coupable de rien, dit-il.

— Tu l'as forcé, hein, c'est ça que t'as fait ?

— Je n'ai forcé personne…

— Putain, tu comprends pas que c'est ta dernière chance.

Mathias regardait maintenant le ciel, indifférent aux paroles de Valette, convoquant un souvenir, comme s'il empruntait un chemin menant à l'âme d'Eugène. Et, d'une voix paisible, il dit :

— Si vous saviez tout le plaisir qu'il m'a…

Valette ne le laissa pas finir, mobilisant toute la puissance de son bras, il écrasa la pierre à aiguiser sur le front de Mathias qui ne cessait de sourire, et la pierre se brisa en deux. Le jeune homme perdit immédiatement connaissance. Valette se mit à genoux, saisit la tête de Mathias à deux mains, la souleva et l'écrasa sur le sol caillouteux, et recommença, s'acharnant en cognant le crâne de toutes ses forces, encore et encore, jusqu'à ce qu'il n'y eût plus à frapper qu'une bouillie de chair et d'os, mélangée aux cheveux, au sang et à la terre. Puis, il s'arrêta de cogner, soufflant toujours comme un bœuf à la tâche, il cracha sur le sol pour tenter de se débarrasser du goût métallique qui lui emplissait la bouche, et laissa retomber la tête flasque, se tenant à genoux au-dessus du corps inerte qui ressemblait désormais à un paquet de chiffons souillés ne contenant plus rien.

— Mon salaud, tu diras plus jamais ce qu'était pas Eugène.

Valette regarda autour de lui. D'une main ensanglantée, il ramassa les deux morceaux de la pierre à aiguiser et les glissa dans le fourreau. Du sang avait giclé sur sa chemise et sur son pantalon, formant des constellations de taches disparates imprégnant le tissu. Le calme régnait sur la montagne. Un grand oiseau de proie montait la garde dans le ciel, et son ombre glissait lentement sur le sol comme un petit ange en perdition. Valette se redressa, marcha jusqu'à la rivière et se lava les mains. En se penchant, il vit son reflet à peine flou, sa chemise couverte d'un sang impur, empoisonné par un mal qui avait contaminé son propre fils, doutant même qu'il fût issu de son propre sang. Alors, il retira sa chemise en hâte, comme si elle lui brûlait la peau, la trempa dans la rivière, et commença à frotter les taches sombres. Devant le sang qui s'étalait au lieu de disparaître, il renonça bien vite. Pas une seule seconde il n'envisagea de remettre son vêtement. Revint près du cadavre, le tira par les pieds sur une longue distance en amont de la rivière, et le dissimula derrière de gros rochers.

Valette demeura immobile un long moment, torse nu, muscles tendus par l'effort sur une carcasse faite de saillies et de crevasses, à fixer le corps à demi immergé, ne sachant pas si c'était cette vision qui le dégoûtait le plus, ou bien le rappel de la tare inavouable de son fils, ce déshonneur inacceptable. « Repose en paix, maintenant, si tu le peux », dit-il en ricanant, comme s'il défiait le cadavre de le provoquer une dernière fois. Le sang qui avait coulé des multiples blessures donnait au visage des allures de masque de bois ciré, éclairé par deux grands yeux bleus redevenus étonnamment expressifs. Valette appuya sa chaussure pour éteindre le regard dérangeant, ne réussissant qu'à laisser l'empreinte de sa semelle sur le visage. Alors il cracha sur le cadavre, et cracha de nouveau, jusqu'à ce qu'il n'eût plus une goutte de salive à cracher. Puis, il s'en alla.

Irène se plia en deux au premier coup de tonnerre, et l'orage n'y était pour rien. Elle renversa le seau de lait. Le liquide gras se répandit sur les pierres et entre les pierres de l'étable, pour finir par se mélanger au lisier. La douleur mordait ses entrailles. Elle posa ses mains sur son ventre, se concentra sur sa respiration pour reprendre peu à peu ses esprits. Une fois qu'elle se sentit suffisamment forte, elle rejoignit péniblement un monticule de paille entreposé de longue date au fond de l'étable, crispant les mâchoires à chaque pas pour ne pas crier. Puis, dos au mur, elle se laissa glisser lentement dans la paille, à l'opposé de la porte, afin que personne ne soupçonnât sa présence.

Le brigand, il arrivait en avance. Ce n'était pas grave, Irène le mettrait au monde, seule. N'avait besoin de personne pour ça, ne voulait surtout aucune aide. Son affaire. Ce prodige conçu pour réparer un corps et en faire apparaître un autre.

Irène sentit le liquide chaud couler sur ses cuisses. Elle se laissa aller en arrière, releva sa robe, jouant des hanches pour retirer sa culotte, la faire glisser avec difficulté le long de ses jambes et passer par-dessus une chaussure. Morceau de tissu, maintenant entortillé autour d'une cheville, comme une misérable brassière souillée.

Ce petit bout d'aubier qu'Irène gardait précieusement dans une poche pour ce jour miraculeux. Mains tremblantes, elle le plaça en travers de sa bouche, le mordit, mobilisant toute la puissance dont ses mâchoires étaient encore capables. Les eaux s'ouvraient, l'enfant tambourinait contre les cloisons utérines avec ses poings, avec ses pieds, avec sa tête, impatient de liberté, se frayant coûte que coûte un passage, comme un soldat dans le goulet d'une tranchée. L'image qui vint alors à Irène sans aucune tristesse.

Elle savait le mystère de la naissance. En avait payé plus que le prix. Plia les genoux, écarta les cuisses, ses chaussures ripaient sur la paille dorée dont les picots marquaient d'astres sanguins le ciel blême de sa peau. Alors, elle inclina les pieds afin de réduire le contact de ses semelles sur la paille, n'apercevant plus dans son regard fiévreux que les bosses osseuses de ses genoux drapés du tissu noir de sa robe, telle une tenture déployée reposant sur deux poteaux, destinée à la protéger de Dieu sait quelles intempéries cette fois-ci. Irène s'en moquait, puisque l'enfant venait et que c'était la seule chose qui comptât pour elle. Mâchoires toujours contractées sur le morceau d'aubier, commissures des lèvres gorgées d'une écume grisâtre. Bête enragée, poussée par l'instinct. Ce moment éphémère durant lequel Irène ne put s'empêcher de maudire le petit être de la faire tant souffrir, la voix de la douleur. Broyant des boisseaux de pailles coupantes entre ses doigts. Des gouttes de sueur perlaient, ressemblant à des têtes d'épingle, et ne coulaient pas. Elle injuria encore le presque-né dans sa tête et, dans ses injures, il y avait toujours le nom de Dieu qui traînait quelque part, car sa souffrance n'était rien d'autre qu'une souffrance humaine, dont elle était immensément fière. Le sacrifice n'était pas vain, ne le serait jamais. À aucun moment, elle ne songea à haïr Valette, il n'existait pas, n'existait plus, n'avait existé que pour lui planter ce bout de chair dans le ventre. Son rôle prenait fin, d'une manière ou d'une autre.

Dehors, des éclairs agrafaient la nuit, et le ciel s'éboulait dans la même seconde. Irène n'entendait rien. Elle pleurait, suppliait la délivrance de venir, mettant toutes ses forces et toute sa volonté au service de la mise au monde du bébé. Un autre orage en elle, bien plus puissant que celui qui sévissait au-dehors. Mordant, soufflant une écume désormais rougie par le sang de ses lèvres entaillées. Elle sentait son corps proche de la libération. Déplia ses doigts crispés sur les brins de paille, frotta ses paumes sur sa robe, se redressa autant que possible, de sorte à placer ses mains en coupe sous sa vulve gonflée et poisseuse. Son cœur pompait le sang au rythme de sa respiration endiablée.

Il lui sembla entendre des bruits au-dessus. Puis, elle perçut une lumière nouvelle épandue dans l'étable, et des poussières de foin qui se promenaient à la surface de cette lumière, comme de minuscules fées curieuses tourbillonnant autour d'elle.

Et il vint. Enfin. Petit Moïse écartelant de sa tête les berges maternelles, et cette tête représentait à elle seule le monde réinventé dans les mains d'Irène. Il n'y eut brusquement plus de souffrance en elle, pas plus de haine dans l'intense relâchement qui suivit, simplement un amour infini pour cet enfant qui rachetait la perte d'un autre, parce que cette vie nouvelle était le paiement considérable en échange d'une perte considérable.

L'enfant était là. Désormais tout entier dans les mains d'Irène, expulsé de sa crevasse douillette, toujours encordé à la paroi vaincue, ses poumons violentés, dans lesquels rampaient déjà des coulées d'air parfumé de l'odeur des vaches et du fumier dont il serait à jamais imprégné. Empêchée par le champ de sa robe, elle le sentait sans le voir. Repliée autour de son bonheur inégalable, elle n'entendit pas le choc sourd derrière elle, comme un sac de grain percutant le sol.

Irène cracha l'aubier sanguinolent et se mit à respirer plus calmement. Elle amena le fils sur son ventre, et s'allongea pour le caresser. Un gloussement muet sortit de sa gorge, un rire bien au-delà de la joie, un rire noyé de folie. « Mon tout petit », dit-elle, maintenant qu'elle tenait fermement le fils entre ses mains pour qu'il ne glissât pas, caressant sa tête et son corps recouvert de mucosités. Serrant le fils avec un étonnement nouveau dans le regard. Elle ralentit le mouvement de sa main, qui finit par s'immobiliser. Ne riait plus. Serrant encore. Serrant plus fort. De l'affolement dans les yeux, et plus le moindre étonnement. Serrant si fort. À ne plus sentir le petit être.

À ne plus rien sentir. Pas même ce fils, porté comme un rachat des souffrances du monde. Alors, un cri monta dans la gorge d'Irène, sortit, comme si elle expulsait les flammes de l'enfer par sa bouche, lorsqu'elle prit définitivement conscience de ses mains collées l'une à l'autre, et dans lesquelles il n'y avait personne.

Un vent chaud se mit à souffler en rafales, et ce vent était comme une corde invisible tirée depuis la vallée par une très ancienne puissance aguerrie, amarrée à des masses nuageuses aux allures de gros rochers sombres décrochés de la montagne. De longs éclairs ruisselaient dans l'air indigo et disparaissaient en sourdes explosions dans les carrières du ciel.

Mathilde sortit en hâte, laissant la porte ouverte. Courbée en avant pour résister au vent de face, elle progressait lentement, sa robe plaquée sur son corps tendu, et ses longs cheveux flottaient en arrière. Parvenue devant l'étendoir, elle se mit à ramasser le linge sec qui claquait sur le fil, recouvrant le bruit du lointain tonnerre. Un drap lui échappa, s'envola et s'enroula autour d'un piquet en une apparition fantomatique. Mathilde s'empressa de le récupérer, puis finit de dépendre le reste du linge. Les bras chargés, elle se dirigea ensuite vers la maison, cette fois, poussée par le vent dans son dos. Avant d'entrer, elle se retourna, appela Joseph plusieurs fois, mais il ne répondit pas. Elle pensa qu'il ne l'entendait pas à cause du vacarme du ciel, qu'il s'était certainement mis à l'abri en entendant l'orage qui approchait, mais tout au fond d'elle un sombre pressentiment creusait sa chair sans qu'elle en connût la raison.

Elle repoussa la porte entrebâillée du pied, entra dans la maison, jeta le linge en vrac sur la table, puis vint près de la fenêtre et colla son visage contre la vitre pour surveiller l'éventuel retour de son fils. Elle sursautait à chaque coup de tonnerre, et son corps reculait alors machinalement, comme bousculé par la déflagration, avant de s'approcher de nouveau à la fenêtre. Une nuit artificielle se déployait au-dessus de la ferme à une allure vertigineuse. Quelques secondes plus tard, Mathilde vit de grosses gouttes d'eau exploser au contact du sol, éparpillant la poussière, comme si une harde de chevaux invisibles galopait dans la cour en tous sens. Alors, un mur liquide s'abattit, annihilant tout espoir d'apercevoir qui que ce soit au travers des carreaux, et un infini chagrin atteignit le cœur de Mathilde.

En vérité, le pire menait la danse dans la tête de Joseph. Il pensait sans cesse au danger prégnant qui menaçait son ange, persuadé qu'il n'en rencontrerait pas d'autre de toute sa vie, que c'était sa chance, et que cela pouvait aussi devenir sa perte, s'il ne prenait pas les choses en main. Il avait entendu dire que les anges n'étaient jamais loin de Dieu, mais ce Dieu, dont on vantait la bonté, Joseph ne lui devait rien, ne comptait plus dessus, depuis que son père était parti. Il s'en foutait, de Dieu, certain qu'il ne pouvait pas le perdre une deuxième fois. Il n'y avait rien à faire pour aider son père. Sauver Anna ne dépendait plus que de lui-même.

Connaissant l'homme, Joseph était persuadé que, s'il n'agissait pas, Valette allait commettre l'irréparable. Ce n'était qu'une question de temps. Si un drame devait se produire, jamais il n'y survivrait. Ne plus repousser le moment d'aller à la ferme de Valette, et ramener Anna chez lui. Il mettrait sa mère devant le fait accompli.

Dehors, des grondements sourds et prolongés faisaient vibrer l'air et le ciel s'assombrissait de minute en minute. L'orage approchait. Un court instant, Joseph pensa à son grand-père, à tout ce qu'il avait promis à sa grand-mère, puis se ferma à leur souvenir pour ne pas chuter dans un puits de doute. Il n'y aurait pas de meilleur moment pour mettre son projet à exécution.

À partir de cet instant. Joseph se déplaça dans l'avenir comme un fantôme. Les oiseaux fuyaient l'orage en se laissant porter par le vent, la végétation se mélangeait à l'encre du ciel, et la certitude illuminait l'horizon de Joseph au fur et à mesure qu'il se rapprochait des Grands-Bois. Il savait que l'acte qui allait naître de cette certitude le délivrerait du mal qui le rongeait, quoi qu'il dût lui en coûter. Tant qu'il n'aurait pas agi, son corps serait toujours un récipient dans lequel le mélange de sentiments contradictoires ne pourrait s'opérer, une eau glacée sous une épaisse couche d'huile. La haine absolue qui empêchait l'amour le plus pur de couler librement en lui. Pour l'instant, garder la haine et la colère. La haine figée, froide, et aveugle. La garder en vue de l'inexorable affrontement.

Depuis le temps qu'il surveillait la ferme de Valette, Joseph en connaissait les moindres recoins. Insensible à la fureur grandissante de l'orage, il se posta à l'angle de la soue à cochons, attendant que le monstre se manifestât. Après quelques minutes, Valette sortit de la maison. Planté devant l'entrée, il laissa aller sa tête en arrière d'un seul coup, et demeura un long moment dans cette position, regardant le ciel chargé de lourds nuages qui venaient à sa rencontre, se balançant légèrement, et reniflant comme un animal évaluant un danger. Puis, il bascula sa tête en avant, cracha, et se mit en marche, manquant se laisser emporter par l'élan, titubant sous l'effet évident de l'alcool. Il se dirigea vers l'étable, toujours brinquebalant, hésita devant la porte fermée. Joseph redouta un instant qu'il vînt vers lui, mais Valette se décida à contourner le bâtiment par l'autre côté, et disparut de son champ de vision. Le jeune homme longea le pignon, jusqu'à l'angle opposé d'où il aperçut Valette qui entrait dans la grange surplombant l'étable. Des gouttes épaisses s'écrasaient sporadiquement au sol. Joseph marcha jusqu'à la lourde porte. Les deux battants étaient entrouverts. Il jeta un coup d'œil à l'intérieur. Valette se tenait dos à lui, l'air de peiner, arc-bouté plus que d'ordinaire pour faire tomber de maigres touffes de foin par la trappe à l'aide d'un croc à quatre dents recourbées. Joseph se glissa dans la grange sans ouvrir davantage.

Il entendit un bruit étrange provenant manifestement de l'étable, une sorte de plainte anoblie par le tonnerre et les gouttes d'eau qui pilonnaient maintenant les lauzes. Valette sembla l'entendre également, puisqu'il arrêta de balancer du foin et tendit l'oreille au-dessus de la trappe. La plainte, ou quoi que ce fût, s'était tue. Il hocha la tête, puis se remit au travail. Des odeurs d'été enfui assaillirent Joseph, des senteurs qui le ramenèrent à Anna, sa beauté, leurs étreintes, leur amour. En observant Valette, Joseph se demanda ce que la beauté pouvait bien signifier pour cet homme, comme s'il eût voulu retarder l'échéance de la confrontation, ou asseoir plus encore sa haine. La beauté, un mot dont Valette ne connaîtrait sûrement jamais le véritable sens, pas même le plus infime degré, comme cette pluie de paillettes ruisselant par la trappe dans l'air incandescent, accrochant au passage des éclats de lumière jusque dans la pénombre. Bien sûr que Valette était incapable de concevoir ce genre de miracle. Pour lui, le foin ne servait qu'à nourrir ses vaches, et l'air à emplir ses poumons. Valette était un monstre capable d'avilir tout ce qu'il regardait, ce qu'il touchait, un monstre guidé par ses instincts les plus primaires, un monstre qui prenait ce dont il avait envie sans demander, les choses, ou les êtres, c'était du pareil au même. Joseph sentit sa détermination se raffermir encore un peu plus. Il serra les poings, avant de parler.

— Valette !

Surpris, Valette lâcha le manche du croc, et l'outil tomba dans l'ouverture. Il manqua chuter en voulant le rattraper. Une fois qu'il eut retrouvé un équilibre précaire, il se retourna, faisant riper ses semelles sur le plancher luisant. Joseph se tenait à moins de cinq mètres du monstre. Il distinguait ses yeux rougis enfoncés dans leur orbite, comme rongés par un acide puissant. Valette se tassa sur lui-même, et son cou disparut presque dans le col de sa chemise. Bras ballants, son corps envenimé par l'alcool se mit à gîter d'un côté et de l'autre et il pencha sa tête de côté et ses paupières papillonnaient sans cesse.

— Qu'est-ce que tu fais là, toi ? demanda-t-il sans élever la voix.

Même amoindri par les effets de l'alcool, Valette impressionnait encore Joseph. Le jeune homme sursauta quand un éclair ensemença la grange d'une vive lumière, transformant la silhouette de Valette en une apparition plus monstrueuse encore. Puis, l'apparition redevint cet homme vulnérable, qui tenait à peine debout. Joseph puisa un supplément de courage, et il inspira longuement.

— Je suis venu la chercher, dit-il.

Les paupières de Valette se figèrent.

— Chercher quoi ? dit-il en balançant le buste d'avant en arrière cette fois.

— Anna, je suis venu la chercher.

— Tu manques pas d'air, gamin, tu crois que tu peux venir me menacer chez moi et t'en tirer comme ça ?

Valette jeta un bras, comme s'il voulait frapper le jeune homme, pourtant trop éloigné, et faillit trébucher, emporté par le mouvement.

— Fous le camp !

Joseph ne bougea pas.

— Je crois pas que vous soyez en état de me dire ce que je devrais faire, dit-il.

— Même soûl, je peux t'écraser comme la merde que t'es, si je veux.

— J'ai pas peur de vous…

Joseph avança d'un pas. Valette eut un mouvement de recul. Jamais personne ne l'avait provoqué de la sorte.

— Je te tuerai, t'entends… Si tu t'en vas pas, je te tue, dit-il d'une voix hésitante qui avait du mal à se faire entendre par-dessus le grondement du tonnerre.

Tout en parlant, Valette cherchait autour de lui quelque chose qu'il ne semblait pas trouver, un objet pour se défendre, ce croc tombé dans l'étable. Recula machinalement, et se retourna dans le même temps, se retrouvant au bord du vide, pantelant. Les yeux écarquillés, il se mit à faire des mouvements désordonnés avec ses bras, comme si un tel artifice pouvait repousser durablement sa masse en arrière. Joseph le regardait faire. Une simple chiquenaude aurait suffi à faire tomber le monstre. Il n'intervint pas. N'eut pas besoin. Valette vacilla, puis bascula. Jambes gobées par l'ouverture, il tenta de se raccrocher au rebord. Sa mauvaise main. Glissa en criant, entraînant avec lui l'herbe éparpillée sur le plancher. Il s'écrasa sur le dos quatre mètres plus bas. Un long râle se fit entendre et se propagea dans tout le bâtiment, se mêlant au bruit de la pluie et au grondement du tonnerre, si bien qu'il fut bientôt impossible de les distinguer. Joseph s'approcha lentement de la trappe. Tremblant, il découvrit Valette allongé sur une couche de foin insuffisante à amortir une chute. Des brins d'herbe lui pailletaient le visage, de sa bouche torturée sortaient d'immondes borborygmes, et ses jambes ne bougeaient pas. Joseph observait la scène avec curiosité, et aussi une certaine fierté, comme s'il eût lui-même poussé Valette, comme s'il l'eût voulu au plus profond de son être, et que cela fût suffisant à l'accomplissement de cet acte définitif. Il ne lui vint pas une once de pitié pendant qu'il soutenait le regard ébahi du monstre, un homme désormais grotesque, ainsi cloué lamentablement au sol, puisqu'il semblait évident qu'il ne se relèverait pas. Qu'il n'avait plus qu'à mourir.

Les tremblements de Valette s'estompèrent peu à peu, puis il finit par s'immobiliser. Il tenta désespérément de prendre appui sur ses coudes et renonça aussitôt. Parvint simplement à lever un bras en l'air, à l'extrémité duquel était enchâssée l'immonde main ressemblant à une souche pourrie arrachée de terre, qu'il tendit alors, non comme s'il implorait une aide, mais comme s'il eût voulu étrangler celui dont le visage était inscrit dans l'ouverture de la trappe, en étrangler l'image, qu'il fut tout aussi impuissant à atteindre. Le bras retomba, la main disparut de son champ de vision, et peut-être même qu'il avait rêvé l'apercevoir, qu'il n'avait jamais eu cette force-là. Ce qu'il voyait toujours, c'était ce visage haï qui emplissait son regard, dans l'inconditionnelle démesure de ses yeux plantés sur le responsable de sa douleur, ou plus exactement le responsable de l'absence de sa douleur, puisqu'il ne souffrait pas, et que c'était cela la pire des douleurs, ne rien ressentir. Par chance, il avait évité le croc de peu, mais, en percutant violemment le sol, quelque chose s'était brisé, quelque chose qui lui interdisait précisément la douleur, quelque chose de fondamental, d'irréparable, qui l'empêchait de bouger, et même de parler. Alors, il comprit. Il implora la mort de le prendre sur-le-champ. Il se mit à pleurer, suppliant Joseph du regard de descendre l'achever.

Joseph jeta un dernier coup d'œil au corps inerte en contrebas, puis il quitta la grange en refermant les deux battants derrière lui. Peu importait ce qui se passerait ensuite. L'essentiel était accompli. Le monstre était vaincu.

Valette espéra la mort si fort, qu'il crut apercevoir une forme humanoïde blafarde émerger du fond de l'étable, se déplaçant à quatre pattes, comme un démon surgi de l'enfer pour l'y accompagner. Ce n'était pas un démon qui s'avança, puis se tint un moment au-dessus de lui, à le regarder, puis à regarder le croc, puis lui de nouveau. Ce n'était pas un démon, mais quelqu'un qu'il connaissait, et qui allait le délivrer. Il fallait qu'il le délivre. Valette ferma les yeux et attendit. Il ne sentit rien lorsque Irène s'assit près de lui, souleva sa tête et la posa sur ses cuisses nues maculées de croûtes de sang, pas plus qu'il ne sentit la main caressant son front. Il entendit simplement sa voix, la comptine qu'elle chantait jadis pour bercer son enfant, la seule qu'elle eût apprise. La mort ne daigna pas venir ce jour-là. La mort, Valette ne cesserait de l'appeler de ses vœux à chaque instant d'une agonie qui allait durer dix-huit années, veillé par une folle.

Des trombes d'eau poussées par le vent s'abattaient au dehors. Joseph ne distinguait presque rien au travers de l'épais voile de pluie qui biaisait le ciel par intermittence. Il patienta un instant sous l'avant-toit, nullement par peur d'affronter l'orage, les idées en désordre, à se demander où il devait aller maintenant, ce qu'il devait faire. Le chéneau débordait, incapable de contenir l'eau qui glissait de la pente du toit, comme crachée par une armée de gargouilles. Petit à petit, ses yeux s'habituèrent, et il lui sembla alors distinguer une silhouette.

Puis ce fut tout.

Se dirigeant vers la terre à une vitesse folle, une boule incandescente traversa les nuages sur son passage et se fracassa au sol, comme si, depuis des profondeurs infinies, Dieu lui-même venait de désigner une proie à détruire. Son jugement était irrévocable, implacable. Joseph tomba au sol. Se retrouva instantanément refoulé du monde dans lequel il venait d'infléchir le destin d'un homme par sa seule volonté, fût-il le pire des monstres. Maître d'œuvre d'une vengeance tant souhaitée, qu'elle avait fini par arriver, une vengeance pleinement assumée, même s'il lui fallait maintenant en payer le prix. Il ne sentait plus son corps. Sa tête était emplie de l'explosion, de son écho tonitruant, et ses oreilles bourdonnaient d'une musique atone. Ainsi privé de tout lien avec sa propre matérialité, il eut la sensation indolore, presque agréable, qu'un fluide cherchait à sortir de lui par tous les moyens, et il ne songea même pas à le retenir. Il pensa à sa grand-mère, au questionnement qui lui était apparu au moment de sa mort, de savoir à quel moment finissait une vie. Et ce moment était venu pour lui. Il pensa à son grand-père, aussi à l'histoire qui ne faisait que se répéter. Acceptant la sentence de la foudre, son héritage.

Puis ce fut tout.

La tête maintenant vide, Joseph entendait le roulement diffus du tonnerre, le crépitement de la pluie qui tombait désormais régulièrement, sans à-coups, carillonnant à l'intérieur des dalles, comme si ce n'était pas le Joseph qu'il avait connu qui recevait ces informations, mais un autre, détaché de celui d'avant. Le Joseph d'un monde parallèle. La silhouette lui apparut de nouveau, la vision qu'il avait eue avant la foudre. Ce corps recouvert lui aussi de boue, ce corps adoré, aimé plus que tout. Elle. Anna. Une vision qui ne le quitterait jamais, où qu'il se trouvât, car il ne savait alors s'il avait pénétré le royaume des morts, s'il en était ressorti, ou s'il était seulement à sa porte. Les yeux fermés. Visage plaqué contre le sol, prêt à subir tous les châtiments, sachant qu'il ne renoncerait jamais à cette image issue de la terre profonde, et qui montait vers lui. Qui se révélait. Cette silhouette qu'il pétrissait, et perfectionnait dans la glaise de son regard. Son chef-d'œuvre. Anna. Magistrale perfection de l'image devenue corps, et âme. Tout à la fois. Anna, maintenant si proche qu'il ressentait intensément sa chaleur. Et lorsqu'il se releva, ouvrant enfin les yeux, il la vit.

Et ce fut tout.

Depuis combien de jours la voiture trônait-elle sur la place du village ? Personne n'aurait pu l'affirmer avec certitude. Sept jours. Certains s'y étaient intéressés au début, puis la curiosité et la convoitise s'étaient transformées en indifférence, face aux malheurs qui les accablaient, si bien que tous, sauf elle, avaient fini par ne plus la voir, élément du décor planté là depuis toujours, de la même façon qu'ils finiraient plus tard par ne plus remarquer le monument dont elle matérialisait innocemment l'emplacement.

Les journaux relataient les combats. En haut lieu, on avait ordonné aux journalistes de ne pas trop en dire l'horreur, afin de ne pas miner le moral des familles et des futurs mobilisés. En Artois, en Champagne, peu importait l'endroit du front où cela se passait, les soldats s'étaient enterrés. Victor avait creusé, comme les autres. Il savait faire. Habituellement pour enfouir une bête morte de maladie, d'accident ou de vieillesse, mais jamais des corps. Le monde à l'envers. À la surface, il n'y avait plus d'herbe, plus d'arbres, rien que des rats, des cadavres, et de l'acier, rien qui valût que l'on sortît. Et pourtant, Victor n'aurait pas le choix, une nouvelle offensive était programmée pour bientôt.

Au village, les Brousse étaient en deuil.

Elle était inquiète. Mathias avait quitté le bourg la veille, et n'avait plus reparu. La résolution des deux poivrots de ne pas remettre les pieds dans son auberge avait fait long feu. Ils s'étonnèrent de ne pas voir le jeune homme. Elle répondit avec emportement, qu'il faisait bien ce qu'il voulait, qu'elle n'était pas derrière son dos pour le surveiller, et ils la regardèrent d'un air suspicieux, comme on regarde quelqu'un qui sait des choses et ne veut pas les dire. Elle s'en foutait éperdument de ce qu'ils pouvaient bien imaginer. Elle était inquiète. Elle avait d'abord pensé à un accident, mais le jeune homme commençait à connaître ces montagnes, à force de longues promenades, et en cette saison qu'aurait-il pu lui arriver ? Elle revit alors les yeux de Mathias avant son départ, cette détermination qui les fonçait plus que d'ordinaire, et elle comprit brusquement ce qui c'était passé, pourquoi Mathias arpentait cette montagne depuis des jours, si loin de chez lui, et ce qu'il avait voulu lui faire comprendre la veille au matin, sans un mot, simplement d'un regard et d'un sourire. Cette complicité entre eux. Une cachette, un abri, pour échapper à la guerre, voilà ce qu'il cherchait. Puisque tout valait mieux que de retourner dans l'enfer qui ne cessait de brûler dans ses yeux, même le déshonneur. La fin de sa permission devait approcher. Mathias ne reviendrait sûrement pas et, si tel était le cas, elle ne signalerait pas sa disparition, de peur que les gendarmes partent à sa recherche pour le faire fusiller comme déserteur.

Seuls les gens du village savaient qu'il se trouvait ici. Elle abandonna les deux poivrots, monta dans la chambre du jeune homme et, par précaution, rassembla ses affaires, c'est-à-dire bien peu de choses, ce qui la conforta dans son idée qu'il avait emporté l'essentiel. Puis elle les cacha dans sa propre armoire, avant de retourner dans la chambre pour y mettre bon ordre. Quant à la voiture, tout en refaisant le lit, l'idée lui parut évidente, elle dirait qu'elle était en panne et que Mathias s'était vu contraint de rejoindre la gare de Salers à pied pour ne pas être en retard à l'appel, qu'il viendrait la chercher à sa prochaine permission, ou bien après la guerre, ou peut-être jamais. Personne ne songerait à vérifier si la voiture fonctionnait. Elle la ferait remorquer derrière l'auberge, la recouvrirait d'une bâche et nul n'y penserait plus. À part elle. Aussi simple que ça.

Lorsqu'elle redescendit, les vieux buvaient en silence. Elle s'avança sereinement jusqu'au palier. La porte était restée ouverte. Elle regarda un moment l'automobile flotter dans la lumière vespérale, puis se retourna vers l'intérieur de l'auberge, et ses yeux se posèrent sur la patère, à l'exact emplacement où le chapeau de son mari n'était plus accroché, ce que personne ne remarquerait jamais, à part elle.

Épilogue

Accablé de chaleur, le troupeau progresse dans une ondulation de laine épaisse. Marée d'échines semblables couleur de sable desquelles s'échappent parfois des poussières mises à mort dans l'instant par les rayons du soleil. Bélier cornu en tête, habile à effacer la rocaille, le cordon vivant glisse sur un étroit sentier en pente douce, suivi du berger et de son chien au pas.

Le berger cligne des yeux à l'approche de l'horizon liquide qui se profile en contrebas, scintillant comme une rivière de diamants dévalant le cou de la montagne, assagie un temps par un replat. Les animaux n'ont nul besoin de voir, le regard accroché au mètre suivant, ils sentent, endiablent le rythme de leurs frêles pattes, donnent de la voix, et des cloches tintent plus fort. Puis, le troupeau se délite, se répartit le long de la berge dans un ordre qui semble évident à tous. Ils boivent, relèvent la tête et replongent leurs lèvres aussitôt. Boivent tout leur soûl.

Le chien s'écarte des bêtes, s'approche de la rivière, et se met à laper avidement en faisant de grandes éclaboussures tout autour de sa gueule, relevant la tête de temps à autre pour surveiller les moutons. Le berger décroche une gourde en peau de chèvre de sa ceinture et se désaltère d'une eau tiède, à petites gorgées, puis essuie d'un revers de manche de chemise les gouttes prises dans sa barbe et replace le bouchon. Il observe un moment le troupeau, puis laisse dériver son regard alentour. Aperçoit un objet abandonné au sol à une vingtaine de mètres, ressemblant à une grosse tête de coulemelle basculée. Il s'en approche, se penche, ramasse le chapeau, le tourne et le retourne dans ses mains d'un air circonspect, un chapeau de belle facture, comparé au sien usé et taché de sueur, qu'il retire alors pour essayer l'autre, avant de le plier et de le glisser dans son havresac. Content de sa découverte, sans plus se poser de question, il va s'asseoir sous un frêne pour profiter de l'ombre et de la fraîcheur de la rivière, se reposer. Le courant ronronne et l'eau cliquète parfois sur des rochers en grande partie dénudés. Le berger sombre lentement dans une paisible torpeur, ses paupières s'alourdissent. Il s'allonge, cale sa tête sur une racine et rabat le chapeau sur ses yeux. Somnole. Le temps se repose, lui aussi écrasé de chaleur.

Après quelques minutes imprégnées d'une quiétude poisseuse, le berger est réveillé en sursaut par les aboiements de son chien. Il ne saurait dire combien de temps il a dormi, ni même s'il a véritablement dormi. Peste contre l'animal, qui lance sa gueule en avant, grogne, regard en l'air. Le berger retire son chapeau, se redresse, met une main en visière et lève les yeux vers le ciel. Quelque chose tournoie comme le rayon d'une roue de charrette emballée, avant de terminer sa chute dans un canyon abrupt situé en amont. Le chien continue d'aboyer, fixant toujours le ciel. « Callaté ! » lui crie le berger, mais rien n'y fait. En altitude, un rapace entame sa descente, majestueusement porté par ses larges ailes sombres, et le reste de son corps est une flamme.

Le berger connaît ce genre d'oiseau, il sait ce qu'il a laissé choir de son bec, ce qu'il poursuit maintenant. Bientôt, il le regarde disparaître derrière les rochers, et replace le chapeau sur sa tête. Puis il rejoint son chien, le caresse d'un aller-retour de sa main sur la tête, et lui ordonne de se coucher, de l'attendre là. L'animal regarde son maître escalader l'éboulis qui mène au canyon en se lamentant.

Après avoir parcouru une centaine de mètres, le berger déloge le rapace, qui s'envole et va se poser un peu plus loin sur un piton rocheux, observant de ses yeux aiguisés ce qu'il vient d'abandonner à regret. L'homme aperçoit une forme coincée entre deux rochers rabotés comme de vieilles molaires, qui dévie l'arroyo. Il s'approche d'une démarche hésitante, et l'eau butte sur ses tibias, s'approche suffisamment près pour voir distinctement la digue de tissu, silhouette désarticulée, en partie consommée par les charognards et les écrevisses. Des cheveux blonds et des lambeaux de vêtements flottent dans le maigre courant, révélant par endroits des os ressemblant à des racines traçantes de peuplier. Le berger ne saurait dire s'il s'agit d'un homme ou d'une femme, tant le corps est saccagé. Il laisse aller son regard, cherche d'où la victime a bien pu chuter, mais, à l'évidence, il n'y a pas le moindre aplomb suffisamment haut ni suffisamment proche pour provoquer la mort de quelqu'un.

Le berger fait les quelques pas qui le séparent du corps, puis se courbe sur le visage aux orbites vides qui semblent l'accuser de son retard. Une coulée acide reflue dans sa gorge. Il se détourne de la vision cauchemardesque. Jambes flageolantes, il remonte le cours d'eau sur une dizaine de mètres, découvrant sur un rocher plat ce que l'oiseau a laissé choir, un os brisé, empli de moelle. Il observe longuement les fragments, comme s'il avait le pouvoir de les recoller. Puis il se penche au-dessus de l'eau, asperge son visage à deux mains, trempe ensuite son mouchoir et l'appuie sur sa nuque en fixant le puy Violent. La montagne lui apparaît alors comme une gigantesque pierre tombale cerclée d'herbes jaunies émergeant de la roche.

L'oiseau n'a pas bougé de son perchoir. L'homme jette un dernier regard au cadavre. Il n'a plus qu'une seule envie désormais, retrouver ses bêtes et quitter ce lieu de mort.

Le chien s'est replié à l'ombre du frêne. Le berger siffle pour lui ordonner de rameuter le troupeau, et c'est ce qu'il fait, avec application. Les bêtes se mettent aussitôt en ordre pour traverser le gué et rejoindre l'étroit goulet conduisant à sa cahute.

Après quelques minutes de marche, le berger entend un long cri, se retourne, voit le rapace escalader le ciel, comme s'il empruntait un escalier en colimaçon pour s'en aller défier la lumière, et son corps s'amenuise et vacille dans un éther brûlant où grossit le silence.

Le berger baisse les yeux, sa tête lui tourne. De minuscules particules se mettent à voltiger sur la nuit de son ombre qui s'étire sur la sente. Il s'arrête un instant, reprend ses esprits, puis allonge la foulée pour refaire le retard qu'il a pris sur le troupeau.

Plus bas, le chemin s'élargit, annonçant une vaste forêt de sapins pectinés. Certains arbres sont recouverts de cocons de chenilles ressemblant à des voilages usés jusqu'à la corde.

Deux heures plus tard, le troupeau rejoint une cabane de pierres sèches, coiffée de bardeaux lestés de grosses caillasses. Les animaux se précipitent, s'agglutinent autour d'un abreuvoir creusé dans un tronc, et s'immobilisent à la manière de grains tétant un épi. Le berger s'assoit sur un rondin, à l'ombre de la resserre à bois. Sort un briquet et sa blague à tabac d'une poche de pantalon, coince une feuille de papier à cigarette entre ses lèvres. Ses doigts tremblent en faisant tomber les brins dans la goulotte de Job qu'il scelle de salive. Puis, il porte la cigarette à sa bouche, l'allume en tournant plusieurs fois la mollette du briquet avec son pouce pour que naisse une flamme bleutée, inspire longuement et expulse la fumée dans un soupir. Le souvenir du cadavre n'en finit pas de rebondir dans sa tête. N'en finit plus.

Les animaux abreuvés, sa cigarette terminée, le berger parque le troupeau dans un corral fait de rondins, puis revient à sa cabane. Face à la porte fermée, il hoche la tête, comme s'il se faisait un reproche à lui-même, et se met en route pour le village, pensant que sûrement les gens voudraient savoir, et que, peut-être, la révélation d'un tel événement lui permettrait de mieux se faire accepter d'eux. Lui, l'étranger. Ce village où il n'a pas mis les pieds depuis des mois, là où femmes et vieillards portent du noir. Là où les enfants s'apprêtent à s'en vêtir, là où les hommes ont disparu pour une guerre qui ne lui appartient pas. Alors, il ralentit son pas, s'arrête, contemple les montagnes et la vallée où vivent des gens à qui il ne doit rien, puis fait demi-tour et s'en retourne auprès de ses bêtes impassibles.

Peut-être plus tard.

À la mémoire des enfants de Saint-Paul-de-Salers morts pour la France

Maurice PIONIER 20/08/1914
Jean AUBERTY 22/08/1914
Louis ROCHE 04/09/1914
Joachim THERS 16/09/1914
Paul JOANNY 17/09/1914
Joseph CHAMBON 26/09/1914
Georges JARRIGES 27/09/1914
Pierre BORDES 29/09/1914
Jean CHAMBON 30/09/1914
Pierre CHAUVET 12/11/1914
Firmin FAGOL 13/12/1914
Jean ANDRIEU 14/02/1915
Eugène VALETTE 18/02/1915
Firmin RONGIER 10/04/1915
Pierre BROUSSE 20/07/1915
Pierre BESSON 25/09/1915
Henri RONGIER 23/10/1915
Henri AURIAC 22/03/1916
Antoine BORNE 22/06/1916
Jean-Marie SENAUD 01/09/1916
Antoine RIGAUDIERE 29/09/1916
Antonin LAMOUROUX 05/11/1916
Pierre CHAMBON 02/05/1917
Jean-Marie BARRIER 03/06/1917
Gilles CAPY 11/04/1917
Joseph LIZET 05/10/1917
Jean-Marie CHANUT 18/1918
François DELTEIL 17/07/1918
Auguste MANAUD 23/07/1918
François CHAUVET 04/08/1918
Antoine JOANNY 26/09/1918
Louis APCHE 26/09/1918
Pierre FREYSSINIER 27/09/1918
Joseph LARY 27/09/1918
Léon JOANNY 05/10/1918
François RIGAUDIÈRE 30/04/1919

REMERCIEMENTS

Merci à Aurélie Janssens, pour la justesse et l'acuité de son regard.

Merci à Sébastien Lavy pour sa lecture attentive, nos longues discussions, et aussi pour les nourritures célestes.

Merci à Léon-Marc Lévy, pour son soutien de la première heure, sa foi en cette *Glaise*, et ses remarques toujours pertinentes qui m'ont permis d'aller au bout de mes intentions.

Merci à Viviane Reyrolle pour ses judicieuses précisions historiques, et au-delà même.

Merci à Pierre Demarty pour les longs chemins d'écriture, que je n'emprunte jamais vraiment seul.

Franck Bouysse au Livre de Poche

Grossir le ciel n° 34007

Les Doges, un lieu-dit au fin fond des Cévennes. C'est là qu'habite Gus, un paysan entre deux âges solitaire et taiseux. Ses journées : les champs, les vaches, le bois, les réparations. Des travaux ardus, rythmés par les conditions météorologiques. La compagnie de son chien, Mars, comme seul réconfort. C'est aussi le quotidien d'Abel, voisin dont la ferme est éloignée de quelques centaines de mètres, devenu ami un peu par défaut, pour les bras et pour les verres. Un jour, alors que l'abbé Pierre disparaît, tout bascule : Abel change, des événements inhabituels se produisent, des visites inopportunes se répètent. Un suspense rural surprenant, riche et rare.

Plateau de Millevaches. Judith et Virgile tiennent une petite ferme dans un hameau. Le couple a élevé Georges, un neveu dont les parents sont morts dans un accident de la route quand il avait quatre ans. Il vit dans une caravane tout près de chez son oncle et sa tante. Lorsqu'une jeune femme vient s'installer chez lui, lorsque Karl, ancien boxeur tiraillé entre pulsions sexuelles et croyance en Dieu, emménage dans une maison du même village, et lorsqu'un mystérieux chasseur sans visage rôde alentour, les masques s'effritent et des coups de feu résonnent sur le Plateau. Une écriture ciselée pour exprimer la rudesse du paysage et la profondeur des caractères. Comme *Grossir le ciel*, noir et bouleversant.

Composition réalisée par PCA

Achevé d'imprimer en juin 2019, en France sur Presse Offset par
Maury Imprimeur – 45330 Malesherbes
N° d'imprimeur : 237457
Dépôt légal 1re publication : octobre 2018
Édition 04 – juin 2019
LIBRAIRIE GÉNÉRALE FRANÇAISE – 21, rue du Montparnasse – 75298 Paris Cedex 06